D1301142

Stéphane CHATILLON

Docteur en Droit
Diplômé de l'Institut d'Études Politiques de Paris
Avocat à la Cour

Pourquoi la DIVISION SYNDICALE ?

Préface de

Jean CARBONNIER

Professeur à la Faculté de Droit de Paris

ÉCONOMICA
49, rue Héricart, 75015 Paris
1978

PREFACE

L'attirance que Monsieur Stéphane Chatillon avait éprouvée pour l'aspect sociologique des choses du droit pendant ses études juridiques, puis pour les questions de droit social dans son activité de praticien, explique aisément qu'il ait choisi les scissions syndicales pour matière de son premier livre. Car la scission d'un groupe, quel qu'il soit, est un fructueux champ d'observation pour le jurissociologue : *mieux que la constitution ou même la dissolution du groupe, elle est le moment de vérité, par le jeu même de la contradiction interne et éventuellement du procès. Et puis, à parcourir le droit social, celui des rapports interindividuels, donc des droits individuels, on s'aperçoit très vite que les syndicats y sont partout présents, tantôt législateurs, tantôt exécutifs, ou presque, par consultations ou pressions interposées - bref assumant des fonctions étatiques en un décalque diffus. Si bien que, pour systématiser cette branche du droit qui demeure pourtant de droit privé, il ne serait pas irrationnel de commencer par une analyse quasiment de droit constitutionnel, voire de droit des gens, portant sur les pouvoirs des Etats dans l'Etat (expression qui fut jadis explosive, mais que, de nos jours, les doctrines du pluralisme juridique nous autorisent à reprendre dans un sens apaisé). Or, les Etats aussi connaissent des scissions. Notre époque en témoigne, qui a dû enregistrer de ces coupures ou déchirures, qu'elles se soient dessinées sur des lignes ethnographiques, exemple Chypre, ou bien, ce qui nous rapproche du sujet, sur des lignes idéologiques, les deux Allemagnes, les deux Corées, les deux Chines. A croire que la leçon de la Genèse (13 : 8-9) a été entendue : « Nous sommes frères... Sépare-toi donc de moi ; si tu prends à gauche, j'irai à droite... » C'était pour mettre fin à des rixes entre bergers.*

Sur ce thème aux résonnances multiples, Monsieur Chatillon a fait une œuvre d'historien. Ayant distillé l'essentiel d'une documentation très vaste, il a reconstitué avec limpidité le processus des trois grandes scissions, ces batailles de sigles : C G T / C G T U, C G T / F O, C F T C / C F D T. Mais c'est encore un devoir d'historien que d'essayer de démêler, majeures ou mineures, les causes des évènements. Un chapitre est consacré à cette enquête de causalités, chapitre perspicace et, pensons-nous, objectif, même si l'Auteur y exprime ses préférences (quel historien a jamais pu cacher les siennes ?).

On remarquera que les pages relatives au fait même des scissions sont précédées d'un tableau d'ensemble du syndicalisme français. Ce n'est point par simple souci de mettre en place un décor. Tels qu'ils se dégagent de l'examen auquel Monsieur Chatillon a procédé sans complaisance, les caractères généraux de notre syndicalisme ouvrier contribuent à expliquer une certaine facilité des scissions. C'est un syndicalisme fragile, d'une fragilité qui affecte chez nous maintes manifestations de l'industrialisation (peut-être parce que celle-ci, malgré l'illusion des statistiques, n'a que faiblement entamé l'épaisse couche du passé rural). Minoritaire et néanmoins divisé, chargé d'une frange (qui peut être lourde) d'instables, plus pauvre qu'il n'est permis d'être pauvre en pays riche – on se dit que le syndicalisme français est condamné à faire bien pâle figure en comparaison des syndicalismes réputés sérieux du Septentrion. Et pourtant, toute balance faite, ceux-ci n'ont peut-être pas obtenu pour leur classe ouvrière beaucoup plus que celui-là. L'inefficacité qui paraissait physiquement fatale n'est-elle pas compensée par ce mélange de débrouillardise et de roublardise qui est regardé, suivant les points de vue, comme une qualité ou un défaut de la nation ? C'est bien possible. Mais, pour ma part, je ferais volontiers honneur du résultat à la valeur toute militaire des militants. Chaque fois qu'il m'a été donné de les voir à l'action, j'ai admiré leur habileté tactique et même stratégique, leur rapidité à mesurer le rapport des forces, la sûreté avec laquelle ils appréciaient le point jusqu'où, selon la formule banale, il ne fallait pas aller trop loin. A telles enseignes que je me suis souvent demandé pourquoi notre gouvernement ne s'était pas arrangé pour incorporer au Quai d'Orsay, d'une manière ou d'une autre, quelques-uns de ces négociateurs consommés : ils sauraient mener, non point avec nos ennemis (nous n'en avons plus), mais avec nos partenaires *(puisque, là, pareillement, le mot est employé), une diplomatie qui ne serait ni molle ni candide.*

Chaque scission ayant eu sa singularité historique, on ne peut affirmer que notre droit possède un régime juridique des scissions syndicales en général. Mais les ruptures constatées ont eu des suites juridiques, et même dans deux cas sur trois contentieuses. C'est, dans ce livre, l'objet de l'«épilogue» – titre trop modeste si l'on considère l'ampleur des développements, suggestif toutefois, car, lorsque le droit est intervenu, il est vrai que le drame était déjà dénoué, la scission acquise dans les esprits. Ce n'est pas que le droit et le procès n'aient été que des épiphénomènes. La scission laissait en opposition des intérêts, pécuniaires et moraux, entre lesquels il fallait bien statuer : le divorce ne s'arrête pas à la sèche décision de dissoudre le mariage. Les juristes sauront gré à Monsieur Stéphane Chatillon d'avoir sérié, donc clarifié, les problèmes, d'avoir repris, en les approfondissant, les discussions. La jurisprudence semble avoir été ici très empirique. Mais pouvait-elle inventer d'autres types de solution ? Nous avons rencontré un juge qui se voulait aussi rusé que Salomon : il proposait d'adjuger la caisse et le drapeau à celle des deux confédérations qui accepterait de s'afficher comme la vieille. *Il misait sur cette peur de n'avoir pas l'air assez jeune qui est une des maladies de notre temps. Mais il en eût été pour les frais de son stratagème: les syndicats aiment bien se réclamer des ancêtres, même s'ils en abandonnent les idées. Ils ont la maxime jauressienne pour se rassurer : le fleuve n'est jamais plus fidèle à sa source que lorsqu'il s'est englouti dans la mer - ou à peu près. Telle est la puissance des métaphores.*

Jean Carbonnier
Professeur à la Faculté de Droit de Paris

ABREVIATIONS

Nous avons utilisé au minimum les abréviations, les limitant à celles dont nous donnons ci-dessous la liste :

Civ.	Chambre Civile de la Cour de Cassation
Soc.	Chambre Sociale de la Cour de Cassation
C.E.	Conseil d'Etat
D.	Recueil Dalloz
J.C.P.	Jurisclasseur périodique (Semaine Juridique)
J.O.	Journal Officiel
Nom de ville	Désigne une Cour d'Appel siègeant dans cette ville
Rec. ou Lebon	Recueil des arrêts du Conseil d'Etat
R.T.D. Civ.	Revue Trimestrielle de Droit Civil
R.T.D. Com.	Revue Trimestrielle de Droit Commercial
S.	Recueil Sirey
T. Civ.	Tribunal Civil
T.G.I.	Tribunal de Grande Instance

INTRODUCTION

L'unité syndicale, vieux rève des luttes ouvrières, n'existe pas en France. Trois grandes centrales se partagent l'essentiel des syndicats de salariés, la CGT, la CGT-FO et la CFDT. Pour avoir un tableau complet des grandes organisations syndicales de salariés en France, nous devons ajouter la CFTC et la CGC, ainsi que la FEN et plusieurs autres centrales de moindre importance. Cette unité existera-t-elle un jour ? Il est permis d'en douter, au moins à terme prévisible. Il existe en effet des divergences fondamentales entre les grandes organisations syndicales françaises. Ces divergences sont aussi profondes que celles qui divisent socialistes et communistes, et que révèlent au grand public les dissensions actuelles au sein de l'Union de la Gauche (1). Dans la mesure où le mouvement syndical est précisément une des formes dans lesquelles s'exprime la gauche, il nous semble que, comme l'unité de la gauche politique, l'unité syndicale est loin de pouvoir être reconstituée en France, d'autant plus que les fusions qui ont pu se réaliser jusqu'ici ont immanquablement entraîné une scission des minoritaires.

Mais le syndicalisme est aussi un phénomène essentiellement politique et les évènements récents ont confirmé cet enseignement (2), le combat syndical étant indissociable du combat politique, n'en déplaise à ceux qui comme les dirigeants de la CGT-FO invoquent, légitimement mais nous semble-t-il en ignorant les réalités politiques et sociales, la célèbre Charte d'Amiens. La CGT et la CFDT ont tenu compte de cette analyse des réalités et soutenu le Programme Commun et l'Union de la Gauche à l'occasion des

(1) Annie Kriegel, « Les contradictions internes de l'union de la gauche » (*Le Figaro*, 21 octobre 1977).

(2) Intervention d'Edmond Maire au Club de la Presse d'Europe n° 1 critiquant la stratégie du Parti Communiste (*Le Monde*, 11 octobre 1977) ; Interventions de la CGT et de la CFDT dans la campagne pour les législatives de mars 1978 en faveur du Programme Commun et de l'Union de la Gauche.

législatives de mars 1978, ne craignant pas de marquer leur déception en face des résultats du scrutin et leur regret de devoir négocier avec un gouvernement ne correspondant pas à leurs espérances. Telle est la force des réalités sociales sur les idéologies.

Ces conclusions sont la conséquence de cette étude des scissions syndicales que nous vous proposons et dont nous pouvons assurer qu'elle avait été entreprise sans a priori, avec le seul désir de mieux connaître un des phénomènes essentiels de notre temps (1). Les faits récents d'ordre politique, syndical ou politico-syndical, confirment malheureusement cette analyse à la lumière de laquelle cette étude nous semble devoir être lue.

(1) Les scissions syndicales, le phénomène social et ses conséquences juridiques : Etude historique et juridique des scissions CGT/CGTU, CGT/CGT-FO, CFTC/CFDT, (Thèse Paris 2, 1975).

PREMIERE PARTIE

CARACTERES GENERAUX DU SYNDICALISME FRANCAIS

Lorsqu'on dresse un tableau du syndicalisme français, trois caractéristiques apparaissent. Ce syndicalisme est divisé, minoritaire et pauvre. Il est alors permis de se demander si, malgré ses divisions, malgré son caractère minoritaire et malgré sa pauvreté, le syndicalisme français réussit à obtenir des réformes au profit des salariés, et si ceux-ci sont satisfaits de son action, en un mot si ce syndicalisme est efficace (1).

(1) Patrick Arnoux, Voyage à l'intérieur des syndicats (*Entreprise*, 8 novembre 1974 ; *Problèmes Economiques*, 23 avril 1975, n° 1419, sous le titre : « Une enquête sur les grandes centrales syndicales françaises »). Georges Lefranc, *Histoire et évolutions récentes du syndicalisme français* (Conférence donnée le 3 juin 1970 devant la section des travailleurs sociaux du CEDIAS, publiée dans *Vie Sociale* - août 1970 et dans *Problèmes économiques* - 5 novembre 1970, n° 1192). J. - D. Reynaud, «Tendances actuelles du syndicalisme français » (Conférence publiée dans le *Bulletin de l'ACADI*, septembre-octobre 1974 ; *Problèmes Economiques*, 23 avril 1975, n° 1419).

CHAPITRE I

LE SYNDICALISME FRANCAIS EST DIVISE

Le droit positif français reconnaît comme nationalement représentatives :

1) Pour toutes les catégories de salariés :

a) La CGT, qui est la centrale la plus importante et la plus typique et dont l'organisation a servi de modèle aux autres centrales.

Elle représente le courant révolutionnaire marxiste.

b) La CGT-FO, beaucoup moins nombreuse. Issue de la scission de la CGT de décembre 1947, elle représente la tendance réformiste et affirme sa fidélité à la Charte d'Amiens et à l'indépendance politique du mouvement syndical.

c) La CFDT, issue de la transformation en 1964 de la vieille CFTC. Révolutionnaire et autogestionnaire, elle adopte souvent des positions plus dures et plus intransigeantes que la CGT.

d) La CFTC. De très loin la moins nombreuse, elle prétend être l'héritière authentique du syndicalisme chrétien. Elle est réformiste et modérée.

2) Pour les cadres uniquement :

La CGC, qui regroupe les syndicats de cadres n'adhérant pas aux grandes centrales ouvrières.

Pour avoir un inventaire complet des grands du syndicalisme français, il convient d'ajouter à ces centrales la Fédération de l'Education Nationale qui fit jadis partie de la CGT et la quitta en même temps que Force Ouvrière, mais n'a pas rejoint la nouvelle confédération.

Nous voyons ainsi apparaître sur le devant de la scène syndicale six centrales importantes qui ne détiennent cependant pas l'exclusivité de la représentation des salariés. Nous devons en effet noter l'existence de plusieurs autres centrales qui ont une importance non négligeable dans certaines entreprises ou dans certains secteurs d'activité. Nous ne retiendrons que les plus importantes :

1) La Confédération Générale des Syndicats Indépendants, animée à son origine par les dirigeants que leur participation aux organismes prévus sous le régime de Vichy par la Charte du Travail avait, à la Libération, fait exclure des autres centrales (1).

2) La Confédération Autonome du Travail, constituée en décembre 1953, qui est composée de syndicats dont l'origine remonte, pour la plupart, au congrès de 1946 qui rendit tangible la mainmise communiste sur la CGT. Ces syndicats n'ont pas rejoint la CGT-FO qu'ils ne trouvaient pas assez ferme.

3) La Confédération des Syndicats Libres, fondée le 13 décembre 1959 au Congrès des Lilas sous le nom de Confédération Française du Travail (2) et qui regroupe certains syndicats autonomes et indépendants, dont un des plus importants est celui de SIMCA, d'inspiration patronale (3).

4) La Confédération Nationale du Travail, très peu importante numériquement, fondée en 1946 par des éléments d'inspiration anarcho-syndicaliste ayant quitté la CGT.

A côté de ces centrales que nous qualifierons de secondaires, sans que ce qualificatif constitue un quelconque jugement de valeur, existent encore des syndicats authentiquement autonomes, qui ont refusé de s'affilier à une centrale quelconque, mais dont l'importance est souvent considérable (4), ou qui regroupent certaines catégories de personnel qui estiment avoir à défendre des intérêts qui leur sont propres (5).

Parler de division syndicale en France n'est donc pas un vain mot (6). Toutefois, ce phénomène n'est pas particulier à notre pays et on le rencontre également hors de France.

(1) Un décret du 7 janvier 1959 avait attribué à la CGSI un siège à la Commission Supérieure des Conventions Collectives, reconnaissant ainsi son caractère représentatif sur le plan national. Il a été annulé par le Conseil d'Etat à la suite d'une instance engagée par la CFTC (11 avril 1962, Lebon p.275).

(2) Le changement de nom a été décidé au Congrès de Marseille (18 au 20 novembre 1977) pour abandonner « un sigle sali par l'adversaire. » (*Le Monde,* 20-21 novembre 1977).

(3) La représentativité de la CFT (devenue CSL) est contestée par les autres centrales qui l'accusent d'être une organisation *jaune*, à la solde du gouvernement et du patronat. Celà n'a pas empêché des députés de la majorité de déposer, le 21 avril 1972 puis le 10 mai 1973, une proposition de loi sur le bureau de l'Assemblée Nationale, tendant à reconnaître la représentativité d'un syndicat si celui-ci obtient 3% des suffrages exprimés aux élections professionnelles, qui aurait eu pour conséquence, si elle avait été votée, d'accorder indirectement la représentativité à la CFT (*L'Express,* 28 août-3 septembre 1972 ; *J.O., Documents Assemblée Nationale,* 4ème législature, 2 nde session ordinaire 1971-1972, n°2258 ; *J.O. Documents Assemblée Nationale,* 5ème législature, 2 nde session ordinaire 1972-1973, n°315).

(4) Le puissant Syndicat National des Instituteurs en est un exemple.

(5) C'est le cas des syndicats autonomes «traction» du métro et des chemins de fer.

(6) A titre d'exemple, nous noterons qu'on a compté jusquà 18 syndicats à la RATP *(Le Monde,* 10 juin 1960).

SECTION I

LA DIVISION SYNDICALE EN FRANCE

L'histoire du syndicalisme français commence par une longue période d'interdiction (1), puis de tolérance (2) au cours de laquelle le mouvement ouvrier s'organisa rapidement (3), tout en connaissant les rivalités entre les métiers, héritées de l'Ancien Régime.

La reconnaissance du droit syndical fut facilitée par l'arrivée au pouvoir du parti républicain, et par la pression des sociologues qui proclamaient, à la fois du côté socialiste et du côté catholique, la liberté de s'associer pour les membres des professions. Ce fut l'œuvre de la loi du 21 mai 1884. Cette conquête du droit syndical a suivi de vingt ans la reconnaissance du droit de grève (4), et il fallut attendre la loi du 1er juillet 1901 pour que le droit français reconnaisse la liberté d'association. La loi fut bien accueillie, quoiqu'à l'origine elle ait fait craindre aux dirigeants ouvriers un piège destiné à ruiner la puissance et l'indépendance du mouvement syndical. Ces préventions disparurent vite. Le régime nouveau suscita un puissant développement du syndicalisme et permit, en donnant une forme juridique aux groupements, l'établissement de rapports collectifs entre les salariés et les patrons.

Le mouvement syndical français est divisé depuis ses origines. Ces divisions, d'abord purement idéologiques, eurent des répercussions sur les institutions syndicales elles-mêmes, mais plus tard apparut un syndicalisme catégoriel, qui compliqua encore la division du mouvement syndical en France et contribua, lui aussi, à multiplier le nombre des organisations syndicales.

(1) La loi Le Chapelier (14-17 juin 1791) interdit de rétablir, « sous quelque prétexte et sous quelque forme que ce soit, toute espèce de corporation de citoyens. » Elle condamnait ainsi, tout à la fois, la coalition et le groupement professionnel organisé. Cette loi, base du libéralisme économique, sera appliquée jusqu'en 1864 pour les coalitions, 1884 pour les syndicats, 1901 pour les associations.

(2) Une délégation ouvrière française participa à l'exposition universelle de Londres en 1862, où elle prit contact avec les Trade-Unions et avec Karl Marx. Les représentants parisiens et lyonnais avaient été désignés par les sociétés de secours mutuels, les autres par les patrons. Les délégués ouvriers français rapportèrent de leur séjour en Grande Bretagne la vision du syndicalisme britannique et des progrès qu'il avait permis à la classe ouvrière de réaliser : Salaires plus élevés, meilleure protection du travail, relations organisées entre groupements patronaux et ouvriers. C'est l'origine de la Première Internationale, à la fondation de laquelle le mouvement ouvrier français concourut en 1864.

(3) Les chefs d'atelier de l'industrie de la soie s'organisèrent dès 1828 (Devoir Mutuel de Lyon), ainsi que les typographes (Société Typographique de Paris). Rapidement, les ouvriers, organisés grâce aux sociétés de secours mutuels, joignirent à ces sociétés officielles et tolérées des sociétés clandestines de résistance qui versaient des allocations aux grévistes. Il semble que les ouvriers chapeliers aient été les premiers à agir dans ce sens. Dans certaines professions, de véritables conventions collectives seront négociées par les groupements ouvriers (ouvriers typographes de Paris, 1843).

(4) La loi du 25 mai 1864, rapportée par Emile Ollivier, abolit le délit de coalition. Elle reconnaissait ainsi implicitement l'existence des organisations ouvrières. Cette loi réprime en outre l'entrave à la liberté de l'industrie et à la liberté du travail, ainsi que les violences et les voies de fait tendant à forcer la hausse ou la baisse des salaires.

§ 1.– LES DIVISIONS IDEOLOGIQUES

A l'origine des divisions du syndicalisme français, nous trouvons le conflit qui oppose les réformistes et les révolutionnaires, les partisans de l'indépendance du syndicalisme par rapport aux mouvements politiques et ceux qui pensent qu'il doit leur être étroitement lié. Ces divisions idéologiques ont, bien sûr, eu une incidence sur les structures mêmes du mouvement syndical.

A.– *Le conflit des tendances*

Sur le plan des idées, un des problèmes fondamentaux qui se posent dès le début du siècle au mouvement syndical est celui des rapports entre le syndicat et les partis politiques. On note également l'apparition de deux grands courants d'action et de pensée, le courant réformiste et le courant révolutionnaire, qui s'opposent violemment et entre lesquels la Charte d'Amiens va réaliser un compromis.

Dès les origines du syndicalisme, se manifeste le souci d'assurer l'autonomie du mouvement syndical par rapport à tout parti politique, fût-il ouvrier. C'est ainsi qu'il est affirmé au congrès de Montpellier en 1902 que « le syndicat groupe, en dehors de toute école politique, les travailleurs conscients de la lutte à mener pour la disparition du salariat. » C'est surtout au congrès d'Amiens en 1906 que triomphe l'apolitisme syndical, dans la célèbre Charte, objet de controverses jusqu'à nos jours. C'est qu'en effet cette affirmation d'autonomie est ambigüe : Elle signifie certes que le syndicat doit être indépendant de tout parti, que tout travailleur peut y adhérer quelles que soient ses positions idéologiques, mais elle n'exclut pas nécessairement les prises de positions du syndicat lui-même en matière politique.

En France, le lien a toujours été trop étroit entre la lutte revendicative et économique d'une part, et les problèmes politiques d'autre part, pour que le mouvement syndical puisse s'interdire certaines incursions dans la politique. Mais, en sens inverse, le cumul d'un mandat politique et d'un mandat syndical a toujours été vu avec défaveur (1).

Le syndicalisme français est divisé en deux tendances, révolutionnaire et réformiste. La Charte d'Amiens marque la victoire du syndicalisme révolutionnaire sur le syndicalisme réformiste, souvent appuyé par le Parti Socialiste. Les objectifs lointains des deux mou-

(1) M. Eugène Descamps a attendu d'avoir quitté les fonctions de Secrétaire Général de la CFDT pour rejoindre, le 1er septembre 1971, le Parti Socialiste (La Croix, 25 avril 1971 ; *Le Monde,* 29 septembre 1971).

vements restent les mêmes (1), à savoir la disparition de la société capitaliste et de l'Etat bourgeois, mais ils diffèrent quant à la manière d'atteindre cet objectif.

Les révolutionnaires, c'est-à-dire à l'époque les anarcho-syndicalistes, sont partisans de l'action directe et violente pour abattre le capitalisme. Ils prônent la grève générale. Ils sont profondément hostiles aux politiciens et se méfient des intellectuels. Ils sont antimilitaristes et pacifistes.

De leur côté, les réformistes acceptent l'Etat et mettent l'accent sur la nécessité de réformes sociales comme amorce d'une transformation progressive de la société. L'action syndicale doit tendre à une transformation du système économique, dont l'amélioration du sort des travailleurs sera une conséquence nécessaire. Dans cette perspective, la politique de présence au sein des institutions existantes, même la collaboration avec les pouvoirs publics, n'est pas condamnable en soi. L'élaboration d'un programme revendicatif, l'étude de réformes de structure, telles que les nationalisations, retiennent spécialement l'attention des réformistes.

Anarcho-syndicalistes et réformistes cohabitent dans la CGT d'avant la Première Guerre Mondiale. Les divisions fondamentales persistent malgré l'unité organique apparente. Les réformistes l'emportent finalement et mettent en œuvre leur politique qui comprend des aspects novateurs certains. Ainsi, un programme comme celui de 1918 est un programme de relations économiques et sociales très complet, allant de la lutte contre la vie chère aux nationalisations, du contrôle ouvrier sur l'entreprise à l'institution des assurances sociales.

B.– *Répercussions sur le plan institutionnel*

Le conflit des tendances que nous venons d'exposer va avoir sur le plan des institutions deux types de répercussions bien différentes. D'abord il va, avec des circonstances conjoncturelles, être à l'origine des scissions qui ont affecté la CGT. Ensuite, il sera, avec le développement de la doctrine sociale chrétienne, à l'origine de l'apparition du syndicalisme chrétien.

A l'origine des scissions qui ont affecté la CGT au cours de son histoire, nous trouvons à chaque fois des causes qui n'ont rien de syndical, mais touchent bien plus à la politique générale, intérieure ou internationale.

(1) « La lutte était ardente, car elle portait plus sur des questions de personnes que sur des principes, les uns et les autres étant, au fond, aussi farouchement attachés à l'indépendance du mouvement syndical et aux méthodes les plus appropriées pour faire aboutir les revendications ouvrières. » Notes inédites de Léon Jouhaux dans l'ouvrage de Bernard Georges et Denise Tintant, « *Léon Jouhaux, 50 ans de syndicalisme* », Tome 1, p.19 (PUF, 1962).

La CGT n'est pas la seule victime de ces scissions qui sont dues à la lutte sévère que se livrent en son sein les diverses tendances qui s'y affrontent, puisqu'en 1964 le syndicalisme chrétien s'est lui aussi divisé à la suite du congrès d'Issy-les-Moulineaux qui avait décidé de parachever la laïcisation de la CFTC et de lui donner un nouveau nom et de nouveaux statuts.

Mettant à profit le principe de libre constitution institué par la loi de 1884, des syndicats d'inspiration chrétienne, en désaccord avec les bases doctrinales de la CGT, sont apparus dès la fin du XIXème siècle. Ces syndicats étaient désireux de mettre en application la doctrine exposée dans les grandes encycliques pontificales (syndicats de la rue des Petits Carreaux). Il en naquit en 1919 une nouvelle confédération, la Confédération Française des Travailleurs Chrétiens. Sa structure était proche de celle de la CGT, encore qu'elle groupe un grand nombre de syndicats de métiers et que sa composition, à l'époque, fit apparaître plus d'employés (banques, assurances) que d'ouvriers.

La doctrine initiale était fondée sur la nécessaire collaboration du capital et du travail, et la nouvelle confédération se préoccupait essentiellement de politique familiale. Se présentant comme le véhicule de la doctrine sociale de l'Eglise dans les milieux de travailleurs, ayant donc un caractère confessionnel prononcé, sa légalité avait même été mise en doute. Le Conseil d'Etat l'avait néanmoins admise par arrêt du 11 août 1922 (1). Depuis lors, la CFTC a considérablement évolué. De puissantes fédérations d'industrie se sont développées en son sein, elle a largement recruté en milieu ouvrier et radicalisé ses positions. Elle a mené des luttes de plus en plus fortes contre le patronat et n'a pas hésité à adopter des plateformes politiques. Il était même devenu parfois difficile de distinguer son programme de celui de la CGT. Cette évolution est le fruit de l'action d'un fort courant devenu majoritaire, qui obtint l'abandon en 1964 de la référence chrétienne et la transformation de la CFTC en CFDT.

§ 2.– LES SYNDICATS CATEGORIELS

Le second facteur de division du syndicalisme français réside dans l'apparition et le développement, relativement récents, de syndicats catégoriels, c'est-à-dire qui ne prétendent plus représenter et défendre l'ensemble des salariés, mais seulement une catégorie bien particulière. Selon les cas, il s'agit là, soit de la résurgence du syndicalisme de métier, soit au contraire de l'apparition d'un nouveau type de syndicalisme, qui est la conséquence du développement dans notre système économique d'une catégorie socio-profession-

(1) Lebon, p. 752. Il s'agit d'une reconnaissance implicite (voir note, n° 1, p. 203).

nelle nouvelle, les cadres d'entreprise, qui se distinguent des autres salariés moins par leur activité que par la fonction qu'ils exercent dans l'entreprise.

Le syndicalisme de métier a fait récemment sa réapparition avec la constitution de syndicats de catégories, comme le syndicat autonome « traction » groupant les seuls mécaniciens du métro ou des chemins de fer. Ces syndicats sont créés pour défendre les intérêts propres à certains professionnels, distincts de ceux des autres couches du personnel.

L'apparition du syndicalisme des cadres résulte moins de divergences idéologiques, politiques ou techniques, que de l'existence d'intérêts professionnels spécifiques, distincts de ceux de la masse des travailleurs, suscités par l'apparition de la catégorie nouvelle des cadres d'entreprise. Ingénieurs et techniciens, employés supérieurs ou moyens, dirigeants de sociétés, ont éprouvé le besoin de créer une organisation nouvelle pour défendre leurs revendications particulières (hiérarchie des rémunérations, régime des retraites, etc). Il existe des cadres syndiqués dans les grandes centrales ouvrières, mais il n'en demeure pas moins qu'une confédération propre aux cadres, la CGC, fondée en octobre 1944, est représentative de cette catégorie nouvelle de salariés (1).

SECTION II

LA DIVISION SYNDICALE HORS DE FRANCE

Il serait faux de croire que la division est une caractéristique exclusive du syndicalisme français. Les exemples étrangers et le syndicalisme international nous montrent que divisions et scissions affectent également les organistations syndicales étrangères et internationales.

§ 1.– LE SYNDICALISME A L'ETRANGER

Le mouvement ouvrier des pays capitalistes est généralement divisé entre diverses tendances que nous avons déjà rencontrées : Syndicalisme de collaboration, syndicalisme réformiste, syndicalisme révolutionnaire. Mais cette division revêt des aspects parti-

(1) Dans une étude sur les cadres dans les pays européens, l'hebdomadaire *l'Express* (n° 1194, 27 mai - 2 juin 1974, p. 63 à 66) a noté que c'est en France qu'est d'abord apparu un syndicalisme propre aux cadres. Cet article souligne d'autre part que dans les pays de la CEE autres que la France le patronat fait encore de gros efforts pour écarter les cadres de la vie syndicale et de la protection accordée aux autres salariés par les conventions collectives. Il souligne enfin que les grandes centrales ouvrières découvrent l'importance des cadres dans le monde contemporain et font un gros effort pour attirer cette clientèle nouvelle.

culiers suivant les pays. Nous regrouperons les différents syndicalismes du temps présent en deux types, pluraliste ou unitaire. Ne pouvant comparer que des phénomènes de même nature, nous limiterons cette analyse aux démocraties occidentales.

La physionomie du syndicalisme varie considérablement selon les pays. Si la liberté syndicale, partout admise, conduit au pluralisme syndical de type français dans certains pays (Italie, Belgique), dans d'autres une discipline volontaire, ou la pression exercée par les syndicats les plus puissants, a permis une unité de fait, sans toutefois supprimer des organisations marginales. En Grande Bretagne, en Allemagne, en Autriche et dans les pays scandinaves (1) la plupart des syndicats sont regroupés dans une même confédération de tendance réformiste.

Une évolution récente a sensiblement modifié la situation que nous venons de décrire, en introduisant un pluralisme plus accentué aux Etats-Unis (2) et en tentant de réaliser l'unité en Italie (3).

Ces changements sont trop récents pour qu'on puisse savoir s'ils marquent une tendance durable, ou s'ils ne sont qu'un accident de parcours sans lendemain. En ce qui concerne l'Italie, il semble bien que cette dernière hypothèse soit, pour l'instant, la bonne, la tentative d'unification à Florence que nous venons d'évoquer, n'ayant pas eu de suite. Quant aux Etats-Unis, l'histoire syndicale de ce pays semble démontrer que le syndicalisme américain a, en définitive, une tendance plutôt unitaire, puisque la grande centrale AFL-CIO est née de la fusion de la vieille AFL et du CIO, fondé en 1925 par John Lewis, qui avait proposé l'année précédente, mais sans succès, au congrès de l'AFL la création de syndicats d'industrie à côté des anciens syndicats de métiers (4).

A.– *Pays où existe une tendance à l'unité syndicale*

Dans nos démocraties libérales, l'unité absolue du mouvement syndical n'existe pas. C'est pour la commodité de l'exposé que nous employons le terme d'unité syndicale à propos des pays dont nous allons parler, puisque la présence d'une grande centrale dominante n'y exclut pas l'existence de centrales secondaires.

(1) Documentation Française, « Les syndicats en Suède » par Mme Benhamou Hirtz (*Notes et Etudes Documentaires,* n°4011 à 4013, 30 juillet 1973).

(2) Création en 1968 d'une centrale rivale de l'AFL-CIO, l'ALA, qui regroupe le quart des syndicats américains autour des deux plus grands syndicats du pays, celui de l'automobile et celui des camionneurs (*Entreprise,* n° 851, 31 décembre 1971).

(3) *L'Express,* 29 nov. au 5 déc. 1971 : Miracle à Florence ;-*Le Figaro,* 29 nov. 1971 : Après les assises de Florence, le mouvement vers l'unification des syndicats italiens est probablement irréversible.

(4) La fusion de l'AFL et du CIO a été réalisée le 5 décembre 1955. La nouvelle centrale prenait le nom d'AFL-CIO, et avait comme président George Meany, ancien président de l'AFL, et comme vice-président Walter Reuther, ancien président du CIO. L'unité organique laissa cependant subsister une opposition entre les tendances conservatrices héritées de l'AFL et les traditions plus dynamiques et novatrices héritées du CIO. Walter Reuther abandonna la présidence de l'AFL-CIO en 1967, après avoir succédé à ce poste à George Meany.

En Grande Bretagne, l'existence des Trade-Unions est reconnue depuis 1825 (1). Le mouvement syndical présente trois caractères essentiels, qui forment avec le syndicalisme français un contraste à peu près total : Son unité, qui découle, non de la loi, mais d'une discipline qui ne comporte que peu de failles ; Son pragmatisme. L'action des Trade-Unions exclut toute fin révolutionnaire. Elle est essentiellement réformiste et tournée vers l'amélioration immédiate de la condition ouvrière ; Des liens étroits existent entre les Trade-Unions et le Parti Travailliste. Ces caractères expliquent la puissance du mouvement syndical britannique.

En République Fédérale d'Allemagne, la plupart des salariés adhèrent à la Confédération des Syndicats Allemands (Deutscher Gewerkschaftsbund, DGB), puissante organisation de plus de six millions d'adhérents, très fortement structurée. Le DGB n'est pas révolutionnaire, mais réformiste très modéré. L'énorme puissance de cette confédération n'exclut pas la présence de centrales de moindre importance, parmi lesquelles une centrale chrétienne, sur la création de laquelle nous nous attarderons quelques instants. L'appartion du Mouvement Syndical Chrétien d'Allemagne (Christliche Gewerkschaftsbewegung Deutschlands, CGD) est en effet le fruit d'une scission qui fournit un élément de comparaison intéressant avec les scissions objet de notre étude. Le processus est pratiquement identique, et les arguments présentés à l'appui de la reconstitution d'une centrale chrétienne en Allemagne rappellent étrangement ceux qui ont été présentés en France pour défendre le syndicalisme chrétien et maintenir la CFTC traditionnelle(2).

Dès sa constitution en octobre 1948, le DGB ne réussit pas à réaliser l'unité absolue du mouvement syndical allemand et dut accepter la présence de deux autres centrales à ses côtés, le syndicat des employés (Deutsche Angestelletengewerkschaft, DAG) constitué provisoirement en février 1947 et définitivement en avril 1949, et le syndicat des fonctionnaires (Deutscher Beamtenbund, DBB) également constitué en octobre 1948 (3). Malgré cet échec partiel, le DGB avait obtenu un beau succès en faisant lutter côte à côte dans ses rangs syndicalistes socialistes et syndicalistes chrétiens. Cette réussite ne fut malheureusement pas de longue durée. Une

(1) Pierre Waline, *Les relations entre patrons et ouvriers en Angleterre d'aujourd'hui,* Marcel Rivière, 1948 ; Wolfgang Abendbroth, *Histoire du mouvement ouvrier en Europe,* Maspero, 1967 ; Monica Charlot, *Le syndicalisme en Grande Bretagne,* Armand Colin, 1970.

(2) Wolfgang Abendbroth, *Histoire du mouvement ouvrier en Europe,* 1965, traduction française, Maspero, 1967). Pierre Waline, « Cinquante ans de rapports entre patrons et ouvriers en Allemagne », *Cahiers de la FNSP,* Armand Colin 1968, scission Tome 2, pp. 32 sq. et pp. 84 sq. Cinquième congrès international de Droit du Travail et de la Sécurité Sociale (Les relations entre les syndicats et leurs membres), Lyon 18-22 septembre 1963, rapport allemand par M. Rolf Dietz (en allemand), scission p. 12. Documentation Française, « Le mouvement syndical dans la République Fédérale d'Allemagne » *(Notes et Etudes Documentaires,* no 3060, 3 février 1964).

(3) Pierre Waline, *Cinquante ans de rapports entre patrons et ouvriers en Allemagne,* p. 32.

centrale chrétienne fut fondée au milieu des années cinquante, qui attira à elle une minorité des syndicalistes chrétiens adhérant au DGB et de nombreux syndiqués.

Il semblerait que la scission des chrétiens (1) ait son origine dans l'emprise grandissante des socialistes les moins tolérants à l'égard des Eglises sur l'Institut des Sciences Economiques des Syndicats (Wirtschaftwissenschaftliches Institut der Gewerkschaften, WWI), organisme central d'études et de recherches de la confédération, où était en fait décidée l'orientation générale du mouvement. Cet état de fait inquiétait les groupements de travailleurs chrétiens, qu'ils soient de confession catholique ou évangélique. C'est ainsi que les catholiques s'étaient regroupés en un Mouvement Ouvrier Catholique (Katholische Arbeiterbewegung, KAB), héritier des anciennes associations ouvrières catholiques fondées vers 1850, qui avaient joué un rôle important dans la création des syndicats chrétiens à la fin du XIXème siècle. Reconnue par la Hiérarchie comme un Mouvement d'Eglise, cette organisation comptait près de 200 000 membres groupés en 1 200 associations et publiait un journal, Ketteler Wacht, dont le rédacteur en chef, Johannes Even, était un partisan convaincu de la résurrection du syndicalisme chrétien. De son côté, la CDU-CSU créa des Comités Sociaux de Travailleurs Chrétiens-Démocrates (Sozialausschüsse der christlich-demokratischen Arbeitnehmerschaft) dont la position était également hostile à l'emprise des socialistes sur le DGB et son Institut des Sciences Economiques.

La hiérarchie catholique ne manqua pas d'intervenir dans cette querelle et d'apporter son soutien inconditionnel aux partisans d'un syndicalisme chrétien autonome (2). Elle ne craignait pas non plus de manifester son désaccord avec les chrétiens qui critiquaient les promoteurs de la scission et voulaient préserver l'unité du DGB dans l'intérêt de la classe ouvrière (3). Une telle attitude rappelle ce que fut pendant longtemps la position de la hiérarchie catholique française, et même de la papauté, à l'égard du mouvement syndical en général et du syndicalisme chrétien en particulier.

La scission s'est réalisée à l'occasion des élections au Bundestag de septembre 1953 (4). Le DGB publiait le 30 juillet 1953 un manifeste intitulé « Wählt einen besseren Bundestag » (Votez pour un

(1) Pierre Waline, cinquante ans de rapports entre patrons et ouvriers en Allemagne, p.84 sq.

(2) Déclaration unanime adoptée par les Evêques d'Allemagne de l'Ouest à Limbourg en novembre 1952, citée dans *Cinquante ans de rapports entre patrons et ouvriers en Allemagne*, p. 88.

(3) Déclaration faite le 2 mai 1957 par le Cardinal Frings, Archevêque de Cologne, porte-parole de la conférence épiscopale de Fulda, citée dans Cinquante ans de rapports entre patrons et ouvriers en Allemagne, p. 95 ; - également citée dans *la Documentation catholique*, mai 1957.

(4) En France également les scissions syndicales ont leur origine dans les évènements extra-syndicaux et essentiellement politiques.

meilleur Bundestag) invitant en substance les électeurs à remplacer le Parlement à majorité chrétienne-démocrate, qui avait refusé l'extension de la cogestion à toute l'industrie, par un Parlement à majorité socialiste, qui l'accorderait. Sans doute encouragés par la victoire remportée par le CDU-CSU le 6 septembre, les syndicalistes chrétiens posèrent les conditions de leur maintien dans le DGB (17 septembre) et se heurtèrent à une fin de non recevoir de la centrale qui refusait de « céder à la pression d'organisations non syndicales » (30 septembre). C'est à la suite de ce refus que se réunit à Essen, le 30 octobre 1953, le congrès constitutif du Mouvement Syndical Chrétien d'Allemagne, qui ne regroupe toujours qu'une partie, non négligeable mais minoritaire, des syndiqués chrétiens de ce pays.

Aux Etats-Unis (1), le syndicalisme a réalisé son unité en 1955 avec la fusion des deux centrales alors existantes, l'AFL, fondée en 1881, et le CIO, fondé en 1935, en une centrale unique, l'AFL-CIO (2). Pragmatique dans son action, le syndicalisme américain est principalement soucieux de négocier de bonnes conventions collectives et d'obtenir des avantages sociaux en matière de salaires, de réduction du temps de travail, de retraites.

Cette unité a été rompue en 1969 par la création d'une nouvelle centrale, l'ALA (Alliance for Labor Action). Cette création est l'aboutissement d'une crise qui, latente depuis 1966, éclata en 1969, et opposait le président de l'AFL-CIO, et ancien président de l'AFL, George Meany, au président du Syndicat de l'Automobile (UAW), et ancien président du CIO, Walter Reuther. Ce dernier critiquait la politique internationale de la centrale, son manque de largeur de vues en matière économique et sociale, notamment en ce qui concerne la lutte contre la pauvreté et la discrimination raciale.

Le syndicat de l'automobile, dirigé par Walter Reuther, décide d'arrêter le paiement de ses cotisations et est alors suspendu par l'AFL-CIO. Il rejoint alors, avec ses 1 600 000 adhérents, le syndicat des camionneurs (Teamsters) qui compte 1 900 000 membres, et est célèbre pour les scandales dont il a été l'objet (il a même été exclu de l'AFL-CIO en 1957 pour corruption). C'est dans ces conditions que ces deux syndicats, qui sont les deux plus grands syndicats américains, ont quitté l'AFL-CIO et fondé une centrale rivale, l'ALA, qui regroupe aujourd'hui, compte tenu de l'appoint de divers syndicats de moindre importance, 5 millions de membres, soit le quart des effectifs syndiqués.

L'AFL-CIO reste donc la grande centrale américaine, avec les

(1) Michel Crozier, *Usines et syndicats d'Amérique,* Editions Ouvrières, 1951. Pierre Waline, « les syndicats aux Etats-Unis » *Cahiers FNSP,* Armand Colin, 1951, Documentation Française, « les syndicats aux Etats-Unis » par Mme Benhamou-Hirtz (*Notes et Etudes Documentaires,* n° 3597, 5 juin 1969).

(2) A la naissance de l'AFL, existait un syndicat rival, plus puissant mais dont la carrière fu éphémère, les Chevaliers du Travail. Ce syndicat fut fondé en 1869 par des catholiques irlandais et organisé sous la forme d'une société secrète, ce qui provoqua sa condamnation par les autorités religieuses au Canada. Cette condamnation fut évitée aux Etats-Unis où le gros des troupes des Chevaliers du Travail adhéra à l'AFL.

trois quarts des syndiqués, mais elle doit compter avec un rival d'autant moins négligeable qu'il a été fondé par les syndicats les plus importants et les plus riches des Etats-Unis (1).

B.– *Pays où règne un pluralisme syndical à la française*

En Italie et en Belgique (2), les divisions du mouvement syndical rappellent les divisions politiques, la structure du mouvement syndical est plus ou moins calquée sur la structure des mouvements politiques.

En Italie, une centrale chrétienne est liée à la démocratie chrétienne, une centrale socialiste réformiste appuie le petit parti social-démocrate, et enfin la centrale représentant le mouvement révolutionnaire est dominée, d'une part par les communistes, d'autre part par les socialistes nenniens (3). Les trois grandes confédérations italiennes (CGIL, communiste ; - UIL, socialiste ; - CISL, chrétienne) ont tenté d'entamer un processus d'unification lors de leurs assises tenues à Florence en novembre 1971 (4). Leurs résolutions n'ont pour l'instant pas eu de suites durables (5).

En Belgique, nous trouvons des syndicats socialistes à majorité réformiste avec une minorité communisante, des syndicats chrétiens sociaux et des syndicats libéraux. Contrairement à ce qui se passe en France, cette division syndicale ne semble pas nuire au taux de syndicalisation qui est élevé et en constante augmentation, puisqu'on note « une progression constante des effectifs syndicaux en chiffres absolus et en pourcentage », ce qui permet de dire que « à ce point de vue la Belgique se classe vraisemblablement en tête de tous les pays de syndicalisme non obligatoire (6).»

§ 2.– LE MOUVEMENT SYNDICAL INTERNATIONAL

Comme tous les grands mouvements sociaux, le syndicalisme a pris un caractère international et les liaisons entre syndicats de divers pays se sont accentuées. Nous retrouvons sur le plan international des divisions et des scissions qui rappellent celles du syndicalisme français.

(1) *La Croix,* 29 août 1969 ; *Entreprise,* n°851, 31 deécembre 1971.

(2) Guy Spitaels « Le mouvement syndical en Belgique » (*Notes et Etudes Documentaires,* 20 janvier 1967, n° 3356).

(3) Documentation Française, « Les syndicats italiens » par Mme Mauer-Hofer-Mourize (*Notes et Etudes Documentaires,* no 4068-4069, 15 mars 1974).

(4) *L'Express,* 29 novembre au 5 décembre 1971 : « Miracle à Florence ». *Le Figaro,* 29 novembre 1971 : « Après les assises de Florence, le mouvement vers l'unification des syndicats italiens est probablement irréversible ».

(5) *Le Monde,* dossiers et documents, avril 1973.

(6) Cinquième congrès international de Droit du Travail et de la Sécurité Sociale, Lyon 18-22 septembre 1963 : « Les relations internes entre les syndicats et leurs membres», rapport belge présenté par M. Michel Magrez qui rappelle en p. 7 les taux des syndicalisation sur lesquels il base son analyse (1957 : 64,80% ; - 1958 : 65,88% ; - 1959 69,55% ;- 1960 : 69,27% ;- 1961 : 66,73%).

A.– *Le syndicalisme international jusqu'à la deuxième guerre mondiale*

La tendance qui, dans chaque pays, a conduit les syndicats à se regrouper s'est manifestée plus tardivement sur le plan international. La première et la seconde internationale (1864 et 1889), si elles font place aux syndicats, regroupent avant tout les partis ouvriers des divers pays. Les liens apparurent d'abord sur le plan politique, avant de se manifester sur le plan syndical. C'est, en France, le parti Socialiste qui, après 1889, constitue la Section Française de l'Internationale Ouvrière (SFIO). Le Secrétariat Syndical International créé en 1901 ne regroupe que des syndicats, mais ne joue qu'un rôle effacé jusqu'à la guerre de 1914-1918. La CGT y adhère en 1903.

C'est seulement en 1919 que le syndicalisme international prend corps avec la création de la Fédération Syndicale Internationale (FSI) au congrès d'Amsterdam. L'essentiel de l'action de la FSI consiste dans sa collaboration aux travaux de l'Organisation Internationale du Travail, créée dans le cadre de la SDN. Parallèlement, les syndicats chrétiens se regroupent en 1919 dans la Confédération Internationale des Syndicats Chrétiens (Internationale d'Utrecht), qui succède au Secrétariat International des Syndicats Chrétiens créé en 1908. L'Internationale Syndicale Rouge (ISR), ou Internationale de Moscou, regroupe à partir de 1921 les centrales d'obédience communiste.

B.– *Le syndicalisme international à l'époque contemporaine*

Les espoirs qu'apporte dans l'ordre international la fin de la deuxième guerre mondiale se manifestent sur le terrain du syndicalisme par la création en 1945 de la Fédération Syndicale Mondiale (FSM), où les syndicats soviétiques voisinent avec les syndicats américains du CIO (l'AFL refuse d'adhérer) et britanniques. La FSI est dissoute, mais les syndicats chrétiens restent à l'écart et reconstituent la CISC. Très rapidement, le manque de cohésion de l'organisation, où s'affirme la prépondérance soviétique, conduit, comme à l'intérieur du mouvement syndical français, à une scission : En 1949 est créée la Confédération Internationale des Syndicats Libres (CISL) qui regroupe les centrales d'obédience non communiste, à l'exception des chrétiens.

Le syndicalisme international reproduit, sans qu'il soit possible d'en déduire une relation de cause à effet entre les deux phénomènes (1), les divisions fondamentales du syndicalisme français. La CGT adhère à la FSM où l'influence communiste est prépondérante. La CGT-FO adhère à la CISL où l'influence des syndicats américains et

(1) Il semblerait plutôt qu'il s'agisse là de phénomènes parallèles et souvent concomitants, dont les causes sont très proches, sinon semblables.

britanniques était prépondérante jusqu'en 1971, et dont les deux plus puissants adhérents sont maintenant, depuis de départ de l'AFL-CIO (1), le TUC (syndicats britanniques) et le DGB (syndicats allemands). La CFDT adhère à la CMT, ancienne CISC laïcisée.

Nous retrouvons d'ailleurs dans l'histoire du syndicalisme international des scissions et des mutations analogues à celles du syndicalisme français. Création en 1919 de la CFTC en France et de la CISC, dite Internationale d'Utrecht. Création de l'ISR, ou Internationale de Moscou, en 1921 et scission CGT/CGTU en 1922. Scission CGT/CGT-FO en 1947 et constitution de la CISL en 1949. Déconfessionnalisation de la CFTC qui devient CFDT au congrès d'Issy-les-Moulineaux en novembre 1964, et déconfessionnalisation de la CISC qui devient la CMT au congrès de Luxembourg le 3 octobre 1968 (2).

Le tableau que nous venons d'esquisser n'est qu'une ébauche incomplète et susceptible de modification. Il laisse en effet de côté les organisations régionales, notamment européennes, et sera peut-être prochainement modifié si les projets, CFDT de rénovation de la CMT, et CGT de libéralisation de la FSM, sont suivis d'effets (3).

(1) L'AFL-CIO a quitté le CISL car elle reprochait à certaines organisations affiliées, en particulier au DGB, une tentative de rapprochement avec les syndicats des pays d'Europe de l'Est (*Le Figaro,* 13 juillet 1972).

(2) *L'Express,* 14 octobre 1968 : L'internationale de M. Descamps.

(3) *Le Monde,* 18 octobre 1977. *J'informe,* 21 octobre 1977 ; *Le Figaro,* 24 octobre 1977 ; *L'Express,* n° 1374, 7-13 novembre 1977.

CHAPITRE II

LE SYNDICALISME FRANCAIS EST MINORITAIRE

La deuxième caractéristique du syndicalisme français est son aspect minoritaire. Il est constant que les syndicats ne groupent qu'une fraction relativement faible des salariés, environ 20 %. L'immense majorité des travailleurs français n'est donc pas syndiquée. Pourtant, de nombreux sondages révèlent que les français apprécient les résultats obtenus par l'action syndicale et qu'ils estiment dans leur majorité qu'un salarié doit être syndiqué (1).

Il existe donc une distorsion entre les déclarations des français lors des sondages et des enquêtes et leur attitude face à l'adhésion syndicale. Pourquoi une telle attitude ? Quelles en sont les conséquences ? Quels sont les effectifs véritables et l'influence réelle des syndicats ? Autant de questions auxquelles nous allons tenter de répondre.

SECTION I

EFFECTIFS ET INFLUENCE DU SYNDICALISME FRANCAIS

§ 1.–LES EFFECTIFS DES SYNDICATS.

Il est difficile, sinon impossible, de connaître avec précision le nombre des syndiqués. Les chiffres sont différents selon les sources auxquelles on les obtient. Aucune source n'est sûre. On ne peut se fier ni aux chiffres fournis par les syndicats, ni à ceux fournis par les organisations patronales ou par le gouvernement (2). Pour les

(1) *France-Soir,* 20 février 1970 : Un sondage IFOP révèle que 84 % des français estiment que les salariés doivent être syndiqués, mais que seulement 22 % des salariés le sont.

(2) CGT : 2,4 millions d'adhérents regroupés dans 37 fédérations professionnelles, 95 unions départementales et 14 000 syndicats de base.

CGT-FO : 850 000 adhérents regroupés dans 36 fédérations professionnelles, 95 unions départementales et 11 000 syndicats d'entreprise.

CFDT : 770 000 adhérents répartis en 40 fédérations professionnelles et syndicats nationaux, 99 unions départementales et 3 500 syndicats de base.

(*Entreprise,* 8 novembre 1974 ; *Problèmes Economiques,* 23 avril 1975).

syndicats, le nombre de leur adhérents est en effet un des éléments de leur puissance et de leur efficacité. On comprend donc qu'ils aient tendance à grossir leurs effectifs, à minorer ceux de leurs concurrents, et qu'ils ne soient pas particulièrement pressés de voir des tiers connaître avec précision leurs effectifs réels (1).

A.– *Les adhérents*

Deux indices permettent cependant de se faire une idée, bien imprécise il est vrai, de la véracité des chiffres avancés par les centrales : Ce sont les cartes syndicales et les timbres (2).

Le nombre des cartes délivrées par les confédérations ne correspond pas au nombre des adhérents, pour deux raisons : le nombre des cartes confédérales commandées par les fédérations est supérieur à celui des cartes « placées » par les syndicats, car le nombre commandé est supérieur au nombre de cartes qu'on espère placer, afin de pouvoir faire face à des demandes subites et imprévues (3). et d'éviter en définitive ce que commerçants et économistes appellent une rupture de stock. Le nombre des cartes placées par les syncats ne correspond pas, lui non plus, au nombre des adhérents. Celà s'explique par le jeu combiné des démissions et des adhésions, et par certains changements de profession, impliquant mutation d'une fédération à une autre, qui interviennent en cours d'année. Un même salarié peut, au cours d'un unique exercice, démissionner d'un syndicat et adhérer à un autre syndicat. Il peut également changer de profession, et si ce changement implique une mutation de fédération, il devra prendre une nouvelle carte. Dans ces deux cas, un même individu est comptabilisé deux fois.

(1) M. Guy Caire (Les *syndicats ouvriers,* PUF, 1971, pp. 330 sq.) a souligné combien il est difficile pour l'observateur de connaître avec précision les effectifs des syndicats. Tout en déplorant cet état de choses, il l'accepte car il estime qu'il est « nécessaire d'admettre que le chiffre des adhérents réels qu'on dissimule : ou des adhérents fictifs qu'on réclame est un des éléments de la lutte sociale. » Ceci n'a pas empêché la CFDT de lancer en 1972 une *opération vérité des effectifs* d'où il apparaissait qu'elle avait à l'époque entre 600 000 et 700 000 adhérents. Cette initiative n'a pas été suivie par les autres centrales (Le Monde, 8 janvier 1972).

Les effectifs syndicaux, et en particulier ceux de la CGT, ont été étudiés par Annie Kriegel (*La croissance de la CGT,* Mouton 1966), Maurice Labi (*La grande division des travailleurs,* Editions Ouvrières 1964) et Antoine Prost (*La CGT à l'époque du Front Populaire,* Armand Colin, 1964).

(2) Encore faut-il supposer, pour admettre l'exactitude des résultats obtenus à l'issue de cette tentative de contrôle, que les renseignements donnés par les centrales sur le nombre de cartes et de timbres distribués sont exacts. On peut en effet craindre qu'elles gonflent ces chiffres, puisqu'elles savent qu'ils serviront à contrôler l'exactitude des renseignements qu'elles donnent sur le nombre de leurs adhérents.

(3) D'après certains (*L'Economie,* 2 septembre 1949, « Quels sont les effectifs réels des syndicats ouvriers ? ») la différence entre le nombre des cartes règlées par les Fédérations à la Confédération et celui des cartes effectivement placées par les syndicats peut atteindre 15 à 20 % pendant les années troubles (1948 : scission CGT/CGT-FO et grèves). Ce pourcentage baisserait au cours des années à peu près tranquilles.

Le second indice, ce sont les timbres, En même temps qu'elle édite des cartes, la confédération fait imprimer des timbres qui seront attribués en contre-partie des cotisations mensuelles payées. Chaque adhérent régulier d'une confédération devrait donc prendre chaque année une carte et douze timbres. Or, il est d'usage de considérer que pour chaque carte annuelle délivrée il n'est pas payé par an plus de dix timbres pour les syndicats des fédérations aux effectifs stables (fonctionnaires par exemple) et plus de sept pour les fédérations à effectifs instables (1).

La notion même d'adhérent est difficile à cerner. Qui est adhérent ? celui qui a signé son bulletin d'adhésion ? Celui qui a pris sa carte confédérale, renouvelable chaque année, et l'a payée ? Celui qui paie régulièrement sa cotisation mensuelle ? Dans le contexte français, il semble difficile de retenir exclusivement l'un ou l'autre de ces critères.

Le premier, la signature du bulletin d'adhésion, est trop vague. En effet, une simple signature apportée par sympathie, ou peut-être même arrachée à l'occasion d'un grand mouvement social, ne peut avoir la valeur d'un engagement personnel et réfléchi (2). Le troisième, le paiement du timbre mensuel, est trop restrictif. Il arrive en effet qu'un adhérent ne paie pas la totalité de ses cotisations mensuelles par suite de maladie, chômage ou toute autre interruption de travail, sans pour autant remettre en question son adhésion. Reste la deuxième critère, le paiement de la carte confédérale qui est renouvable chaque année, mais il est difficile d'admettre que cette simple démarche annuelle suffise à déterminer que son auteur a la qualité d'adhérent.

La solution pourrait consister à adopter une position intermédiaire aux termes de laquelle serait reconnu comme adhérent celui qui, outre le paiement de la carte confédérale annuelle, aurait pris au moins six timbres mensuels.

Il ne suffit pas d'avoir beaucoup d'adhérents, encore faut-il qu'ils acceptent de consacrer une partie de leurs loisirs à des activités au service de leur syndicat. Nous abordons là ce que nous pouvons appeler le problème de la « qualité » des adhérents. Parmi les

(1) Etudes Sociales et Syndicales, Octobre 1959 : Les effectifs de la CGT (Il apparaît que, dans l'ensemble, les trésoreries confédérales ne délivrent en moyenne pas plus de 8 timbres par carte placée. La vraie consistance des confédérations apparaît donc beaucoup plus exactement par le nombre moyen des timbres placés et payés que par le nombre des cartes). Communiqué du Bureau de la CGT, du 4 mai 1949 (*L'Humanité*, 5 mai 1949) d'où il ressort que pour près de 5 millions de cartes commandées en 1949 par les fédérations, un peu plus de 4 millions avaient été placées, ce qui correspond à environ 2,7 millions d'adhérents cotisant régulièrement.

(2) *Le Nouvel Observateur*, 21 octobre 1968, Les alluvions de mai.

adhérents il faut distinguer les militants, ceux sans lesquels le syndicat ne peut pas survivre (1).

Comme l'a fait remarquer M, Gérard Adam dans son étude sur la CFTC (2), il est difficile de déterminer les critères à l'aide desquels on peut dire que tel adhérent est un militant (3). Il en cite quelques uns qu'il regroupe en 3 rubriques : Exercice de responsabilités dans le syndicat (collecteur de fonds, secrétaire, trésorier) ; Exercice de responsabilités sociales et professionnelles (membre d'un comité d'entreprise, délégué du personnel, membre d'un conseil des prud'hommes) ; Participation aux stages de formation organisée par les centrales (4).

Une fois les effectifs des syndicats déterminés, avec l'imprécision que nous savons, encore faut-il qu'ils progressent régulièrement, ou qu'au moins ils soient relativement stables. Tel n'est pas le cas en France, où l'évolution des effectifs syndicaux, comme nous venons de l'entrevoir n'est pas régulière. Elle connaît des périodes de brusques poussées et d'autres de régression. Il est donc indispensable, si l''on veut éviter tout risque d'erreurs graves, de ne pas se contenter de prendre, en admettant qu'ils soient vérifiés, les chiffres des effectifs syndicaux à une date déterminée, mais au contraire de les prendre sur une période relativement longue, afin d'éviter les effets d'une conjoncture particulièrement sensible.

Des constatations significatives (5) ont pu être faites à la suite des évènements de mai 1968. En avril, la CGT comptait environ 1 500 000 adhérents (2 millions d'après Georges Séguy) et annonçait 500 000 nouvelles adhésions avant les vacances. Ce chiffre était ramené à 400 000 en octobre. La CFDT comptait 450 000 adhérents en avril (800 000 d'après Laurent Lucas) et avait distribué près de 300 000 cartes au printemps. En Octobre, on considère que plus de 200 000 cartes ont été effectivement placées. De son côté Force Ouvrière comptait également 450 000 adhérents (1 million d'après André Bergeron) et maintient le chiffre qu'elle avait donné avant les vacances, d'après lequel elle aurait gagné 100 000 nouveaux membres.

---

(1) Dans un premier temps, on serait tenté de faire un rapprochement entre, d'une part les adhérents et les militants syndicaux, d'autre part les citoyens actifs et les citoyens passifs tels qu'ils sont définis dans certaines constitutions (ex. : constitution française de 1791, directement; constitution de l'An III et Chartes de 1814 et 1830, indirectement). Toutefois, ce rapprochement ne semble pas significatif, car on compare alors deux phénomènes qui ne sont pas de même nature. En effet, la qualité de citoyen (actif ou passif) est octroyée par le souverain (monarque, Nation) alors que celles d'adhérent ou de militant syndical sont choisies par l'intéressé et désignent seulement deux degrés dans l'engagement syndical, la simple adhésion manifestant déjà par elle-même un choix significatif, même en l'absence de militantisme. Il serait par contre intéressant de comparer les phénomènes de l'adhésion et du militantisme dans les syndicats professionnels et dans les partis politiques.

(2) Gérard Adam, la CFTC, FNSP 1964.

(3) Certains auteurs n'hésitent pas à faire des recherches plus difficiles, ainsi M.Guy Caire (*Les syndicats Ouvriers,* PUF, 1971, pp 357 sq.) a tenté de dresser un « *portrait-robot du militant* ».

(4) *Le Code du Travail* règlemente d'une manière très précise les congés d'éducation ouvrière (art. L 451-1 à 5 et R 451-1 à 4), ainsi que les congés de formation de cadres et d'animateurs pour la jeunesse (art. L 225-1 à 6 et R 225-1 à 10) et les congés de formation (art. L 930-1 et 2 et L 960-1 à 18, R 930-1 à 16 et R 960-1 à 29).

(5) *Le Nouvel Observateur,* 21 octobre 1968, Les alluvions de mai.

B.– *Les sections syndicales*

Un second moyen de mesurer la puissance numérique des syndicats, est de rechercher le nombre et l'importance des sections syndicales dans l'entreprise. A la suite du vote de la loi du 27 décembre 1968, qui prévoit la faculté pour les organisations syndicales de créer des sections syndicales dans les entreprises de plus de 50 salariés, le Ministère du Travail se livre chaque année à des enquêtes (1) dont les résultats nous permettent de nous faire une idée assez précise de la puissance relative des grandes centrales et de leur implantation.

Le nombre des entreprises ayant une ou plusieurs sections syndicales augmente régulièrement et rapidement, puisqu'il est passé de 6 267 au 1er juillet 1969, soit 6 mois après l'entrée en vigueur de la loi du 27 décembre 1968, à 17 320 au 1er juillet 1975, et a ainsi presque triplé en 6 ans (2). Afin d'avoir une mesure exacte du phénomène, il importe de souligner que le nombre des entreprises auxquelles la loi est applicable, c'est-à-dire les entreprises de plus de 50 salariés, s'est lui-même accru depuis 1969, puisqu'il est passé de 28 729 à 37 348. Il n'en demeure pas moins que la progression est très forte : 21,92 % des entreprises assujetties avaient une ou plusieurs sections syndicales au 1er juillet 1969, 46,37 % en étaient dotées au 1er juillet 1975.

Un autre chiffre dont la progression est significative est celui du nombre des sections syndicales qui est passé de 9 358 au 1er juillet 1969 à 26 764 au 1er juillet 1975, et a donc presque triplé en 6 ans. Le nombre des délégués augmente lui aussi régulièrement, et est à peine supérieur à celui des sections, en raison du fait que le nombre des délégués n'est supérieur à un que dans les entreprises de plus de 1 000 salariés, qui sont seulement un peu plus de 700 actuellement en France (2).

Dès les premiers mois d'application de la loi du 27 décembre 1968, il a été constaté que les sections syndicales s'implantent d'autant plus facilement que l'entreprise est importante. Cette tendance est toujours très nettement marquée, quoiqu'on note une progression sensible des sections syndicales dans les « petites » entreprises, celles de moins de 300 salariés (3) Actuellement, plus

(1) *Combat,* 24 avril 1970 ; - *Le Monde,* 7 décembre 1970 ; - *Le Monde,* Dossiers et documents, avril 1973 ; *Légi-Social,* n°13, janvier 1974.

(2) *Légi-Social* (n°13, janvier 1974, n°21, mars 1975) ; *Liaisons Sociales* (no31-76 du 1er avril 1976) ; *Cahiers d'information du directeur du personnel* (*Contact*, n°86).

(3) *Le Monde,* Dossiers et Documents, avril 1973 : En 1971 et 1972, seulement 20% des entreprises employant moins de 150 salariés ont une section syndicale, alors que plus de 80% des entreprises employant plus de 1 000 salariés en comptent plusieurs, le pourcentage étant d'environ 45% pour les entreprises de 50 à 149 salariés, et d'environ 70% pour les entreprises de 150 à 299 salariés, et d'environ 70% pour les entreprises de 300 à 1 000 salariés.

des trois quarts des entreprises françaises de plus de 300 salariés possèdent au moins une section syndicale d'entreprise (1).

Pourquoi l'implantation des sections syndicales est-elle plus difficile dans les petites entreprises ? Deux explications peuvent être données à ce phénomène, qui ne s'excluent nullement, mais bien au contraire se complètent. La première est que les salariés des petites entreprises craignent d'affronter un employeur hostile à la présence d'un syndicat dans son établissement. La seconde est que dans ces entreprises, qui ont encore une échelle humaine, les relations se nouent peut-être plus facilement entre le personnel et l'employeur, et que l'utilité d'un intermédiaire en la personne du syndicat se fait peut-être moins fortement sentir que dans les grandes entreprises.

Lorsqu'on examine la répartition des sections par tendance, on constate que la grande majorité est d'obédience CGT (43%), alors que seulement 25% sont d'obédience CFDT, 11% d'obédience CGT-FO, 10% d'obédience CGC et 4,50% d'obédience CFTC, les autres centrales se partageant les 7% restant (1).

La statistique du Ministère du Travail révèle que l'influence CGT et CFDT est la plus grande dans les entreprises de 50 à 149 salariés, et qu'elle est la moins forte dans les entreprises de plus de 1 000 salariés, où ces deux centrales restent cependant les plus puissantes (2). Elle révèle également et en contre-partie que l'influence des autres centrales va en croissant avec la taille des entreprises (3).

Ce phénomène nous semble assez naturel, dans la mesure où la CGT qui est la plus puissante des centrales françaises, et, à un moindre degré la CFDT, disposent du plus grand nombre de militants susceptibles de provoquer la création de sections syndicales, même dans les entreprises de taille modeste, et que c'est d'abord vers ces deux centrales que se tournent actuellement les salariés du secteur privé lorqu'ils pensent devoir se syndiquer. Il est tout aussi normal que les sections syndicales de cadres se développent surtout dans les grandes entreprises, où les cadres sont suffisamment nombreux pour pouvoir, sans inconvénient pour leur carrière, se syndiquer, et où ils sont suffisamment éloignés du « patron » pour ne pas s'identifier à lui, d'autant plus que dans les petites entreprises l'encadrement reste souvent familial, ce qui exclut toute syndicalisation.

(1) *Légi-Social* (n°13, janvier 1974 ; n°21, mars 1975) ; *Liaisons Sociales* (n°31-76 du 1er avril 1976) ; *Cahiers d'information du directeur du personnel* (*Contact*, n°86).

(2) Dans les entreprises de 50 à 149 salariés, la CGT regroupe 45,91 % des sections syndicales, et la CFDT en regroupe 25,86%. Dans les entreprises de plus de 1 000 salariés, la CGT regroupe 28,78% des sections syndicales, et la CFDT en regroupe 23,95%.

(3) Ce phénomène est moins marqué pour la CGT-FO et la CFTC que pour la CGC qui n'apparaît avec une certaine force que dans les entreprises de 300 à 1 000 salariés (15,94% des sections) et de plus de 1 000 salariés (17,71% des sections.)

L'enquête du Ministère du Travail révèle que moins de la moitié (46,37%) des entreprises assujetties ont une section syndicale, et que les secteurs d'activité où l'implantation des sections syndicales est la plus forte sont la production et la transformation des métaux (60,20%), les constructions mécaniques et électriques (60,11%), et l'industrie chimique (56,19%). Les secteurs où l'implantation des sections syndicales est la plus faible sont le bâtiment (32,19%), les commerces non alimentaires (35,89%), le bois et l'ameublement (38,82%). Cette observation conforte celle qui a été précédemment faite sur la répartition des sections syndicales en raison de la taille des entreprises. La chimie et la métallurgie sont les secteurs industriels où nous trouvons l'essentiel des grandes entreprises françaises, alors que nous rencontrons de nombreuses petites entreprises, parfois même artisanales, dans le bâtiment, le bois et l'ameublement, ainsi que dans de nombreux commerces (1).

§ 2.– L'INFLUENCE DES SYNDICATS

L'influence des syndicats en France (2) peut se mesurer dans deux domaines. D'abord, par les élections sociales et professionnelles, c'est-à-dire les élections des administrateurs des Caisses de Sécurité Sociale et d'Allocations Familiales, aujourd'hui supprimées, et les élections des délégués du personnel et des membres des comités d'entreprises. Ensuite, par la présence des syndicats dans certaines institutions et par les prérogatives qui sont accordées par le législateur à ceux auxquels est reconnue la qualité de syndicats les plus représentatifs.

A.– *Les élections sociales et professionnelles*

Elles constituent un excellent indicateur de l'audience respective des différentes centrales parmi les salariés. Ceux qui ne veulent pas, ne peuvent pas (3) ou n'osent pas se syndiquer, indiquent grâce au secret de l'isoloir la centrale qui a leur confiance. Depuis la réforme de 1967 modifiant les conditions de nomination des administrateurs des Caisses de Sécurité Sociale et d'Allocations Familiales, les élections professionnelles restent seules à nous fournir cette précieuse indication.

(1) On trouvera un tableau détaillé de la répartition des sections syndicales selon les branches d'activité, dans *Légi-Social* (n°13, janvier 1974 ; - n°21, mars 1975) ; *Liaisons Sociales* (n°31-76 du 1ere avril 1976) ; *Cahiers du directeur du personnel* (*Contact* no86).

(2) Une synthèse des études réalisées sur cette question a été faite par M. Guy Caire (*Les syndicats ouvriers*, Thémis, pp. 343 sq.

(3) Nous trouvons un exemple frappant de ce phénomène dans la situation des salariés des organisations professionnelles patronales.

Dans son étude sur la CFTC (1), Gérard Adam a noté que lors des élections aux Caisses Primaires d'Allocations Familiales, la très grande majorité (environ 80%) des suffrages exprimés (environ 70%) se portait sur les listes présentées par les syndicats. Nous ne nous attarderons pas plus longtemps sur les élections sociales, puisque depuis 1967 les administrateurs des Caisses de Sécurité Sociale et d'Allocations Familiales sont nommés par le gouvernement. Nous limiterons donc notre étude aux résultats des élections professionnelles. Ceux-ci montrent la prépondérance de la CGT qui vient largement en tête et est suivie de loin par la CFDT et la CGT-FO.

Aux termes des textes législatifs et règlementaires en vigueur, toute entreprise de plus de 50 salariés doit avoir un comité d'entreprise (2). L'étude des résultats (3) des élections aux comités d'entreprise permet de se faire une idée de l'influence des centrales syndicales sur la masse des salariés et de comparer leurs audiences respectives (4). Elle permet également de constater l'augmentation du nombre des comités d'entreprise qui a plus que doublé en 5 ans (5). et elle révèle également que l'implantation syndicale croît avec la taille de l'entreprise (6).

Les élections des délégués du personnel ont lieu chaque année dans les entreprises et établissements employant au moins dix salariés. Sont-elles plus ou moins « politiques » que les élections aux Comités d'Entreprises ? Nous en sommes réduits à des conjectures, puisque les résultats de ces élections ne sont pas centralisées et ne peuvent donc pas faire l'objet d'une étude systématique. Les chefs d'entreprise et la plupart des observateurs estiment que « les élections aux Comités d'Entreprise peuvent paraître moins politiques que les élections pour les délégués du personnel, et favoriser davantage l'expression des non-syndiqués » et des syndicats non affiliés aux grandes confédérations (7).

(1) Gérard Adam, *La CFTC, 1940-1958, Histoire politique et idéologique,* 1964 ; - La CFTC, FNSP, 1964.

(2) Il semblerait que seulement 40 à 50% des entreprises assujetties avaient un comité en 1973 (*Légi-Social,* mars 1974), mais qu'elles dépassent actuellement 60% (*Légi-Social* no21).

(3) *Revue Française des Affaires Sociales ; Légi-Social,* avril 1973 (n°3), mars 1974 (n°14), mars 1975 (n°21) et janvier 1977 (n°44).

(4) *Légi-Social,* avril 1973 (n°3), mars 1974 (n°14) et mars 1975 (n°21).

(5) En 1968 et 1969, de nombreux comités ont été créés en raison de l'institution de la participation obligatoire dans les entreprises de plus de 100 salariés, et de la transformation du climat social consécutive aux évènements de mai 1968. En 1972, la progression sensible qui a été enregistrée semble essentiellement due à la mise en application de la législation sur la formation continue, qui aggrave la charge financière des entreprises n'ayant pas de comité. Le Ministère du Travail estime que cette évolution devrait s'accentuer avec l'entrée en vigueur de la loi sur l'amélioration des conditions de travail.

(6) *Légi-Social,* avril 1973 (n°3) et mars 1974 (n°14).

(7) *La Croix,* 3 octobre 1970.

Il est certain que les délégués du personnel ont a priori un rôle plus revendicatif que le Comité d'Entreprise puisqu'ils ont une mission de représentation et de défense du personnel auprès de la direction, alors que le Comité a essentiellement un rôle de gestion des œuvres sociales et le contrôle de la marche générale de l'entreprise (1). Mais il n'en reste pas moins qu'il serait intéressant de savoir quel est l'impact exact des syndicats représentatifs dans les petites entreprises et que nous l'ignorons actuellement en l'absence d'une centralisation des résultats des élections des délégués du personnel.

B.– *Place des syndicats dans l'Etat et prérogatives reconnues aux organisations syndicales les plus représentatives*

Depuis la fin de la deuxième guerre mondiale, le mouvement syndical est associé à la prise des décisions concernant les fonctions économiques et sociales de l'Etat (2). En particulier, les représentants

(1) Nul n'ignore la pratique suivie dans de nombreuses sociétés et qui réduit de beaucoup l'efficacité du droit de contrôle reconnu au comité d'entreprise : Les délégués du comité ne sont introduits que pour assister à une réunion purement formelle, les vrais débats se déroulant en leur absence. Cette pratique a été signalée par MM. Savatier et Leloup (*Droit des Affaires,* 4ème ed., n°216) et stigmatisée par M. Maurice Cohen (*Le droit des comités d'entreprise* LGDJ, 1974, p.558). Une telle pratique, qui viole délibérément les dispositions impératives de l'art. L 432-4 C. Travail, est difficile à réprimer, car rarement établie. Néanmoins, la Justice a eu à statuer sur de telles violations (Paris, 24 octobre 1960 ; D 1961 J 97, note Dalsace ; JCP 1961. 2. 11972, note Bastian). Plus récemment, la Cour de Cassation a eu l'occasion d'affirmer la nullité des délibérations du conseil d'administration d'une société anonyme dont les délégués du comité d'entreprise avaient été volontairement exclus (Com.17 février 1975, D 1975 J 466, note J.C. Bousquet ; - JCP 1975 2.18105, note Jean Savatier). Soulignons que la convocation ou la tenue d'un conseil d'administration dont se trouvent exclus les délégués du comité d'entreprise constitue le délit d'entrave au fonctionnement régulier de ce comité prévu et réprimé par l'art. L 463-1 du Code du Travail. Ce délit recouvre des comportements très variés de la part des employeurs : refus de soumettre au comité les informations auxquelles il a droit (crim.29 mars 1973, D.1973 S 81 ; - Bul. p. 390 ; - JCP 1974.2.17651, note Nicole Catala), examen par la direction administrative de diverses questions portant sur les conséquences pratiques de décisions importantes prises avant la consultation du comité (Rouen, 4 janvier 1972, D. 1972 S 115) communication de l'ordre du jour moins de 3 jours avant la réunion du comité (crim. 11 juin 1974, D. 1974 IR 168), refus par la direction de confier la gestion et le contrôle d'un service social non obligatoire au comité d'entreprise (crim. 9 avril 1975, D. 1975 IR 115, JCP 1975.4.166), non respect de la périodicité des réunions (TGI, Lons-le-Saunier, 4 février 1973, D. 1974 S 26, GP 1974. 1.53, (note Vernerey : Le jugement précise que la rénonciation du personnel à se prévaloir des avantages statutaires doit être considérée comme nulle), division artificielle de son entreprise par l'employeur pour faire échec à la législation sur les représentants du personnel (Soc. 14 janvier 1976, D 1976 IR 56).

(2) Gérard Adam, dans un article intitulé « Les syndicats déjà intégrés aux organismes de participation » (*Combat,* 8 et 9 avril 1969) publié à l'occasion du projet de fusion du Sénat et du Conseil Economique et Social soumis au référendum en avril 1969, a longuement décrit cette situation.

des organisations syndicales représentatives (1) siègent dans les conseils d'administration des entreprises nationalisées et de la Sécurité Sociale. Ils siègent également dans les commissions du Plan, au Conseil Economique et Social et dans certaines instances régionales. Enfin, les syndicats sont représentés dans de nombreuses commissions consultatives siégeant auprès du gouvernement et des ministères.

D'autre part, les organisations syndicales représentatives sont, en fait, seules habilitées à négocier les conventions collectives nationales et les grands accords contractuels avec le CNPF. Elles reçoivent seules des subventions de l'Etat au titre de la formation syndicale (2). Les organisations syndicales représentatives ont également des prérogatives sur le plan international, puisqu'elles siègent dans les organismes du BIT et de la CEE. Nous préciserons enfin que la place dévolue aux différentes confédérations dans les organismes nationaux et internationaux n'est pas la même pour chacune, et qu'elle dépend dans une certaine mesure de leur importance respective (2).

Il ne semble pas que les syndicats aient pleinement utilisé les possibilités d'action qui leur sont ainsi données, et dans lesquelles beaucoup d'espoirs avaient été mis (3). Les raisons de ce demi-échec

(1) L'importance des critères (effectifs, indépendance, cotisations, expérience et ancienneté, attitude patriotique pendant l'occupation) définis par le Code du Travail (art. L 133-2) a évolué avec le temps et une jurisprudence abondante est intervenue en la matière. Il semble que dans son dernier état la jurisprudence s'attache d'abord à rechercher si le syndicat concerné est indépendant et quelles sont son audience et son influence dans l'entreprise ou le secteur d'activité considéré, sans s'attarder spécialement sur les effectifs proprement dits. Ces difficultés concernent également les organisations affiliées aux confédérations représentatives sur le plan national (CGT, CFDT, CGT-FO, CFTC et CGC pour les cadres seuls) puisque l'art. L 412-4 al. 2 C. Trav. dispose qu'ils ne sont considérés comme représentatifs dans l'entreprise que pour l'application du chapitre relatif à l'exercice du droit syndical dans l'entreprise (section syndicale et délégués syndicaux). Un syndicat affilié à une confédération représentative sur le plan national peut donc être jugé non représentatif dans l'entreprise en ce qui concerne le comité d'entreprise ou les délégués du personnel. Pareille mésaventure est arrivée à des syndicats CGT (Soc. 8 et 22 Juillet 1970, D 1970 S 213) ou CFDT (Soc. 18 mars 1975, D 1975 IR 91) alors qu'ont pu être jugés représentatifs des syndicats autonomes ou indépendants (T.I. Arcachon, 17 mai 1974, cassé par Soc. 26 février 1975, D 1975 IR 72 ; - T.I. Paris (2ème) 27 février 1975, cassé par Soc. 13 novembre 1975 ; - Soc. 4 février 1976, D 1976 IR 79, rejet d'un pourvoi contre T.I. Montluçon, 31 juillet 1975) ou un syndicat CFT (Soc. 28 janvier 1976, D 1976 IR 56, rejet d'un pourvoi contre T.I. Saint Germain en Laye, 10 juin 1975).

(2) Nous verrons ultérieurement (p.49 sq.) que, pendant une période assez longue, la CGT a été écartée de la plupart des organismes internationaux, et de la répartition des crédits d'aide à la formation syndicale. Il a progressivement été mis fin à cette situation à partir de 1965, et définitivement en 1968.

(3) Roger Grégoire voyait dans le Conseil Supérieur de la Fonction Publique « l'assemblée susceptible de dicter aux pouvoirs publics leur conduite vis à vis des agents » (*la fonction publique,* Armand Colin, 1964).

Cette situation s'explique peut-être par le fait que les représentants des syndicats dans les organismes auxquels ils sont appelés à participer se considèrent d'abord comme les mandataires de leurs organisations et profitent de l'occasion qui leur est donnée pour faire connaître leurs revendications et continuer à les défendre en toutes circonstances, au lieu de se risquer à jouer un rôle de gestionnaire et d'avoir ainsi le sentiment de trahir leur mission : Alain Bockel, *La participation des syndicats ouvriers aux fonctions économiques et sociales de l'Etat* (LGDJ, 1965), p.335.

semblent être d'abord que les syndicats peuvent légitimement hésiter à devenir des gestionnaires, de crainte de perdre leur rôle de revendication, d'autant plus qu'ils sont minoritaires dans ces organismes, ensuite que les syndicalistes ne sont pas encore suffisamment préparés à tenir ce rôle et n'ont pas toujours les moyens de le faire, en raison plus particulièrement de la pauvreté du mouvement syndical français (1).

SECTION II

CAUSES ET CONSEQUENCES DU CARACTERE MINORITAIRE DU SYNDICALISME FRANCAIS

§ 1.– POURQUOI LE SYNDICALISME FRANCAIS EST-IL MINORITAIRE ?

Nous pouvons dégager quatre causes essentielles de l'attitude de refus des français devant la syndicalisation. Aucune d'elles n'est la cause directe et exclusive du phénomène, mais elles y concourent toutes ensemble. Ce sont la division syndicale, les risques courus par le travailleur salarié, les succès de la lutte syndicale, le manque de foi et de passion. Chacune de ces causes intervient dans la désaffection des français à l'égard de l'engagement syndical, mais dans des proportions plus ou moins grandes selon les catégories socio-professionnelles considérées, et aussi selon les options personnelles de l'observateur.

Avant d'aborder ces quatre points et de les développer, nous dirons un mot de deux causes invoquées par certains et qui nous paraissent manquer de sérieux.

La répugnance des français à se syndiquer résiderait dans leur individualisme. Comme tous les latins les français sont des individualistes et il est donc normal qu'ils n'adhèrent pas à un syndicat. Cette explication a au moins le mérite d'être paradoxale puisque le taux de syndicalisation en France est très variable selon les profession. Les typographes dans l'industrie privée, les instituteurs chez les fonctionnaires, connaissent un taux de syndicalisation dépassant facilement 80%. Typographes et instituteurs seraient-ils plus latins

(1) «Depuis la fin de la guerre, les syndicalistes furent associés à la gestion du patrimoine national. Cette tendance n'a cessé de s'accentuer, depuis, sans que les intéressés aient toujours bien compris la chance qui leur était offerte et l'importance du rôle qu'il ne tenait qu'à eux de jouer dans la vie du pays (...).Théoriquement, ils sont donc à même de peser sur les décisions prises aux échelons les plus élevés et de les infléchir dans le sens du bien social. En fait, leur influence, dans ces sortes d'assises, demeure faible. Ils s'y aventurent, en général, de mauvaise grâce, de crainte d'être dupes. La raison en est simple : Rien ne les a préparés à tenir un rôle de cette envergure ». Louis Teissier, « Pour un syndicalisme de gestion » (*Combat,* 27 janvier 1961).

que les autres français ? D'ailleurs, les italiens, qui sont au moins aussi latins que les français, connaissent un plus fort taux de syndicalisation (1).

Une autre explication serait que le français, mauvais contribuable et qui s'abstient volontiers de payer un impôt lorsque celà lui est possible, ressent la cotisation syndicale comme un impôt dont il peut se dispenser en ne se syndiquant pas. Une telle explication n'est pas pertinente lorsqu'on sait que la cotisation est très faible et ne dépasse pas une heure de salaire par mois. De plus, ce sont les classes modestes, à qui cette charge supplémentaire pourrait paraître la plus lourde, qui sont les plus fortement syndiquées.

A.– *La division syndicale*

Vraisemblablement, le pluralisme syndical est, sinon la cause unique, au moins une des causes, de la désaffection des français à l'égard du syndicalisme. Il est en effet plausible d'admettre que ce pluralisme, avec comme corollaire le caractère fortement idéologique des syndicats, est dans une certaine mesure une cause de refus, ou tout au moins un prétexte. Cette explication a été retenue et exprimée par deux personnalités connaissant bien, à des titres divers, le syndicalisme français, M. Irwing Brown, qui fut de nombreuses années représentant permanent en Europe de l'AFL, et M. Joseph Fontanet, à l'époque Ministre du Travail.

Prenant la parole devant un congrès de l'AFL, M. Irwing Brown (2) affirme que « l'ouvrier français est fatigué » et que, sollicité par trop de centrales, petites ou grandes, il ne sait plus à laquelle adhérer et préfère finalement s'abstenir. Une telle observation est encore valable de nos jours. Ainsi, M. Joseph Fontanet (3) a évoqué au cours d'un entretien avec des journalistes le manque d'unité et la politisation du syndicalisme français. Il soulignait en particulier que « la prolifération des organisations syndicales n'est pas favorable au développement de la force du mouvement ouvrier en France et que notre pays a pourtant besoin d'un syndicalisme fort et responsable, capable d'engagements. »

(1) *Le Monde*, Dossiers et Documents, avril 1973 : CGIL (3 500 000 membres), CISL (2 500 000 membres), UIL (1 000 000 membres). La Documentation Française « Les syndicats italiens », *Notes et Etudes Documentaires*, 1974, donne des chiffres légèrement inférieurs : CGIL (3 400 000 membres), CISL (2 200 000 membres), UIL (8 à 900 000 membres).

(2) *La Vie Française*, 17 août 1956

(3) *Le Monde*, 7 février 1970 : La prolifération des organisations nuit à la force syndicale.

B.– *Les inconvénients de la syndicalisation*

Pour se syndiquer, il faut également, soit attendre des avantages substantiels pour soi-même et sa famille, soit avoir beaucoup de courage et accepter le risque de perdre son emploi (1).

Le fait d'être syndiqué ne donne pas, en France, d'avantages légaux particuliers, et le fait de ne pas être syndiqué ne porte en général pas préjudice au travailleur. Au contraire, les salariés syndiqués sont souvent en butte à l'hostilité et aux pressions de leurs employeurs, qui guettent le moindre prétexte leur permettant de se débarrasser d'un individu jugé dangereux pour le bon ordre dans l'entreprise. La jurisprudence prud'homale nous fournit de nombreux exemples de situations de ce genre (2). Il n'est pour se convaincre de la réalité des difficultés qui menacent les syndiqués, et plus particulièrement les militants, que de se rapporter aux dispositions du Droit du Travail et à certaines déclarations des centrales syndicales.

Le Droit du Travail comprend quelques dispositions protégeant les délégués syndicaux, les délégués du personnel et les membres des comités d'entreprise ou d'établissement contre une mesure arbitraire de licenciement. Mais, nous ne pouvons pas oublier que cette protection ne profite qu'à une minorité des militants syndicaux, puisque seuls ceux qui exercent des fonctions officielles de représentation du personnel ou du syndicat, bien définies et limitativement énumérées par la loi, ne peuvent être licenciés qu'avec l'accord du comité d'entreprise ou de l'inspection du travail(3). Elle ne concerne pas les simples militants syndicaux qui sont assujettis au droit

(1) *Le Monde,* 8 janvier 1972 : A l'occasion de l'opération vérité qu'il a lancé, Edmond Maire souligne qu'en 1971 la CFDT a dépensé 630 000 francs pour verser des salaires à des militants injustement licenciés.

(2) Dans une étude sur la rupture du contrat de travail, *La Revue Fiduciaire* (n°523, novembre 1971, Tableau pratique de jurisprudence n°13 p.199 : Liberté syndicale et activité syndicale) a relevé plusieurs arrêts où l'activité syndicale de l'intéressé avait été à l'origine de son licenciement. Pour accorder ou refuser les dommages et intérêts pour rupture abusive, les juges ont tenu compte des circonstances dans lesquelles le licenciement a eu lieu.

La volonté d'un employeur d'évincer à tout prix un syndicaliste peut donner naissance à un contentieux abondant et complexe dont la fameuse Affaire Fleurence semble être une illustration d'autant plus parfaite qu'elle a entraîné la saisine des juridictions judiciaires, tant sur le plan prud'homal (Soc. 5 mai 1970, Droit Social 1970 p. 516, obs. Jean Savatier ; -Soc. 4 mai 1972, *Droit Social* 1972 p. 584, obs. Jean Savatier ; - Lyon, 1er juillet 1975 ; JCP 1976. 2.18290, note Verdier ; D 1976 J 497, note Antoine Jeammaud et Françoise Vennin commune à Lyon, 6 janvier 1976, mêmes ref.) que sur le plan répressif (Crim. 10 décembre 1970 : D 1971 S34 ; JCP 1971.2.16862, note Verdier ; Chronique Verdier, Du contrat au statut et du droit individuel aux libertés publiques, JCP 1971 1.2422), et des juridictions administratives (C.E. 31 janvier 1975, Droit Social 1975 p.420 note Françoise Vennin ; - Ann. Fac. Droit Université Jean Moulin à Lyon, 1975.1.153, note Duprilot).

(3) Depuis 2 arrêts rendus le 21 juin 1974 par la Chambre Mixte de la Cour de Cassation (Bull. 1974, Ch. Mixte, n°2 et 3 p. 3 et 4 ; D 1974 j 593 concl. Touffait ; Chronique Mme Sinay, D 1974 p. 235, JCP 1974.2.17801 ; concl. Touffait, *Droit Social* 1974 p.454) l'employeur ne peut plus éviter la procédure administrative de licenciement des représentants du personnel en recourant à la procédure judiciaire de résiliation du contrat de travail, qui était admise jusqu'alors. Cette jurisprudence de la Chambre mixte a été critiquée (note Savatier sous Poitiers, 24 Avril 1974, D 1975 J. 219 ; - Chronique Latournerie, D 1975 p. 193). La plupart des juges du fond se sont inclinés (Montpellier, 30 juin 1975 D 1976 J 302, 1ère espèce, note Mme Sinay). Certains se sont pourtant opposés à la Cour (*suite de la note p. 40).*

commun, qui est rigoureux pour le salarié. A ce propos, nous rappellerons que jusqu'à une période récente c'est au salarié qu'il incombait d'établir les raisons qui ont réellement motivé son licenciement. Nous savons qu'il est difficile, et souvent même impossible, au salarié de se ménager une telle preuve (1). La loi du 13 juillet 1973, réformant le droit du licenciement, a tenu compte de cette situation et permis au salarié de renverser sinon la charge de la preuve, du moins celle de l'allégation en demandant à son employeur d'énoncer par écrit les motifs du licenciement (2). Mais cette nouvelle règle ne concerne que les salariés licenciés après un an d'ancienneté dans une entreprise employant habituellement plus de dix salariés, et il faut que l'intéressé ait eu le réflexe de demander les motifs de son licenciement dans les dix jours qui suivent son départ effectif de l'entreprise.

(suite de la note (3) page 39).
de Cassation (Poitiers, 24 avril 1974, D 1975 J 219, note Savatier : le délégué du personnel avait fait un usage jugé abusif de ses fonctions et de la protection qu'il tenait de son statut dans des actions dolosives incompatibles avec le maintien de son contrat de travail ; - Reims, 4 juin 1975, D 1976 J 302, 2ème espèce, note Mme Sinay : la Cour déboute l'employeur de sa demande, estimant que la faute alléguée n'est pas suffisante pour justifier la résiliation judiciaire). Une des raison de la réticence de certains à admettre la disparition de la résiliation judiciaire du contrat de travail d'un représentant du personnel réside dans la crainte que le juge administratif ne se livre pas à un contrôle suffisant de la décision d'autorisation ou de refus du licenciement prise par l'administration du travail. Ces réticences se sont révélées non fondées puisque le juge administratif n'a pas craint d'exercer pleinement son contrôle, comme l'y invitaient Mme Sinay (note D 1976 J 302, spécialement p. 306) et M. Cohen (Droit Social 1975 p. 416) : C.E. 5 mai 1976 (D 1976 J 563, note Mme Sinay ; - JCP 1976.2.18429, note Jean-Pierre Machelon) qui apprécie la proportionnalité de la sanction à la faute et décide que dans certains cas l'administration doit statuer en légalité et non en opportunité. Voir également sur cette question la note de M. Jambu-Merlin (JCP 1977.2.18520) sous TGI Paris, 28 janvier 1976, Reims 4 juin 1975 et Besançon 10 mars 1976.

(1) Le problème fondamental du droit, celui dont la solution de toute question juridique dépend en définitive, est celui de la preuve. Le droit n'étant pas la morale, peu lui importe qu'on ait raison si on ne réussit pas à la prouver. L'exigence de la preuve a pour effet d'exclure de nombreux phénomènes du monde du droit et de les rejeter dans celui du non-droit, dirait M. Carbonnier qui voit dans l'exigence de la preuve un phénomène d'auto-neutralisation du droit (*Flexible Droit,* p.25).

(2) Contra, Gérard Lyon-Caen et M.-C. Bonnetete (La réforme du licenciement à travers la loi du 13 juillet 1973, Droit Social 1973, p.493), qui considèrent qu'en l'absence d'une preuve suffisante que le juge aurait pu tirer des éléments de la cause, la partie qui succombe ne peut être que le demandeur, c'est à dire le salarié. Il n'en demeure pas moins que la loi du 13 juillet 1973 a profondément renouvelé la question de la charge de la preuve puisque le droit de licenciement ne correspond plus à l'exercice d'un droit de résiliation unilatérale de l'employeur, soumis à la seule sanction de l'abus du droit, mais il est également limité. Le licenciement n'est licite que s'il est fondé sur une cause réelle et sérieuse, et comme il appartient à celui qui prétend exercer un droit d'établir que les conditions d'exercice de ce droit sont réunies, c'est bien l'employeur qui doit prouver le caractère réel et sérieux des motifs du licenciement. L'employeur assume donc au moins la preuve de l'allégation (Lyon, 18 novembre 1974, Annales Faculté de Droit de Lyon, 1975 p. 195, note Jeammaud ; - Limoges 21 mars 1975, D 1976 J 410, note Gérard Couturier). Allant plus loin, certaines décisions ont même tendance à faire supporter à l'employeur la charge de la preuve (Nancy, 9 mai 1974, *Droit Social,* 1975, p. 531, note C. Marraud). La Cour de Cassation a eu récemment l'occasion de souligner que le juge forme sa conviction au vu des éléments fournis par les parties, ce qui excluerait que la charge de la preuve incombe plus particulièrement à l'une d'entre elles (Soc. 20 octobre 1976, D 1976 IR 298).

Edmond Maire a révélé en 1972 que l'année précédente la CFDT avait du dépenser 630 000 francs pour verser des salaires à des militants injustement licenciés (1). Il est vrai qu'on n'est pas obligé de retenir pour valable le critère CFDT du licenciement injuste, mais ces chiffres fournissent cependant une indication significative.

C.– *Le travailleur satisfait oublie le syndicat*

Une autre cause de la désaffection des français à l'égard du syndicalisme réside dans l'amélioration sensible et générale de la condition ouvrière. La condition des salariés n'est heureusement plus comparable à ce qu'elle était voici un siècle, ou même en 1906 (2).

Le salarié d'aujourd'hui, surtout s'il est jeune, a perdu de vue que les conditions d'existence dont il jouit ont souvent été le résultat de luttes difficiles, et oublie qu'il doit son confort à l'action des syndicats. Là encore, il s'avère que la reconnaissance n'est pas le propre de l'homme. Cette explication nous conduit directement à aborder la dernière cause possible de la désaffection des français à l'égard du syndicalisme, qui est un manque de foi et de passion.

D.– *Le manque de foi et de passion*

Le manque de foi et de passion n'est certainement pas la moindre des causes de désaffection des français à l'égard du syndicalisme et elle a été parfaitement mise en valeur dans l'ouvrage de Daniel Mathé, Militant chez Renault (3). Dans un passage de son livre, l'auteur fait une critique sévère du syndicalisme français contemporain à qui il reproche d'oublier que le travailleur est avant tout un homme et de le réduire aux deux rôles dans lesquels la société capitaliste le confine, celui de producteur et celui de consommateur.

L'analyse de Daniel Mathé nous paraît très juste et souligne sans doute la raison déterminante de la désaffection des salariés à l'égard du mouvement syndical. Ce manque de foi et de passion partagées par le plus grand nombre est en fait la résultante des trois causes antérieurement examinées : Division du mouvement syndical qui rend le choix difficile, dangers de la syndicalisation qui exige un certain courage de la part de celui qui se syndique, succès obtenus par le syndicalisme malgré le nombre restreint des syndiqués qui incitent à laisser agir et prendre des risques ceux qui veulent bien se consacrer à la défense de la cause commune.

(1) *Le Monde*, 8 janvier 1972 : l'opération vérité lancée par M.Edmond Maire.

(2) « Les ouvriers français ne constituent plus cette horde famélique et maladive entassée dans d'affreux faubourgs où elle ne trouvait d'autre évasion que l'assommoir. Zola n'avait que la peine de regarder autour de lui pour brosser son œuvre de désespérance ». Gaston Vaillant : beaucoup de groupements, peu de syndiqués, l'arc-en-ciel syndical déroute les salariés (*Vie Française*, 17 août 1956).

(3) Editions du Seuil, collection « la cité prochaine », 1965 ; - Extrait sous le titre « Le capitalisme a-t-il tué le syndicalisme ? » dans *Témoignage Chrétien*, 4 novembre 1965.

Il est exact de dire que le syndicalisme doit prendre en mains de nombreuses activités d'intérêt général afin d'élargir son action à la défense des plus défavorisés, pris non seulement comme producteurs ou comme consommateurs, mais plus largement comme hommes (1). Mais le syndicalisme réussira-t-il à remplir également ces deux missions, bien différentes, sinon opposées, de gestionnaire et de critique ?

§ 2.– CONSEQUENCES DU CARACTERE MINORITAIRE DU SYNDICALISME FRANCAIS

Le caractère minoritaire du syndicalisme français assure dans une certaine mesure la prééminence du patronat, sans pour autant exclure une certaine force, mais une force anarchique, et nous pouvons penser que l'intérêt supérieur de la collectivité n'y trouve pas toujours son compte.

Diviser pour règner, telle pourrait être la devise d'un certain patronat qui se réjouit d'avoir en face de lui un syndicalisme divisé et minoritaire, lui permettant de résister plus efficacement à certaines poussées syndicales. Ce sentiment de sécurité et de satisfaction procède en définitive d'un égoïsme mal compris, car une telle situation n'exclut pas les actions violentes et sporadiques qui sont le propre des groupements faibles et divisés qui veulent se faire entendre.

Divisé, numériquement faible, le syndicalisme français connaît dans son action de brusque sursauts, brefs et violents, où il se révèle capable d'encadrer des masses beaucoup plus nombreuses et semble même retrouver au moins un semblant d'unité. C'est la grande leçon des grèves de 1936, 1953, 1958 et 1968.

S'il est certain que les accès de fièvre ont eu des résultats heureux pour l'amélioration du sort des salariés, il n'en demeure pas moins que de telles secousses ne sont pas à souhaiter dans les sociétés modernes, qui sont des mécaniques complexes qu'il est facile de dérègler mais bien plus difficile de remettre en route. L'intérêt général, et même celui bien compris des employeurs, commandent que les syndicats soient unis, ce qui n'exclut pas le véritable pluralisme, et puissent ainsi agir efficacement dans l'intérêt de leurs mandants.

(1) Dans une optique différente de Daniel Mathé, Louis Teissier a défendu cette prise en main par le syndicalisme de responsabilités qui lui permettent de servir l'homme : Pour un syndicalisme de gestion (*Combat,* 27 janvier 1961).

Georges Lefranc, «Histoire et évolutions récentes du syndicalisme français » (*Vie Sociale,* août 1970 ; - *Problèmes économiques,* novembre 1970) : l'auteur évoque dans sa conclusion ces difficultés et ces contradictions.

CHAPITRE III

LE SYNDICALISME FRANCAIS EST PAUVRE

Le syndicalisme français est pauvre, surtout si on le compare à certains mouvements étrangers, notamment aux syndicats américains qui, jusqu'en 1959, ont aidé financièrement le mouvement syndical français, et plus particulièrement Force Ouvrière.

Les syndicats français sont pauvres pour deux raisons, parce qu'ils sont minoritaires et parce que le taux des cotisations est faible. Le fait qu'il y ait eu peu de syndiqués n'explique pas à lui seul pourquoi les trésoreries syndicales sont peu fournies. Les adhérents pourraient verser des cotisations élevées qui assureraient l'aisance des syndicats, même si leurs effectifs sont modestes. Pourtant, dans la première moitié du XIXème siècle, au moment où se sont constituées les organisations mutuelles ou fraternelles, qui ont été les seules organisations ouvrières pendant un demi-siècle, le taux des cotisations atteignait facilement un jour par mois. A l'heure actuelle, les organisations syndicales considèrent comme un idéal presque inaccessible d'obtenir une cotisation mensuelle égale à une heure de salaire (1). Ces dernières années, les grandes confédérations ont toutefois recommandé à leurs organisations adhérentes de fixer dès que celà sera possible le taux des cotisation à 1% du salaire, primes comprises, de chaque adhérent.

Pourquoi les syndicats rencontrent-t-ils autant de difficultés pour réunir les fonds qui leurs sont nécessaires ? La réponse à cette question est difficile, et comme elle ne présente qu'un intérêt marginal, compte tenu du thème principal de notre étude, nous ne nous étendrons pas trop longuement dessus. Nous rappellerons simplement que cette difficulté est peut être due pour une grande partie au fait que de nombreux français perçoivent la cotisation syndicale comme un impôt supplémentaire qu'ils refusent de payer car ils n'en voient pas l'utilité immédiate (2). Il semblerait également que

(1) A la suite de la répartition des crédits d'aide à la formation syndicale pour l'exercice 1966-1967, la CGT a demandé aux travailleurs de « riposter au scandale que constitue la discrimination dont elle est victime en versant une heure de salaire pour le développement de l'action syndicale. » *Le Monde,* 2 juillet et 16 septembre 1967, 31 mars 1967.

« Théoriquement, la règle veut que la cotisation mensuelle soit au moins égale à une heure de salaire : elle est souvent inférieure et dépasse rarement trois francs. Il est à peu près impossible, avec des sommes aussi modestes, de constituer des fonds de solidarité permettant de financer des grèves de longue durée ». Armand Capocci, *L'avenir du syndicalisme,* p. 188.

(2) Voir, p. 38

le syndicalisme serait, ici comme en matière de recrutement, un peu victime de son succès. Puisqu'il n'a pas failli à sa mission, malgré des effectifs réduits et des fonds modestes, pourquoi les tièdes se soucieraient-ils de lui apporter, à défaut de leur activité, une contribution autrement que symbolique (1) ?

SECTION I

MESURE DE LA PAUVRETE DU SYNDICALISME FRANCAIS

Notre propos n'est pas d'analyser à fond le budget des grandes centrales syndicales, d'ailleurs souvent malaisé à connaître, mais simplement de prendre conscience du caractère limité des moyens dont disposent les syndicats. Nous limiterons donc volontairement cette étude, pour l'essentiel, à la centrale sur laquelle nous avons pu obtenir sans difficulté le plus de renseignements, la CFDT (2). Cette confédération avait d'ailleurs été la première à livrer des indications précises sur ses comptes. C'était l'opération vérité lancée en 1972 par Edmond Maire, où il présentait le budget de la CFDT pour 1972 et donnait des précisions intéressantes sur l'origine des fonds de la centrale et leur emploi (3).

§ I.–LES RESSOURCES DES CENTRALES SYNDICALES

Les deux ressources essentielles de la CFDT (4 693 500 francs en 1972, 10 638 000 francs en 1975) sont les cotisations des adhérents (84,06% en 1972, 91,76% en 1975) et le reversement à la confédération des traitements des membres du Conseil Economique et Social (14,26% en 1972, 7,34% en 1975). Ces deux premières données permettent de constater que « l'indépendance de la confédération ne court aucun risque, même si la représentativité de la centrale

(1) Pierre Monatte (*Trois scissions syndicales,* Editions Ouvrières 1959, p.5) a exprimé l'inquiétude et la déception du militant devant cet état de choses qu'il décrit ainsi : «Aujourd'hui, trop souvent, le syndiqué est apathique. Il n'est pas allé au syndicat pour se battre, mais pour se dispenser de tout effort personnel. Le syndicat n'est aux yeux de beaucoup qu'une société protectrice (...) des travailleurs sans courage. On paie sa cotisation comme on règle sa feuille d'impôts.»

(2) Document établi en 1974-1975 par la CFDT à l'intention des étudiants du CELSA. Rapport général, 37ème congrès de la CFDT, Annecy mai 1976.

(3) *Les Echos* et *Combat,* 7 janvier 1972 ; *Le Monde,* 8 janvier 1972.

venait à être mise en cause au Conseil Economique et Social (1) » puisque plus des quatre cinquièmes des ressources de la CFDT proviennent des cotisations de ses adhérents.

A ces ressources, il convient d'ajouter des recettes très variées au nombre desquelles figurent les vacations payées aux administrateurs des caisses de Sécurité Sociale pour leur travail, les dons, les abonnements aux journaux, le paiement des services rendus et les crédits destinés à la formation des militants syndicaux sur lesquels nous aurons l'occasion de revenir plus longuement.

Le budget des autres grandes centrales doit présenter des similitudes avec celui de la CFDT. Par exemple, la CGT explique dans son guide à l'intention des adhérents que les cotisations représentent au niveau confédéral 90% des ressources, les autres 10% étant alimentés de la même manière que ce qui vient d'être exposé à propos de la CFDT.

§ 2.– LES DEPENSES DES CENTRALES SYNDICALES

Trois chapitres d'inégale importance figurent au nombre des dépenses. Viennent en premier lieu les charges salariales, puisque les syndicats ouvriers sont aussi les employeurs de leurs permanents. Viennent ensuite les moyens d'action et les charges immobilières.

A.– *Les charges salariales*

Edmond Maire expliquait en 1972 que les charges salariales de la CFDT représentaient 58,23% des dépenses (1). La confédération employait alors 142 personnes avec un éventail resserré des salaires puisque le président et le secrétaire général touchaient un salaire mensuel de 3 316 francs, sans aucune indemnité complémentaire, le salaire le plus faible, celui du garçon de courses, étant de 1 072 francs.

Mieux, il était révélé que fin 1971 une grève du personnel avait éclaté à la CFDT, le motif portant sur la répartition de l'augmentation de 8,25% qui avait été décidée pour 1972 (1).

B.– *Les moyens d'action*

Il s'agit des moyens financiers dont disposent les confédérations (36,53% des dépenses de la CFDT en 1972), qui comprennent en particulier les caisses syndicales de grève.

(1) *Les Echos* et *Combat*, 7 janvier 1972. *Le Monde*, 8 janvier 1972.

1) Les caisses syndicales de grève

Les caisses de grève ou de résistance (1) sont un élément essentiel de l'action syndicale et de son efficacité. Sans caisse de résistance, il n'est pas d'action syndicale efficace, ce qui n'empêche d'ailleurs pas la CGT d'y être hostile.

Les caisses de grève existent à la Fédération Française des Travailleurs du Livre (affiliée à la CGT) et à la CFTC, où elles portent le nom de caisse de résistance, à la CGT-FO sous le nom de Fonds Confédéral de Solidarité, et à la CFDT sous le nom de Caisse Nationale d'Action Syndicale. Elles sont alimentées par des cotisations des adhérents, lesquels bénéficient d'un secours en cas de grève selon les modalités qui varient avec les confédérations. A la CFTC et à la CFDT, il faut être adhérent depuis six mois et à jour de ses cotisations. La Fédération Française des Travailleurs du Livre indemnise ses adhérents dès le premier jour de grève, alors que la CFDT n'indemnise qu'à partir du deuxième jour, et la CGT-FO à partir du quatrième.

Bien que les sommes versées par ces caisses de grève paraissent importantes (la CFDT a versé 4 millions en 1970, 6 millions en 1971, son budget étant de l'ordre de 8 millions en 1976 et 1977) il ne faut pas se cacher que les secours versés à chaque individu sont modestes et n'atteignent même pas le SMIG (10 francs par jour à la CGT-FO, 27,70 francs à la CFDT, 28,75 francs à la CFTC). La caisse de la CFDT verse également une aide aux militants syndicaux injustement licenciés (630 000 francs en 1971) et finance les actions en justice engagée contre les employeurs pour faire respecter le droit du travail et le droit syndical.

De son côté, la CGT est hostile aux caisses de grève. Elle affirme en effet, d'une part que, compte tenu du nombre et de la combativité de ses militants, la charge en serait trop lourde, d'autre part que les militants syndicaux doivent être à égalité devant la grève avec les autres travailleurs. Cette doctrine est contestée par les autres centrales et les organisations patronales, et n'est peut-être pas appliquée strictement. L'absence de caisse de grève à la CGT est en effet compensée par l'aide que peuvent apporter aux grévistes les services sociaux des municipalités communistes et la solidarité des autres syndicats et des individus, sous la forme de dons et de collectes.

2) Les autres moyens financiers

Les confédérations utilisent également leurs fonds à diverses actions autres que le soutien de grèves. Par exemple, au cours des

(1) Monique Grima, Comment tiennent les grèvistes ? (L'usine nouvelle, 17 février 1977 ; - Problèmes Economiques, 18 mai 1977, n°1523, sous le titre : Les caisses syndicales de grève). Document établi en 1974-1975 par la CFDT à l'intention des étudiants du CELSA.

trois exercices séparant le 36ème et le 37ème congrès, la politique financière de la CFDT s'est efforcée d'atteindre un certain nombre d'objectifs prioritaires, parmi lesquels on relève l'amélioration de l'information des structures de base, le développement des moyens de propagande, le renforcement de la gestion interne du secrétariat confédéral, la constitution d'une réserve permanente garantissant le fonctionnement de la confédération en toutes circonstances (y compris lorsque les circuits financiers sont paralysés), le dégagement de moyens financiers en vue de l'installation de la confédération dans un nouvel immeuble, rue Cadet (1).

C.– *Les charges immobilières*

Ces charges représentaient 5,24% des dépenses en 1972. Elle recouvrent les loyers payés par la confédération à la MTC (2), le coût d'installation et d'équipement des bureaux, la modernisation des locaux anciens. Ces charges comprennent également le coût de la construction d'un immeuble neuf, rue Cadet, dont le maître d'ouvrage est la MTC. Participent à cette construction quatorze entreprises parmi lesquelles cinq coopératives ouvrières de production.

SECTION II

CONSEQUENCES DE LA PAUVRETE DES SYNDICATS FRANCAIS

La pauvreté du mouvement syndical français a une influence sur l'organisation même des syndicats, en même temps qu'elle porte atteinte à leur indépendance et limite leur action.

§ 1.– L'ORGANISATION DES SYNDICATS

Nous venons de voir que les syndicats ont des fonctionnaires qui, s'ils sont désintéressés, ont cependant besoin de recevoir un salaire qui leur permette de vivre et de faire vivre leur famille. Pauvres, les syndicats français ne peuvent donc pas avoir un nombre suffisant de militants permanents. De même, ils éprouvent des difficultés pour s'attacher les services de spécialistes, dont la complexité des problèmes économiques rend la présence indispensable dans les grandes centrales syndicales, comme dans les organisations patronales et les services gouvernementaux.

(1) Rapport général, 37ème congrès coenfédéral (Annecy, mai 1976).

(2) Maison des Travailleurs Confédérés, issue de la fusion en juin 1975 de deux anciennes sociétés immobilières, la MTC et la SATRAV. C'est une société anonyme entièrement contrôlée par la CFDT.

Trop peu nombreux, les militants permanents doivent, à la base, faire face à des tâches variées. Le même homme doit être à la fois secrétaire et trésorier, savoir rédiger et prendre la parole en public, préparer et diriger une discussion. Il est rare que le même homme puisse remplir avec une égale compétence et un maximum d'efficacité des tâches aussi diverses. Les syndicats ont bien senti cette difficulté et organisent des stages de formation à l'intention de leurs militants, permanents ou non, et l'Etat lui-même leur apporte son aide en donnant des bourses aux centres de formation des militants et en faisant bénéficier les stages d'une législation protectrice (1).

La pauvreté des syndicats a également pour conséquence d'accroître leurs difficultés à s'attacher des services d'un personnel qualifié, qui leur permette de lutter à arme égales avec les centrales patronales et les services gouvernementaux, où les compétences, économiques et comptables en particulier, ne font pas défaut. Alors qu'en Allemagne, aux Etats-Unis, en Grande Bretagne, les syndicats sont assez riches pour faire appel à des experts qui leur permettent de discuter sur un pied de totale égalité avec le patronat et le gouvernement, en France, le syndicat est souvent représenté par ses seuls cadres, qui n'ont pas toujours pu s'entourer des avis techniques indispensables et arrivent donc, par la force des choses, avec un handicap à surmonter (2). Les centrales ouvrières françaises arrivent cependant à s'attacher parfois les services de jeunes diplômés qui préfèrent renoncer, définitivement ou pour un certain temps seulement, aux perspectives financières allèchantes qui s'offraient à eux et entrer au service de la classe ouvrière pour l'aider dans sa lutte (3).

(1) De nombreux articles du *Code du Travail* sont consacrés à la règlementation des congés d'éducation ouvrière (art. L 451-1 à 5 et R 451-1 à 4), des congés de formation de cadres et d'animateurs pour la jeunesse (art. L 225-1 à 10) et des congés de formation (art. L 930-1 et 2, L 960-1 à 18, R 930-1 à 16, R 960-1 à 29).

(2) « Les mouvements syndicaux étrangers nous considèrent (...) avec une certaine condescendance. Ils ont l'impression que le syndicalisme français n'a pas dépassé la phase artisanale : alors qu'en Allemagne, aux Etats-Unis, en Angleterre, les syndicats sont assez riches pour s'offrir des experts qui, bardés de diplômes et armés de chiffres, sont capables de discuter d'égal à égal, dans un certain nombre de commissions avec les représentants du patronat et des représentants des pouvoirs publics. » Georges Lefranc, « Histoire et évolutions récents du syndicalisme français » (*Vie Sociale,* août 1970 ; *Problèmes Economiques,* 5 novembre 1970, n° 1192).

(3) Le responsable de la Fédération CFDT des grands magasins fut pendant longtemps Hubert Lesire-Ogrel, permanent syndical et universitaire de formation. Il en fut de même de Maurice Labi à la tête de la fédération CGT-FO de la chimie qu'il fit adhérer à la CFDT (voir p. 174 sq.). Il semble que c'est plutôt comme militants que les jeunes cadres arrivent au syndicalisme auquel ils acceptent ainsi de consacrer une partie de leur temps. L'apostolat syndical nous semble plus facile pour les militants syndicaux de la fonction publique que pour ceux du secteur privé. Un fonctionnaire peut en effet se faire détacher dans son syndicat tout en conservant son grade dans son administration d'origine et en pouvant même bénéficier de promotions, et retrouver un poste correspondant à sa position hiérarchique lorsqu'il le désirera.

§ 2.– L'INDEPENDANCE DU SYNDICALISME

Une autre conséquence de la pauvreté du syndicalisme français est la perte, ou du moins le risque permanent de perte, de son indépendance, ou d'une fraction de celle-ci. L'indépendance étant une condition indispensable de l'efficacité de l'action syndicale, cette question est suffisamment grave pour que nous nous attardions quelques instants dessus et voyions les trois aspects que cette atteinte peut prendre : Dépendance à l'égard des centrales étrangères, du pouvoir politique, du patronat (1).

A.– *La dépendance à l'égard des centrales étrangères*

La dépendance du syndicalisme français à l'égard des centrales étrangères est peut-être la forme la moins grave, puisque le syndicat dépend d'un autre syndicat ouvrier dont on peut espérer que, s'il peut ne pas avoir toujours une compréhension parfaite des problèmes particuliers qui se posent au syndicat dépendant, il est animé par le même idéal.

Cette situation s'est présentée en France depuis la Libération jusqu'en 1959, époque pendant laquelle les syndicats américains ont apporté leur aide au syndicalisme français, en particulier à la CGT-FO qui faisait alors figure de protégée de l'AFL. Lorsque cette aide prit fin, le gouvernement français prit le relais et notre syndicalisme connût la deuxième forme de dépendance.

A côté de leur aide permanente, les organisations étrangères peuvent également apporter une aide ponctuelle en certaines circonstances particulières. C'est ainsi qu'au cours de la grève des mineurs de mars-avril 1963 les syndicats français, outre les collectes effectuées en France à leur profit, ont fait appel aux fonds de grève Belges et Allemands.

B.– *La dépendance à l'égard du gouvernement*

Cette deuxième forme de dépendance peut ne pas paraître tragique; dans la mesure où, dans nos démocraties occidentales, le gouvernement émane, selon des modalités qui varient avec les pays, de la volonté exprimée par les citoyens lors des élections générales. Il est vrai que des réserves ont été faites sur le caractère vraiment démocratique de ces élections et des gouverments qui en procèdent,

(1) Un bref tableau de la modicité des ressources des syndicats français et de leur origine extra-syndicale est fait dans l'ouvrage d'Armand Capocci, L'avenir du syndicalisme (Hachette, 1967, p. 186).

en particulier en France. Notre propos n'est pas d'entrer dans ces polémiques, mais simplement de signaler leur existence et de rappeler que, pour beaucoup, le pouvoir politique, en particulier en France, est soumis au pouvoir de l'argent. Cette remarque préliminaire étant faite, nous verrons que le gouvernement français s'est servi de l'arme que mettait à sa disposition la fin de l'aide des syndicats américains, et a cultivé les syndicats qui avaient sa faveur jusqu'à ce que la CGT obtienne en 1970 que prenne fin la discrimination dont elle était la victime.

Les versements américains ayant pris fin en 1959, le gouvernement prit, en décembre de cette année, un décret qui, présenté dans le cadre des textes sur la promotion sociale, devait permettre aux centrales syndicales de recevoir des crédits destinés à « améliorer la culture sociale de leurs militants ». Dans un article consacré à cette question, l'Express (1) soulignait à ce propos qu'il « s'agit en fait de remplacer les subventions que les syndicats américains versaient jusqu'à présent aux centrales non cégétistes - et essentiellement FO - pour leur permettre de subsister » et que « le gouvernement étudie actuellement le moyen d'éliminer la CGT du bénéfice du nouveau décret ». La suite des évènements prouve que ce n'est pas gratuitement que ces noirs desseins ont été prêtés à notre gouvernement.

Le gouvernement va d'abord imposer un régime discriminatoire à la CGT, la manœuvre apparaissant au grand jour avec la publication de la loi de finances pour 1964. Cette loi prévoit en effet « qu' une somme de 900 000 francs (90 millions AF) est mise à la disposition des organisations syndicales CGC, CGT-FO, CFTC, au titre du Commissariat Général au Plan, pour assurer l'information et la formation économique des militants syndicaux, notamment de ceux qui sont appelés à exercer dans les organismes du Plan et dans les instances régionales (2). « La riposte de la CGT ne se fit pas attendre, puique M. Henri Krasucki, représentant de la CGT au Conseil Supérieur du Plan, fit immédiatement parvenir une lettre (3) à M. Massé, Commissaire Général au Plan, où il proteste « contre la discrimination faite en ce qui concerne la CGT, organisation syndicale la plus représentative, alors même qu'elle est appelée à participer aux organismes du Plan ».

M. Krasucki qualifie l'attitude du gouvernement « inadmissible et outrageante pour les syndiqués de la CGT » et ajoute que la confédération « entend faire respecter ses droits ». Il termine sa lettre en faisant une remarque très pertinente : L'aide accordée par le gouvernement aux autres centrales ne serait-elle pas le denier de Judas ? Dans ce cas « le procédé employé est également désobligeant à l'égard des trois organisations auxquelles sont destinées les crédits. Elles ne peuvent que trouver étrange qu'on les fasse bénéficier de

(1) *L'Express,* 19 novembre 1959.
(2) Rapport de la commission des finances du Sénat (*Le Monde,* 22 novembre 1963).
(3) *Le Monde,* 22 novembre 1963.

subventions dont est exclu la plus importante des centrales syndicales, et à son insu, sans que la question ait été posée, comme il serait normal, dans les instances du Plan où participent toutes les centrales ouvrières ».

Dans sa réponse, M. Massé explique que les fonds étaient prélevés sur le budget du Comité National de la Productivité et sur celui de la Commission Restreinte de la Productivité, les centrales participant à ces organismes pouvant seules bénéficier des crédits prévus au titre de l'aide à la formation des militants. Or, seules la CGC, la CGT-FO et la CFTC y participent, la CGT refusant pour sa part d'y siéger. Ainsi, en utilisant un artifice de droit budgétaire, en prélevant les crédits destinés à l'aide à la formation des militants sur le budget des deux seuls organismes où la CGT refuse de siéger, le gouvernement a réussi à l'écarter d'une aide financière à laquelle elle avait droit, au même titre que les autres centrales syndicales.

M. Krasucki réplique à M. Massé en lui donnant la philosophie de cet incident (1). Il note que « si les crédits accordés ont réellement pour objet l'information et la formation économique des militants syndicaux, et notamment ceux qui sont appelés à siéger dans les organismes du Plan, la CGT est en droit de dire qu'elle est l'objet d'une discrimination inadmissible et de protester contre ce fait mais que « si par contre ces crédits ne sont en fait que des subventions tendant à favoriser le développement de la productivité, et sont ainsi destinés à engager les syndicats dans une campagne de soutien à la productivité, les choses sont différentes, et je me borne à prendre acte de vos déclarations en soulignant la contradiction qui s'y trouve ».

Cette discrimination va se poursuivre au fil des années. Répondant en commission à une question d'un parlementaire communiste, M. Grandval, Ministre du Travail de l'époque, rappelle quelle est la situation respective des centrales syndicales au regard de l'aide à la formation des militants (2).

La CGT bénéficie de l'aide concernant l'enseignement que dispensent les six Instituts du Travail, créés en liaison avec le Ministère de l'Education Nationale et le Ministère du Travail. Les sessions sont également réparties entre les stagiaires venus de la CGT, de la CFTC, de la CGT-FO et de la CGC. Les crédits alloués pour 1964 à ces instituts s'élèvent à 1 812 000 francs. Les centres de formation syndicale de la CFTC, de la CGT-FO et de la CGC se partagent 3 720 000 francs, et ces centrales reçoivent des crédits pour leurs bureaux d'études respectifs. Elles participent à deux organismes, le Centre Intersyndical d'Etude et de Recherches de Productivité (CIERP) et le Bureau Intersyndical d'Etudes pour l'Industrie Textile (BIET), le total des subventions à ces divers organismes étant

(1) *Le Monde,* 7 décembre 1963.
(2) *Le Monde,* 13 octobre 1964.

de 1 917 000 francs. Une somme de 500 000 francs est affectée à des actions de recherches, certaines organisations ayant été aidées pour la réalisation d'une enquête comme celle de la JOC sur l'apprentissage, mais l'essentiel de ce crédit subventionnant l'Institut des Sciences du Travail de l'Université de Paris. La CGT partage avec les autres syndicats de salariés l'aide prévue au titre de la formation sociale pour l'organisation de stages de formation économique et sociale dans l'agriculture. Cette aide s'élève à 630 000 francs sur les 4 300 000 francs prévus pour l'ensemble de ce secteur.

Le rapprochement des chiffres qui viennent d'être cités est éloquent, CGC, CGT-FO et CFTC se partagent un peu plus de 5 millions au titre des centres de formation syndicale (3 270 000 francs) et des subventions aux bureaux d'études (1 917 000 francs). La CGT partage avec la CGC, la CGT-FO et la CFTC le bénéfice des crédits alloués aux Instituts du Travail (1 812 000 francs). La CGT partage avec les autres syndicats intéressés les crédits de l'aide à la formation sociale agricole (630 000 francs).

Nous voyons qu'à cette époque la plus grande centrale syndicale française est loin de bénéficier du même régime que ses rivales, et encore plus loin de recevoir du gouvernement une aide proportionnelle à son importance.

Le gouvernement va finalement se décider à allouer à la CGT une aide pour la formation de ses militants. Cette aide sera réduite par rapport à celle dont bénéficient la CGT-FO et la CFDT. C'est pourquoi la CGT s'élèvera en 1966 contre l'attitude du gouvernement. Du 31 avril 1965 au 31 mars 1966 et du 1er avril 1966 au 31 mars 1967, la CGT ne recevra pour chaque exercice que 250 000 francs sur les 7 500 000 francs de subventions accordées chaque année par le Ministère du Travail au titre de la loi du 28 décembre 1959 sur l'aide à la formation économique et sociale des militants, alors que la CFDT et la CGT-FO auraient reçu six fois plus et que la CFTC maintenue aurait reçu la même subvention que la CGT (1).

Dès juin 1966, la commission administrative de la CGT demande aux militants de verser le montant d'une heure de salaire afin de rendre les discriminations gouvernementales inutiles et vaines et pour donner à la CGT de nouveaux moyens, notamment dans les domaines de la bataille des idées, de l'éducation syndicale et de la formation des cadres (2). De son côté, M. Henri Krasucki écrira : « Après deux ans de réflexion, on nous promet royalement 25 millions (d'anciens francs) sur 750, la dixième partie de ce que reçoivent chacune des deux autres centrales (Force Ouvrière et CFDT). On ne fera pas taire la CGT avec 25 millions, alors que le problème reste entier et que les manœuvres continuent et font du mal. C'est

(1) *Le Monde,* 16 septembre et 2 juillet 1966.
(2) *Le Monde,* 2 juillet 1966.

évidemment la CGT qui est visée avant tout, mais les autres centrales ne sont pas à l'abri, dès lors qu'elles font preuve d'une indépendance qui déplaît au pouvoir (1).

A l'occasion de l'inauguration en mars 1967 du Centre Confédéral d'Education Ouvrière de la CGT à Courcelles-sur-Yvette, René Duhamel, secrétaire de la CGT et responsable du centre, a rappelé en présence de Benoît Frachon, la politique de la centrale en matière d'éducation ouvrière (2). Il dénonce à nouveau l'insuffisance de la subvention accordée par le Ministère des Affaires Sociales au titre de la loi du 28 décembre 1959 sur l'aide à la formation économique et sociale, et rappelle les objectifs de la CGT : D'abord, que la répartition des crédits se fasse en fonction de l'importance relative des organisations syndicales (représentativité, nombre d'adhérents, bilan des réalisations éducatives), ensuite, que cette répartition se fasse sous le contrôle d'une commission comprenant des représentants de toutes les organisations syndicales. M. Duhamel reprend enfin l'appel par la commission administrative : Que les travailleurs répondent au scandale constitué par la discrimination dont la CGT est victime en versant une heure de salaire pour le développement de l'action syndicale.

La CGT obtiendra partiellement gain de cause en 1968 où la loi de finances pour 1969, prévoyant un budget de 8,5 millions au titre du Ministère des Affaires Sociales pour « l'encouragement à la recherche sociale et à l'éducation ouvrière » lui alloue une subvention de 760 000 francs, contre 265 000 francs en 1968. De leur côté, la CFDT et la CGT-FO reçoivent chacune 2 500 000 francs, et la CGC reçoit 600 000 francs (3). La CGT venait de franchir la dernière étape avant d'obtenir un régime identique à celui des autres grandes centrales ouvrières.

La dernière étape de l'évolution fut franchie lorque le gouvernement décida d'accorder un traitement égal à toutes les grandes centrales ouvrières. A partir de 1971, la discrimination prend fin, la CGT reçoit une subvention égale à celle de la CFDT et de la CGT-FO. Elle publie alors un communiqué où elle se félicite de « ce relèvement substantiel qui constitue la réparation partielle d'une grave injustice (4) ».

Mais cette victoire n'est que partielle et constitue une simple étape. La CGT reprend son programme en affirmant à nouveau « qu' une répartition équitable devrait tenir compte de la représentativité respective des confédérations intéressées, ainsi que de leurs réalisations effectives dans le domaine de l'éducation et de la recherche »

(1) *L'humanité,* 14 septembre 1966.

(2) *Le Monde,* 3 mars 1967.

(3) *L'Express,* 7 octobre 1968.

(4) *Le Monde,* 27 juin 1970.

et que « s'agissant de fonds inscrits dans le budget voté par le Parlement la répartition devrait s'effectuer publiquement par une commission où seraient appelés à siéger les représentants des centrales syndicales représentatives (1).»

Si la CGT n'est qu'en partie satisfaite par la décision du gouvernement et estime qu'une simple étape vient d'être franchie, quelques nostalgiques d'un temps révolu estiment quant à eux que le gouvernement n'aurait pas dû prendre cette décision qu'ils condamnent (2). Mais actuellement, l'égalité entre les centrales n'est plus sérieusement contesté et la CGT bénéficie, comme ses concurrentes et dans les mêmes conditions des subventions accordées par l'Etat pour la formation des cadres syndicaux (3).

C.– *Dépendance à l'égard du patronat*

Cette troisième forme de dépendance trouve son expression dans la formation de syndicats jaunes, aux ordres de l'employeur, et qui n'ont de syndicats ouvriers que le nom. La CGSI syndicats autonomes, la CSL (ex CFT) surtout, font ainsi figure de jaunes et de traitres à la classe ouvrière.

(1) *Le Monde,* 27 juin 1970.

(2) Protestation du CDR de la Gironde contre l'augmentation de la subvention gouvernementale à la CGT (Le Monde, 1er juillet 1970).

(3) Les crédits inscrits au budget du Ministère du Travail sous la rubrique « Formation économique et sociale des travailleurs appelés à exercer des responsabilités syndicales et actions d'études et de recherches syndicales », se sont élevés à :
- 10 072 000 francs en 1973,
- 10 872 000 francs en 1974,
- 12 272 000 francs en 1975.

Ces crédits étaient répartis de la manière suivante :

Années	Montant des subventions (en francs)		
	C.G.T. C.G.T.-F.O.. C.F.D.T. (chacune)	C.F.T.C.	C.G.C.
1973 . . .	2 120 667	750 000	635 000
1974 . . .	2 294 500	811 500	697 000
1975 . . .	2 615 000	1 100 000	900 000

(suite de la note page 55).

§ 3.– LES LIMITES DE L'ACTION SYNDICALE

L'histoire du mouvement ouvrier comprend de nombreux exemples d'actions qui ont échoué, la caisse syndicale ne pouvant plus accorder de subsides aux grévistes. Dès le début du siècle dernier, les caisses clandestines de résistance avaient été créées pour permettre à ceux qu'on appelait alors les chômeurs volontaires de subsister avec leur famille pendant la durée de la grève (1).

A l'étranger, l'exemple des Etats-Unis nous montre les résultats que peut obtenir un syndicalisme riche, qui peut se permettre de soutenir des grèves qui durent souvent plusieurs semaines (2). Les syndicats français ont compris combien ce problème est crucial, et tenté de mettre sur pied une pièce commune de résistance (3). Les confédérations suivent là l'exemple de quelques fédérations d'industrie qui possédaient déjà, héritage des luttes clandestines du XIXème siècle, des caisses de résistance, ou fonds de grève. De telles caisses et fonds existaient également sur le plan régional dans le Nord et l'Est où les traditions syndicales sont proches de celles de la Belgique et de l'Allemagne.

Une autre limite de l'action des syndicats se remarque au niveau de la presse syndicale. Nous n'avons pas l'ambition d'entreprendre ici une étude détaillée de cette presse, alors qu'elle reste mal connue et qu'aucune étude approfondie ne semble lui avoir été consacrée (4). Nous soulignerons simplement que toute presse, syndicale ou non, si elle veut être indépendante, doit être suffisamment riche

(suite de la note (3) page 54).

D'autre part, le même ministère verse également des fonds à des instituts universitaires et à des organismes divers à caractère intersyndical, afin de permettre à ceux-ci de dispenser aux militants syndicaux une formation qu'ils n'auraient pu recevoir dans le cadre de leur organisation. Cette formation est assurée en accord et en liaison avec les organisations syndicales intéressées. Ces crédits se sont élevés à :

2 325 000 francs en 1973, 2 480 000 francs en 1974, 2 427 000 francs en 1975.

Rép. à Q.E. n° 16 525, J.O. Déb. Sénat, 25 juin 1975 p. 2 045 ; Rép. à Q.E. n° 7 127 et 18 551, J.O. Déb. Ass. Nat., 4 juin 1975 p. 3 619 et 25 juin 1975 p. 4 709.

(1) « Il est curieux de constater que les caisses de grève, qui existaient au XIXème siècle, à l'époque où le syndicalisme était illégal et la grève proscrite, aient disparu lorsque le syndicalisme a pu agir au grand jour. Celà tient peut-être à une sorte de goût de l'acte gratuit, de l'esprit chevaleresque : « C'est bien plus beau lorsque c'est inutile », disait Cyrano. Les syndicalistes pensent que l'action n'est pas inutile, mais qu'elle doit comporter un risque pour prendre toute sa valeur. Il faudra sans doute revenir un jour à cette conception. » Armand Capocci, *L'avenir du syndicalisme,* p. 189.

(2) 7 semaines chez Ford en 1967, 102 jours chez General Electric en 1969, 8 semaines chez General Motors en 1970 (*Entreprise,* n° 851, 31 décembre 1971).

(3) C'est le cas en particulier de la CFDT qui prévoyait dès 1965 la création d'une caisse nationale de résistance (*Le Monde,* 5 novembre 1965 ; - *Les Echos,* 10 novembre 1965 ; - *Combat,* 14 novembre 1965).

(4) Dans son ouvrage sur *Les syndicats ouvriers* (PUF, 1971) M. Guy Caire a consacré quelques pages à la presse syndicale (p. 417 sq.).

pour ne pas dépendre des annonceurs et se permettre de fixer un prix de vente abordable par la clientèle à laquelle elle s'adresse. Telle n'est pas la situation actuellement en France où l'on a la surprise de voir des centrales syndicales faire la chasse aux annonceurs pour assurer des ressources à leurs journaux grâce à la publicité. Une telle situation ne semble pas gêner l'indépendance de cette presse, mais ce n'est là qu'une première impression qui mériterait d'être corrigée s'il apparaissait, soit que la presse syndicale ne se montre pas aussi virulente qu'elle le souhaiterait pour ne pas effaroucher certains annonceurs, soit que beaucoup parmi ceux qui sont sollicités refusent leur concours à certains journaux syndicaux en raison des prises de position de leur centrale.

CHAPITRE IV

LE SYNDICALISME FRANCAIS EST-IL EFFICACE ?

Divisé, minoritaire et pauvre, le syndicalisme français réussit-il, malgré tout, à remplir sa mission qui est de défendre les intérêts du monde du travail ? Notons dès à présent que la conception du rôle du syndicalisme qui vient d'être exprimée est à la fois incomplète et inexacte. Nous allons donc tenter de cerner de plus près quel peut-être le rôle du syndicalisme des salariés dans notre société afin de pouvoir utilement répondre à cette question que nous posons : Le syndicalisme français est-il efficace ?

Le but du syndicalisme est, par delà les divisions qui le caractérisent, la transformation de la société par la suppression du patronat et du salariat. Il s'agit, à proprement parler, d'une révolution, qui n'a pas encore été réalisée, même partiellement, dans notre pays (1). En attendant cette transformation radicale de la société, le syndicalisme a fait des conquêtes qui bénéficient aux salariés. La réponse à notre question dépendra donc du point de savoir si seule la transformation totale de la société, qui est le but final de l'action syndicale, peut être considérée comme un succès, ou si les améliorations progressives de la condition des salariés obtenues en cours de route peuvent être inscrites à son actif.

C'est ainsi que, selon la réponse qui sera donnée à cette première question, un syndicalisme efficace sera, soit celui qui aura réussi la transformation totale de la société aboutissant à la suppression du patronat et du salariat, soit celui qui a obtenu dans le système existant une amélioration sensible et constante du sort des salariés. Nous adopterons la seconde définition, et verrons que les syndicats français ont obtenu des résultats appréciables dans leur lutte pour l'amélioration de la condition des salariés, mais que si l'efficacité de leur action est reconnue, elle n'est pas aussi grande qu'on pourrait l'espérer.

(1) Les nationalisations n'ont pas fait disparaître le patronat et le salariat, l'Etat-Patron a simplement pris la place de l'entrepreneur privé.

SECTION I

RESULTATS OBTENUS GRACE A L'ACTION DES SYNDICATS

Il ne s'agit pas de dresser ici un bilan détaillé des conquêtes syndicales, tant en ce qui concerne l'amélioration du sort individuel des salariés que la conquête par les syndicats de droits qui les concernent plus particulièrement (1). Nous rappellerons seulement les grandes lignes de ces conquêtes.

L'action syndicale a permis d'améliorer le régime du travail en obtenant la libre négociation des salaires et des conditions de travail, ainsi que l'institution d'un salaire minimum garanti (2). Elle a permis une réduction de la durée du travail et une augmentation de la durée des congés payés qui sont passés de deux à quatre semaines (3). Enfin, elle a obtenu un renforcement de la protection des travailleurs (4). En matière de Sécurité Sociale, l'action syndicale a tendu à élargir le domaine de la protection sociale et à obtenir une augmentation des prestations (5). Les syndicats mènent une action

(1) *Le Figaro*, 22 août 1958 : Bilan social de 14 années, 20 réformes essentielles, 26 conseils gouvernementaux avec participation syndicale.

(2) 1950 : retour à la libre négociation des salaires et des conditions de travail, apparition du SMIC (C'était la première fois qu'une loi liait le montant du salaire minimum qu'elle garantit à tous les salariés à une étude préalable de leurs besoins réels) ; - 1952 : Une échelle mobile du salaire minimum est établie en fonction des variations de l'indice des prix.

(3) On assiste dès 1946 au retour à la semaine de 40 heures avec un salaire majoré pour les heures supplémentaires. S'inspirant des accords passés en 1955 dans la métallurgie parisienne (chez Renault notamment) la loi du 27 mars 1956 porte les congés payés à 3 semaines. Deux ans plus tard selon un processus identique, ils seront portés à 4 semaines. Aujourd'hui, la généralisation de la 5ème semaine de congés payés est dans l'air (propositions récentes de M.Bergeron, qui y voit un moyen de résorber le chômage).

(4)
1946 : Remise en vigueur de l'institution des délégués ouvriers et création de la médecine du travail
1947 : Création des comités d'hygiène et de sécurité
1950 : Affirmation du principe de la non-rupture du contrat de travail pour fait de grève, sauf faute lourde imputable au salarié.
1958 : Attribution aux salariés licenciés justifiant d'une ancienneté de service d'au moins 6mois chez le même employeur, d'un préavis d'un mois.
1967 : Préavis de 2 mois, ou d'un mois plus une indemnité spéciale variant avec l'ancienneté pour les salariés ayant 2 ans d'ancienneté dans l'entreprise.
1973 : Préavis de 2 mois pour tous les salariés ayant 2 ans d'ancienneté chez le même employeur.

(5)
1945 : Organisation du régime de Sécurité Sociale, qui sera revue en 1967 où l'élection des membres des conseils d'administration des caisses sera supprimée.
1946 : Intégration à la Sécurité Sociale du risque professionnel (accidents du travail) et des prestations familiales, création d'une allocation de maternité.
1948 : Institution de l'allocation vieillesse aux non-salariés, reclassement de la main-d'œuvre, placement des diminués physique et des vieux travailleurs, extension de l'aide à la famille et de l'action sanitaire et sociale.
1954 : Amélioration de l'attribution des allocations de chômage par la réduction de la clause se rapportant à la résidence.

constante dans le domaine de la formation professionnelle, qui leur a permis d'obtenir la mise en place d'institutions et de mécanismes facilitant la formation professionnelle des salariés, en particulier de ceux qui, en raison de la conjoncture économique, doivent changer de travail (1).

Afin de pouvoir assurer plus efficacement la défense des intérêts de leurs mandants, les syndicats n'ont pas négligé de conquérir pour eux-mêmes un certain nombre de droits qui renforcent leur position, en particulier dans l'entreprise où les pouvoirs et l'autorité de l'employeur sont de plus en plus limités (2).

SECTION II

MESURE DE L'EFFICACITE DU SYNDICALISME FRANCAIS

Bien qu'il ait réalisé des conquêtes appréciables, le syndicalisme n'a pas en France la place à laquelle il pourrait prétendre. Ce fait est ressenti à la fois par les salariés, le gouvernement et le patronat.

§ 1.– MESURE OBJECTIVE

Il nous suffira de rappeler l'étude, déjà ancienne, de M. André Tiano sur les diverses formes de l'action syndicale et leur inégal succès (3). L'auteur s'intéresse en particulier à la corrélation qui peut exister entre le taux de syndicalisation dans une profession et le niveau des salaires qu'on y constate. Il remarque que les professions où les salaires sont les plus élevés et où les hausses sont les plus fréquentes et les plus fortes sont celles où le syndicalisme est le plus actif.

(1)
1945 : Ordonnance établissant les programmes de formation professionnelle accélérée pour les adultes et réorganisant les services de la main-d'œuvre pour lutter plus efficacement contre le chômage et contrôler l'immigration des travailleurs ;-
A partir de :
1954 : développement de la politique de reclassement de la main-d'œuvre par la création d'un Fonds de Conversion de l'Industrie et d'un Fonds de Reclassement de la Main-d'œuvre ayant pour objet de faciliter la réadaptation professionnelle et le reclassement des salariés ;-
1955 : Ces fonds furent regroupés dans un organisme unique, le Fonds de Développement Economique et Social (FDES).
(2)
1945 : Ordonnance instituant les comités d'entreprise.
1950 : Retour à la libre négociation des salaires et des conditions de travail (conventions collectives).
1955 : Institution de la procédure de médiation dans les conflits du travail.
1957 : Attribution de congés payés spéciaux d'éducation ouvrière au profit des centres d'éducation syndicaliste.
1958 : Création des délégués syndicaux et reconnaissance de la section syndicale d'entreprise.

(3) André Tiano, *L'action syndicale ouvrière et la théorie économique du salaire* (Génin, 1958).

Après avoir éliminé successivement les divers facteurs qui pourraient expliquer ce phénomène (meilleure qualification, suremploi local, situation privilégiée des industries considérées) M. Tiano constate que ces résultats sont dûs à l'action syndicale, dont l'effet ne serait cependant pas automatique, mais dépendrait de la période et de la puissance des centrales ouvrières. C'est ainsi qu'en période de suremploi les employeurs accordent volontiers les augmentations demandées par le personnel, ce qui provoque une hausse générale. De même, les hausses profitent rapidement à toutes les catégories de salariés lorsque le syndicalisme est très développé dans un pays. L'efficacité du syndicalisme par branche apparaît clairement dans les périodes de sous-emploi (résistance à la baisse des salaires, voire continuation des augmentations) et dans les pays où le syndicalisme est peu répandu.

M. Tiano a classé, d'après divers renseignements, les industries françaises en quatre groupes où la puissance des syndicats va en décroissant. Il a ensuite calculé la moyenne pondérée des salaires annuels masculins versés dans ces professions. La comparaison est significative, plus le taux de syndicalisation est fort, plus le salaire annuel moyen est élevé. Les chiffres sont anciens (1955), mais ils donnent une illustration intéressante du bénéfice que retirent les salariés de l'action syndicale qui leur permet d'obtenir une amélioration sensible de leur sort. Cet enseignement garde toute son actualité à l'étude de M. Tiano.

§ 2.– MESURE SUBJECTIVE

Nous allons rechercher maintenant comment l'action syndicale est jugée par l'opinion publique, par les autres partenaires sociaux et par les économistes.

A.– *Les syndicats et l'opinion publique.*

Nous utiliserons ici les résultats de trois sondages d'opinion qui nous permettent de tirer des enseignements sur l'image que se fait le public des syndicats et de leur action.

Un sondage IFOP (1) réalisé après les grèves de mars-avril 1963 révèle que la position des syndicats en serait sortie renforcée. La question posée était la suivante : Après les grèves de ces dernières semaines, la position des syndicats vous paraît-elle renforcée, amoindrie ou sans changement ? Et celle du gouvernement, celle des partis de l'opposition, celle de l'UNR ?

(1) *France-Soir*, 4 mai 1963.

Groupements étudiés	Position (%)			
	renforcée	amoindrie	sans changement	sans réponse
syndicats	52	9	21	16
opposition	24	6	33	37
gouvernement	6	47	26	21
UNR	3	36	27	34

Entre le 22 novembre et le 3 décembre 1967, l'IFOP a mené une enquête sur le rôle des syndicats en France (1). La question posée était la suivante : Pensez-vous qu'actuellement, en France, les syndicats de salariés jouent un rôle trop important, pas assez important ou comme il faut ? La majorité des personnes interrogées (41%) estime qu'en France les syndicats de salariés ont un rôle qui n'est pas suffisamment important, alors que seulement 11% trouvent qu'ils ont un rôle trop important, que 28% estiment qu'ils jouent un rôle comme il faut et que 20% ne se prononcent pas.

Le détail des résultats montre, d'une part que le désir de voir les syndicats jouer un rôle plus important est surtout le fait des salariés eux-mêmes syndiqués (71%) puis des salariés non syndiqués (53%), d'autre part que, même chez les patrons, que ce soit dans le commerce ou l'industrie, on compte davantage de personnes qui considèrent le rôle actuel des syndicats insuffisant que de personnes qui le trouvent excessif.

Les résultats d'une enquête SOFRES-Le Pélerin (2) faite entre le 13 et le 26 octobre 1969 auprès d'un échantillon de français de plus de quinze ans montrent que pour l'opinion publique l'action syndicale permet une amélioration sensible du sort des salariés.

De nombreuses questions furent posées au cours de cette enquête, dont une nous intéresse plus particulièrement : En ce qui vous concerne, considérez-vous que l'action des syndicats a permis une amélioration de la situation matérielle de votre foyer ? Les réponses sont : oui, d'une façon importante (20%), oui, mais assez faiblement (29%), non (37%), notre situation ne s'est pas améliorée (9%), sans avis (4%).

Il apparaît donc que 49% des personnes interrogées estiment qu'elles sont, beaucoup ou un peu, redevables aux syndicats de l'amélioration de leur situation matérielle. Lorsqu'on détaille les réponses par catégories socio-professionnelles, on note un pourcentage de 55% chez les ouvriers et employés et de 39% chez les cadres supérieurs.

(1) *Le Nouvel Observateur*, 13 décembre 1967.
(2) *La Croix*, 10 décembre 1969.

Les réponses faites à une enquête de l'IFOP au début de l'année 1963 (1) montrent que pour le public les syndicats sont les meilleurs défenseurs des salariés : Il était demandé aux personnes interrogées de dire par qui elle pensaient que leurs intérêts étaient le mieux défendus. La majorité (42%) a répondu : par les syndicats. Les autres ont répondu : par les élus (12%), par les partis politiques (7%), par les pouvoirs publics (5%), alors qu'une minorité importante n'a pas donné de réponse (34%).

B.– *Les syndicats et les autres partenaires sociaux*

Les pouvoirs publics et le patronat sont d'accord pour reconnaître qu'il est indispensable que le syndicalisme soit fort et puisse faire entendre sa voix, dans l'intérêt bien compris de la collectivité.

A plusieurs reprises, le gouvernement a déploré les divisions du syndicalisme français et souhaité qu'il réussisse à reconstituer son unité. Cet état d'esprit a été manifesté en particulier par un Ministre du Travail de la Cinquième République, M. Joseph Fontanet qui, au cours d'un entretien avec la presse (2), regrettait la division du syndicalisme français en constatant qu'elle nuit à sa force. Il semble en effet que les pouvoirs publics souhaitent noyer les révolutionnaires extrêmistes dans une masse plus modérée, partant du principe que si la centrale unifiée veut éviter des défections elle devra adopter une ligne d'action prudente afin de ne pas effaroucher ses éléments modérés, tout en ne décevant pas trop ses éléments les plus dynamiques. Moins virulente, une centrale unifiée présenterait d'autre part l'avantage de donner aux salariés une représentation unique en face des pouvoirs publics et du patronat, augmentant ainsi son audience et donnant un optimum d'efficacité à son action.

Même le patronat, Dieu sait pourtant si le patronat français est prudent, estime que le syndicalisme pourrait occuper une place plus importante dans la société française contemporaine (3). Il semble que maintenant le patronat français ne croit plus au dogme qui veut que la faiblesse syndicale dans une entreprise soit une garantie de paix sociale. Cette thèse est maintenant officiellement condamnée par l'équipe du CNPF qui voit dans un syndicalisme fort une garantie contre une action anarchique et la surenchère démagogique qui sont le mal endémique du syndicalisme français (4).

(1) *France-Soir,* 4 mai 1963.

(2) *Le Monde,* 7 février 1970.

(3) Sondage IFOP de novembre-décembre 1967 dans le *Nouvel Observateur* du 13 décembre 1967.

(4) « Cette évolution est due à une série de constatations prouvant que, dans les pays où le syndicalisme est puissant, la situation sociale est meilleure : Le nombre des journées de travail perdues pour faits de grève en 1967 a été en France deux ou trois fois plus élevé que dans les pays voisins. Aux Etats-Unis, il a été inférieur au temps laissé aux salariés pour la pause-café de l'après-midi. En Suède, le dernier conflit important remonte à 1945 », *L'Express,* 5 août 1968.

C.– *L'action syndicale jugée par les économistes*

Afin de savoir si l'action des syndicats est vraiment efficace, il ne suffit pas de constater, comme nous venons de le faire, que le mouvement syndical a à son actif de nombreuses conquêtes et que les partenaires sociaux sont pratiquement unanimes à souhaiter un syndicalisme fort, il faut encore se demander si ces résultats auraient été obtenus, même en l'absence de syndicats, et dans les mêmes conditions.

Dans un article intitulé « A quoi servent les syndicats ? », M. Jacques Lecaillon a tenté de répondre à cette question et il démontre que l'efficacité de l'action syndicale ne se situe pas exactement là où on la place habituellement. Pour M. Lecaillon, les syndicats n'obtiennent que ce que la situation économique permet de donner. Ils ont peut-être un rôle d'accélérateur, mais ils ont sûrement un rôle inflationniste (1).

M. Lecaillon estime donc que l'action syndicale a moins le mérite de permettre au monde ouvrier d'obtenir des résultats exceptionnels que de servir d'accélérateur à un processus inéluctable et, en sensibilisant les esprits au sort des plus défavorisés, de faciliter ce processus. Même si l'action syndicale n'avait que ce résultat à son actif, celui-ci serait déjà largement positif. Tout le monde ne porte d'ailleurs pas sur l'action syndicale et ses résultats un jugement aussi sévère et pessimiste que celui de M. Lecaillon.

(1) Jacques Lecaillon, « A quoi servent les syndicats ? » (*La Croix*, 11 avril 1970).

DEUXIEME PARTIE

LE PROCESSUS DES SCISSIONS SYNDICALES

L'analyse du processus de la scission syndicale permet de voir plus précisément en quoi consiste ce phénomène. Il y a scission d'une personne morale lorsque certains de ses membres, ne se sentant plus en communion d'esprit avec les autres, quittent le groupement et en consituent un autre. Le phénomène peut se produire dans les groupements politiques et religieux comme dans les associations ou syndicats. Toute scission soulève de nombreuses difficultés d'ordre juridique, à la solution desquelles l'étude de son processus apporte une contribution. Il en a été ainsi notamment à la suite de la scission de la CGT survenue à la fin de l'année 1947 et de la création de la CGT-FO, puis à la suite de la transformation en 1964 de la CFTC en CFDT et de la constitution de la CFTC maintenue (1).

La scission peut être motivée par des raisons d'ordre politique et tenir à l'influence d'un dirigeant ou aux consignes d'un organisme directeur. Elle peut l'être par des divergences d'ordre professionnel : Désaccord entre les dirigeants sur les moyens d'atteindre le but du groupement, défense jugée insuffisante des intérêts de certains membres du syndicat. Mais, dans tous les cas, la scission se réalise habituellement au cours d'une assemblée générale. Les dissidents décident de se séparer pour fonder un nouveau syndicat, ou bien de changer l'affiliation confédérale ou la référence doctrinale de la personne morale. Les statuts sont modifiés ou établis en ce sens, un nouveau bureau est élu, les modifications sont déclarées à la mairie. De leur côté, les orthodoxes tiennent une réunion où ils déclarent les dissidents exclus et élisent un nouveau bureau. Chaque personne morale prétend continuer le syndicat ancien et affirme ses droits sur le patrimoine syndical.

L'étude du processus de la scission présente également une utilité pratique directe pour la solution du problème posé au juge. En particulier c'est en scrutant l'histoire du syndicat que le juge pourra dire si la modification statutaire apportée porte ou non atteinte à une qualité substantielle du groupement. C'est là une recherche difficile qui a été faite à l'occasion des différents procès consécutifs à la scission CGT/CGT-FO, et est devenue l'unique objet du procès CFTC/CFDT.

(1) C'est ainsi que Mme Sinay (note sous TGI Seine, 7 juillet 1965, JCP 1966.2. 14515) baptisait la centrale regroupant les minoritaires qui refusaient la transformation de la vieille CFTC en CFDT.

Nous ne nous attacherons ici qu'à l'étude du processus de la scission au niveau confédéral, puisque c'est là que se posent les questions de principe qui nous intéressent, et que la réponse qui leur sera donnée commande la solution qui sera apportée aux problèmes juridiques soulevés par la scission syndicale.

Lorsque nous considérons l'évolution historique de la CGT et celle de la CFTC, une différence vient immédiatement à l'esprit. La scission de 1947 n'est pas la seule qu'ait connue la CGT. En 1920, les communistes avaient déjà abandonné la centrale et fondé la CGTU. Après la réunification de 1936, les communistes ont à nouveau été exclus en 1939 avant que le mouvement syndical entre dans la clandestinité. Avant le départ des réformistes en 1947, les anarcho-syndicalistes avaient déjà quitté la centrale dès 1946 pour fonder la CNT. La CFTC, quant à elle, n'avait connu aucune scission jusqu'en 1964. Des tentatives pour laïciser la centrale avaient bien été entreprises depuis plusieurs années par les minoritaires, qui ont fini par conquérir progressivement la majorité et obtenir que le congrès confédéral de 1963 se déclare favorable au principe de la laïcisation. La lutte a été longue et serrée, mais jamais personne n'avait manifesté la volonté de quitter la centrale. D'ailleurs, une évolution s'était déjà produite sans heurts, qui avait fait de la CFTC, à l'origine centrale catholique puis chrétienne, une centrale d'inspiration chrétienne ouverte à tous ceux, non chrétiens et même athées, qui étaient en accord avec la morale sociale chrétienne.

Une seconde différence concerne la longueur du processus de la scission. Pour la CGT, le drame s'est noué et a éclaté en quelques mois. Pour la CFTC, la scission est le fruit d'une lente évolution, et l'on a longuement discuté du point de savoir à quelle date devait être fixé le tournant décisif qui avait, en fait, transformé la CFTC en CFDT.

Compte tenu des observations qui viennent d'être faites, nous rechercherons d'abord quelles sont les étapes de la scission, puis comment elle s'est effectivement réalisée. C'est essentiellement de la réponse qui sera donnée à ces deux questions que dépendra la solution qui pourra être apportée aux problèmes juridiques posés par la scission syndicale (1).

(1) Sur les conséquences juridiques des scissions syndicales, voir Epilogue p. 195 sq.

CHAPITRE I

LES ETAPES DE LA SCISSION

On peut distinguer deux étapes dans le processus de la scission syndicale : Une minorité organisée se constitue qui adopte des positions différentes de la centrale, et en définitive la quitte volontairement ou en est exclue (1).

SECTION I

LA MINORITE S'ORGANISE ET PREND POSITION

§ 1.– LA SCISSION CGT/CGTU

Sous l'influence de Léon Jouhaux, la CGT adopte en 1918 un « programme minimum » qui tend à substituer à l'attitude d'opposition systématique qui avait été la sienne avant guerre, une attitude nouvelle consitant, en proposant des solutions constructives, à s'in-

(1) Une étude détaillée des étapes de la scission CGT/CGTU a été faite par Bernard Georges et Denise Tintant dans *Léon Jouhaux, 50 ans de syndicalisme* (Tome 1). Le tome 2 n'était pas encore paru à l'époque où la recherche de la documentation pour cette étude était entreprise. Il contiendra certainement une étude détaillée des étapes de la scission CGT/CGT-FO. Les scissions de la CGT ont également été étudiées par Armand Capocci (l'avenir du syndicalisme, 1967), Colette Chambelland (Le syndicalisme ouvrier français, 1956), G. Dehove (Chronique dans la *Revue de Droit Social*), G. Robinot-Marcy (La scission de la CGT, Travaux de l'action populaire, janvier 1948), Guy Thorel (Les tendances dans le syndicalisme français, syndicalisme et politique, Droit Social, janvier 1948). P.L.(Le mouvement ouvrier dans le monde, Revue politique et parlementaire, janvier 1948).

Dans son ouvrage *L'avenir du syndicalisme,* M. Armand Capocci a étudié le processus de la scission CFTC/CFDT, mais assez sommairement. Cette scission a surtout été étudiée par M. Gérard Adam dans sa thèse de 3ème cycle (*Lettres,* Etudes Politiques, Paris 1963 - La CFTC, 1940-1958, « Histoire politique et idéologique », *Cahiers FNSP,* Armand Collin, 1964) où il montre la puissance grandissante des minoritaires, sans pour autant envisager l'éventualité d'une scission puisque son étude s'arrête à 1958 et que la centrale chrétienne avait jusque là réussi à surmonter toutes ses divisions et à maintenir son unité. M. Adam a complété son étude par un article paru en 1964, à la suite du congrès de novembre, dans les cahiers de la FNSP. Voir également Pierre Delon, *Le syndicalisme chrétien en France* (Editions Sociales, 1965), étant précisé qu'il s'agit là d'un ouvrage polémique qui donne les raisons pour lesquelles cégétistes et communistes sont hostiles au syndicalisme chrétien.

tégrer à la Nation et à prendre sa part des responsabilités communes. Dans cet esprit la CGT en 1920 crée un Conseil Economique du Travail. C'est là une victoire des réformistes sur les révolutionnaires.

Mais ces derniers n'ont pas désarmé et, à l'occasion des grandes grèves de l'après guerre qui éclatent à la même époque (1) les tendances se heurtent avec violence à l'intérieur de la CGT, opposant la direction ralliée au réformisme à une minorité révolutionnaire dont l'influence ne cesse de croître.

A.– *L'opposition révolutionnaire au programme minimum*

Nous nous souvenons que la guerre de 1914-1918 avait provoqué un changement profond dans l'attitude de la CGT qui avait renoncé à sont attitude d'opposition systématique et, en participant à l'effort de défense nationale, avait inauguré une politique de collaboration avec les pouvoirs publics et de partage des responsabilités dans la solution des problèmes économiques et sociaux, à l'échelle nationale et internationale. L'adoption par le CCN de la CGT en 1918 du programme minimum est dans la ligne de cette politique réformiste qui tourne résolument le dos à la tradition du syndicalisme révolutionnaire. Certes, l'objectif final de la lutte syndicale l'émancipation des travailleurs, n'est pas perdu de vue puisque c'est au nom de cette émancipation que le changement d'attitude reproché par les révolutionnaires est imposé à la centrale par la majorité réformiste (2).

Ce programme est d'ailleurs très novateur puisqu'il réclame, parmi d'autres revendications, l'égalité des sexes, la reconnaissance du droit syndical, le contrôle ouvrier de la vie économique par l'intermédiaire d'un conseil économique national et de conseils économiques régionaux, la nationalisation des richesses nationales, le droit au travail et à l'activité syndicale pour les étrangers résidant en France, l'extension de la sécurité sociale, l'application intégrale de l'impôt sur le revenu et une imposition des héritages.

La minorité révolutionnaire qui s'était énergiquement opposée à l'effort de guerre et à la politique de participation s'opposa bien entendu au programme minimum, qui réalisait à ses yeux une nouvelle trahison des objectifs du syndicalisme ouvrier, et créa dès la fin de la guerre un comité de défense syndicaliste. Cette minorité était essentiellement composée d'anarcho-syndicalistes qui menèrent une lutte serrée contre la majorité aux congrès de Paris (1918), Lyon (1919) et Orléans (1920), à l'issue desquels la politique des dirigeants confédéraux fut toujours approuvée à une large majorité.

(1) La grève des cheminots de 1920 est particulièrement importante.

(2) « Programme Minimum », La Documentation Française, *Notes et Etudes Documentaires,* 2 décembre 1949, n°1239 : L'évolution intérieure de la CGT.

B.– *L'opposition entre majoritaires et minoritaires devient irréductible*

La lutte entre minoritaires et majoritaires devint plus âpre après 1920, quand les communistes, appliquant le mot d'ordre de la Troisième Internationale, intensifièrent et perfectionnèrent le travail de noyautage. Des Comités Syndicalistes Révolutionnaires furent créés dans toutes les organisations syndicales et entrèrent en contact avec l'Internationale Syndicale Rouge. L'action des minoritaires fut facilitée par le mécontentement des travailleurs et la politique de répression anti-ouvrière qui marquent l'année 1920. Les Comités Syndicalistes Révolutionnaires gagnèrent rapidement du terrain. En février 1921, ils dominaient cinq fédérations et vingt six unions départementales, dont celle de la région parisienne.

Les dirigeants confédéraux réagirent contre cette situation et le comité confédéral national adopta le 20 novembre 1920 un texte accusant les CSR « de scission morale et de désorganisation des forces confédérales et de l'unité de l'Internationale Syndicale ». Le 9 février 1921, le CCN décidait « qu'en adhérant aux CSR, tout groupement se met en dehors de la CGT ». Des exclusions furent prononcées en application de cette déclaration. C'est dans cette atmosphère de lutte et de passion que s'ouvrit le congrès de Lille en Juillet 1921 (1). De nombreuses fédérations minoritaires déposèrent une motion préjudicielle demandant l'admission au congrès des syndicats exclus pour avoir adhéré aux CSR. Léon Jouhaux réussit à faire renvoyer l'examen de cette motion à une commission d'enquête afin d'éviter une scission qu'il ne souhaitait pas et de préserver l'unité de la confédération (2). Le bureau confédéral, dont la politique fut ardemment défendue par Léon Jouhaux (3), l'emporta une fois de plus, mais à une faible majorité (4).

Confirmés dans leur mandat, les dirigeants confédéraux étaient décidés à intensifier la lutte contre les CSR. La dernière bataille fut livrée au CCN du 19 septembre 1921, à l'issue duquel deux textes furent proposés, pour ou contre l'interdiction des CSR. La minorité fut battue de justesse par 63 voix contre 56 et 10 abstentions. Elle décida alors de quitter la commission administrative. A son instigation, les CSR tinrent un congrès en décembre 1921 et décidèrent de quitter la CGT et de constituer une nouvelle centrale. La CGTU était née. Elle passera sous le contrôle du Parti Communiste dès son premier congrès en 1922.

(1) Le premier jour des coups de feu furent tirés sur la tribune !

(2) Bernard Georges et Denise Tintant, *Léon Jouhaux, 50 ans de syndicalisme,* Tome 1, p. 240.

(3) Congrès de Lille, intervention de Léon Jouhaux, p. 281 ; - *Léon Jouhaux, 50 ans de syndicalisme* (Tome 1, p. 246).

(4) La motion de la majorité n'obtint que 1 572 voix contre 1 325 à celle de la minorité.

§ 2.– LA SCISSION CGT/CGT-FO

La seconde scission de la CGT s'est produite en 1947 (1) et a suivi en gros les mêmes étapes que celles de 1921, avec cette différence que les minoritaires d'alors étaient devenus majoritaires et que ce sont les réformistes qui ont du quitter la CGT pour fonder une nouvelle centrale. En 1947, la scission est le résultat de la mainmise du Parti Communiste sur la CGT et de l'éviction progressive des ex-confédérés qui, après s'être regroupés en une simple tendance, durent se résoudre à la scission.

A.– *La mainmise du Parti Communiste sur la CGT et l'éviction des ex-confédérés*

Dès la réunification de 1936, le Parti Communiste va progressivement noyauter la CGT. Son action sera interrompue par la guerre et il reprendra sa manœuvre dès la signature, le 17 avril 1943, de l'accord du Perreux qui décide de reconstituer la CGT unie dans la clandestinité. Cet accord, signé par Saillant et Bothereau pour les confédérés, et par Raynaud et Tollet pour les unitaires, décide de redonner à la CGT la physionomie qui était la sienne en septembre 1939 (2).

Les communistes ont donc réussi à reprendre en douceur leur place dans la CGT, en effaçant l'exclusion qui avait frappé les minoritaires en 1939. Ils vont parfaire leur action en s'infiltrant à tous les niveaux de la centrale grâce à la clandestinité imposée par l'état de guerre qui rendait impossible la réunion d'assemblées régulières (3). Certains confédérés ayant, derrière Belin, qui fut Ministre du Travail de Vichy, accepté de participer aux organismes de la Charte du Travail, furent considérés comme exclus de la CGT et il fallut pourvoir à leur remplacement. Profitant de cette occasion, le Parti Communiste utilisa l'auréole du martyre qu'il avait acquise grâce à la Résistance et qui lui donnait une image de marque inspirant confiance pour s'attaquer efficacement à la conquête des postes clés depuis la base jusqu'au niveau confédéral (4).

(1) En 1939, les ex-unitaires, qui avaient réintégré la CGT au congrès de Toulouse de 1936, ont bien été exclus à la suite de la signature du pacte germano-soviétique et du soutien qu'ils apportaient à la politique pro-allemande à l'époque de l'Union Soviétique, mais les circonstances n'ont pas permis la concrétisation de cette nouvelle scission.

Le départ des anarcho-syndicalistes en 1946 et la fondation de la CNT peuvent être considérés comme la première étape de la scission consommée en 1947. Elle nous intéresse peu dans la mesure où elle n'a pas eu d'incidences juridiques.

(2) La Documentation Française : L'évolution intérieure de la CGT.

(3) Sur l'aide qui aurait été apportée aux communistes par Jean Moulin, voir l'ouvrage (controversé) d'Henri Frenay, *L'enigme Jean Moulin* (Laffont, 1977).

(4) Jean-Bernard Derosne, le drame de la CGT (*L'Epoque*, 9 octobre 1945).

Ayant réussi leur action de noyautage, de la base à la direction des unions et des fédérations, les communistes s'attaquèrent à la conquête du pouvoir à l'échelon confédéral. Cette conquête se fit en plusieurs étapes, la première étant la désignation au congrès de 1945 de Benoît Frachon comme secrétaire général de la CGT au côté de Léon Jouhaux, et la constitution d'un secrétariat restreint de quatre membres chargé de diriger la confédération. Ces décisions ont été adoptées malgré l'hostilité des minoritaires qui n'ont pu s'y opposer. Elles marquent le début du déclin irrémédiable de la minorité et dès cette date se posait la question de savoir, comme l'avaient souligné à cette époque certains commentateurs, quel serait l'avenir de la CGT et l'attitude de la minorité après le coup de force communiste (1).

Parallèlement à la conquête du pouvoir par les ex-unitaires de tendance communiste, se poursuivait l'éviction progressive des ex-confédérés de tous les postes de responsabilité de la CGT et de nombreux groupements adhérents. La première étape de cette éviction a été la désignation de Benoît Frachon comme secrétaire général au côté de Léon Jouhaux qui voyait ainsi porter une atteinte sérieuse à son autorité et à son prestige.

A l'issue du congrès de 1946, les communistes ont renforcé leur pouvoir sans pour autant éliminer les confédérés comme ils auraient pu le faire. En effet, les communistes avaient obtenu 21 238 voix (80%) contre seulement 4 862 (20%) aux confédérés. Ils ont pourtant accepté une répartition des postes de direction bien plus favorable aux confédérés qui ont eu quinze sièges à la commission administrative (43%) contre vingt aux communistes (57%), cinq postes de secrétaires confédéraux (45%) contre six aux communistes (55%) et un des deux postes de secrétaire général (Léon Jouhaux), l'autre revenant à Benoît Frachon. Cette attitude permettait aux communistes de ne pas trop effrayer ceux à qui leur emprise sur la CGT donnait des inquiétudes et d'avoir la caution des réformistes en attendant de pouvoir s'en passer (2). Ils n'auront pas à le faire puisque les réformistes quitteront d'eux-mêmes la CGT un an plus tard.

B.– *Les minoritaires se regroupent en tendance et doivent se résoudre à la scission*

Dès la signature des accords du Perreux, les ex-confédérés s'étaient regroupés autour de l'hebdomadaire Résistance Ouvrière dont l'équipe initiale s'était formée sous l'occupation et qui est

(1) *L'Aube*, 7 juin 1945.
(2) Une fois la scission consommée, Robert Bothereau fit paraître dans *Force Ouvière* (25 décembre 1947) un article dans lequel il expliquait qu'une des raisons de la scission résidait dans le fait que les minoritaires n'ont pas voulu accepter le rôle d'otages que voulaient leur assigner les majoritaires.

paru au grand jour à la libération. Force Ouvrière succéda à Résistance Ouvrière et c'est autour de ce mouvement que se cristallisa l'opposition à l'emprise communiste grandissante sur la CGT.

1) L'opposition à la tendance unitaire se cristallise autour de Force Ouvrière

Une des forces des communistes, qui facilita leur prise de contrôle de l'appareil de la CGT et des groupements affiliés, a résidé dans la division de leurs adversaires. Celle-ci était dénoncée dès la libération par les observateurs de la vie syndicale (1). Quelles étaient donc les minorités entre lesquelles se partageait l'opposition à la tendance unitaire ? Tout d'abord la tendance anarcho-syndicaliste qui se divisa elle-même en deux, une partie décidant de quitter la CGT dès 1946 pour fonder la CNT, la seconde restant dans la centrale et se regroupant autour du journal Combat Syndical. La plupart de ses éléments la quittait en 1947 pour participer à la fondation de la CGT-FO. On trouvait également le CETES apparenté à la SFIO et des Trotzkystes regroupés autour du journal Front Ouvrier. Conscient de la faiblesse d'une opposition divisée, Pierre Monatte tenta de les réunir sur un programme d'action commun, mais il échoua. Les observateurs de l'époque comprirent la gravité de cet échec pour le mouvement syndicaliste authentiquement révolutionnaire (1). A côté de ces trois oppositions de gauche on trouve deux oppositions plus « classiques », d'abord celle réformiste à la tête de laquelle figure Léon Jouhaux et qui s'est regroupée autour de l'hebdomadaire Force Ouvrière dirigé par Robert Bothereau, ensuite certains représentants non compromis avec le régime de Vichy de la tendance Belin qui donneront naissance à des syndicats autonomes dont certains rejoindront la CGT-FO.

Force Ouvrière est d'abord un hebdomadaire dont le premier numéro est paru en décembre 1946 et qui a succédé à Résistance Ouvrière dont l'équipe initiale s'était rassemblée sous l'occupation et qui avait paru au grand jour à la libération. Ces deux hebdomadaires étaient l'organe de la tendance confédérée, mais présentaient deux différences essentielles. D'abord, toute l'équipe de Résistance Ouvrière n'est pas passée à Force Ouvrière, certains ex-confédérés comme Louis Saillant, Secrétaire Général de la FSM et Secrétaire de la CGT, s'étant ralliés à la tendance majoritaire. Ensuite, Force Ouvrière s'est immédiatement révélée farouchement anticommuniste, et a dénoncé la colonisation systématique du syndicalisme par les communistes, alors que Résistance Ouvrière s'abstenait soigneusement d'attaquer les communistes et l'URSS. Force Ouvrière allait donner son nom

(1) Benoît Vuillaume, « La minorité est-elle majeure ? » (*Temps Présent,* 26 juillet 1946).

à une tendance puis à un mouvement regroupant tous ceux qui étaient hostiles à la colonisation de la CGT par le Parti Communiste et qui, refusant l'aventurisme de l'anarcho-syndicalisme, voulaient poursuivre une action syndicale indépendante et authentiquement révolutionnaire par la transformation progressive de la société grâce à des réformes qui ne bouleversent rien et ne provoquent pas de crises qui seraient en définitive préjudiciables au monde du travail.

La tendance Force Ouvrière va s'opposer de plus en plus fortement à la direction communiste de la CGT et des groupements affiliés. C'est ainsi qu'à l'occasion de la grève des postiers un Comité National de Grève fut créé face au Bureau Communiste de la Fédération Postale et donna naissance à un Comité d'Action Syndicale dont la majorité unitaire demanda la dissolution au cours du congrès extraordinaire de cette fédération tenu en 1946. Ce processus rappelle le précédent de 1920 où les communistes, alors minoritaires, avaient créé des comités syndicalistes révolutionnaires au sein des groupements confédérés, avant de quitter la CGT et de créer la CGTU.

Après s'être manifestée au cours de l'année 1947 surtout à l'échelon des syndicats, des fédérations et des unions, l'opposition entre majoritaires et minoritaires apparut enfin au plan national. Les 8 et 9 novembre 1947 les groupes Force Ouvrière tinrent à Paris une conférence nationale qui se prononça pour le Plan Marshall combattu par les communistes, et adopta un manifeste dans lequel elle réaffirmait la volonté des groupes Force Ouvrière de maintenir l'unité syndicale et de lutter à l'intérieur de la CGT pour la démocratie et l'indépendance syndicale (1).

2) Force Ouvrière se résigne à la scission

Plus on avance dans l'année 1947, plus l'antagonisme entre majoritaires et minoritaires se fait violent. Depuis le congrès de 1946, la plupart des décisions avaient été prises à l'unanimité. Un premier conflit éclata au niveau confédéral en novembre 1946 sur la question des syndicats tunisiens qui avaient demandé à se séparer de la CGT et à adhérer directement à la FSM. La commission administrative avait eu à se prononcer sur deux textes. Celui de la majorité approuvant l'autonomie des syndicats tunisiens qu'elle adopta, et celui de la minorité s'opposant à cette autonomie, qu'elle repoussa.

En janvier 1947 le comité confédéral national s'était divisé sur la question d'une augmentation générale et hiérarchisée des salaires proposée et votée par la majorité, combattue par la minorité qui ne voulait pas compromettre l'expérience de baisse tentée par le gouvernement Blum. L'unité s'était refaite en mars sur une résolution en faveur de la défense du pouvoir d'achat par une politique énergique de baisse des prix.

(1) *Notes et Etudes Documentaires,* « L'évolution intérieure de la CGT ».

Le comité confédéral réuni les 12 et 13 novembre 1947 opposa violemment les minoritaires et les majoritaires. La majorité voulait déclencher un mouvement général de revendications pour obtenir une augmentation des salaires et consulter tous les travailleurs sur les moyens à mettre en œuvre pour faire aboutir cette revendication. Elle voulait également obtenir une condamnation solennelle du Plan Marshall. La minorité s'opposa énergiquement aux résolutions proposées par la majorité et soumit ses propres textes qui ne furent pas adoptés. C'est ainsi que la CGT condamna le Plan Marshall et adopta une résolution « sur la défense de l'indépendance du syndicat et de l'unité » qui condamnait l'activité des minoritaires.

A la fin des débats, Léon Jouhaux lut une déclaration par laquelle la minorité se désolidarisait de la politique décidée par la majorité. Ce comité confédéral marque un tournant de la vie de la CGT en laissant apparaître la rupture profonde entre la majorité de la CGT groupée autour des ex-minoritaires et la minorité groupée autour de Force Ouvrière.

Les décisions prises par le comité confédéral des 12 et 13 novembre 1947 laissaient prévoir une période difficile. L'agitation et les troubles ne se firent pas attendre, puisque du 17 novembre au 7 décembre, un mouvement de grève paralysa le pays et détruisit définitivement l'unité déjà ébranlée de la CGT. Sans qu'un ordre de grève général ait été lancé, le mouvement s'étendit largement à de nombreux secteurs d'activité (mines, chemins de fer, métallurgie, bâtiment, dockers, ...) mais dès le début le mouvement ne fut pas unanimement suivi et la résistance à la grève se manifesta, soit par des votes hostiles, soit par des reprises effectives du travail, de telle sorte que lorsque le comité de grève de la CGT donna l'ordre de reprise du travail, la majorité des travailleurs avait déjà abandonné le mouvement.

La rupture entre majoritaires et minoritaires fut consommée à l'occasion de cette grève. Tandis que les dirigeants unitaires de vingt fédérations se constituaient en comité de grève et lançaient des appels quotidiens à la résistance au gouvernement, le groupe central de Force Ouvrière s'efforçait de maintenir les négociations entre le gouvernement et le bureau confédéral, et invitait les travailleurs à reprendre le travail.

Les groupes Force Ouvrière tinrent une nouvelle conférence nationale les 18 et 19 décembre et décidèrent de se séparer de la CGT pour fonder une nouvelle confédération, malgré les appels de Léon Jouhaux qui voulait à tout prix sauver l'unité syndicale, mais dut finalement se ranger à l'avis de ses amis. Cette conférence publia un manifeste confirmant le précédent manifeste de novembre et tirant les conséquences de l'attitude de la majorité rendant inévitable la scission pour préserver la pureté et l'authenticité du syndicalisme.

§ 3.– LA SCISSION CFTC/CFDT

A la différence des scissions CGT/CGTU et CGT/CGT-FO qui ont été consommées en un laps de temps relativement court, la scission CFTC/CFDT est le fruit d'une évolution beaucoup plus lente et d'une bataille qui a duré plusieurs années entre partisans et adversaires de la déconfessionnalisation. Mis à part son étalement dans le temps, le processus de cette scission sera le même que celui de la CGT de 1947. Une minorité va s'opposer à la majorité en place et conquérir le pouvoir au sein de la centrale et des groupements affiliés, l'ancienne majorité devant alors se rallier ou quitter la confédération.

A.– *La minorité à la conquête du pouvoir*

La minorité va se regrouper autour du groupe Reconstruction qui rassemble tous les éléments de la CFTC partisans de l'ouverture de la confédération et de sa déconfessionnalisation. Les dirigeants de ce groupe vont pénétrer au bureau de la CFTC, et, après avoir conquis la majorité, engager la « Bataille de la déconfessionnalisation » dont ils sortiront victorieux.

1) La minorité se rassemble autour du groupe Reconstruction

Dès la libération une minorité de gauche s'est révélée au sein de la CFTC, et a pris de plus en plus, d'ampleur. Dès 1951 elle réunissait à chaque scrutin important près de 40% des mandats. Sa puissance grandissante et son idéologie se comprennent lorqu'on voit les éléments qui la composent : On y trouve d'abord les grandes fédérations ouvrières (métallurgie, produits chimiques, EGF), les enseignants du SGEN et les unions départementales les plus ouvrières (Loire, Finistère, Seine-Maritime, Puy-de-Dôme). En résumé cette minorité a rapidement conquis les ouvriers et les intellectuels, ainsi que les secteurs industriels et régionaux où la CFTC se révélait être la plus dynamique dans la lutte syndicale et obtenir les meilleurs succès aux élections professionnelles (1). Cette implantation de la minorité dans les secteurs clés de la confédération facilitera sa victoire prochaine.

Une excellente présentation du groupe Reconstruction a été faite en 1948 par le quotidien Le Monde qui dès cette époque a su dégager les lignes directrices de l'action de ce groupe dont il ne se départira pas (2). Les trois thèmes essentiels de l'action de Reconstruction sont : l'élimination du caractère confessionnel de la CFTC,

(1) *L'observateur,* 30 octobre 1952.
(2) *Le Monde,* 7 janvier 1948.

l'affirmation de l'indépendance totale de la confédération à l'égard des Partis et des Eglises, la refonte de la centrale afin de remplacer les fédérations de métier par des fédérations d'industrie. La minorité ne va jamais perdre de vue ces trois points, que par sa tenacité et son audience grandissante elle réussira à faire triompher.

2) L'action de la minorité au sein de la confédération

La portée de la modification apportée en 1947 aux statuts de la CFTC est très grande. C'est en effet sur elle que reposera la solution qui sera apportée au problème juridique qui sera posé à l'issue de la scission de 1964. Pour l'instant nous ne rechercherons pas quelle peut être la portée de cette modification statutaire, nous contentant de souligner qu'en supprimant la référence à l'encyclique Rerum Novarum et en lui substituant une référence à la morale sociale chrétienne elle marque une étape importante dans l'évolution de la CFTC. Nous verrons plus loin s'il s'agit d'une rupture ou d'un simple élargissement des perspectives.

Un fait est certain, c'est que tous, majoritaires et minoritaires, accordent une importance capitale à la révision des statuts de 1947, et que c'est le texte proposé par le SGEN, qui sera à la pointe de la campagne pour la déconfessionnalisation, qui fut adopté (1) contre celui proposé par le bureau confédéral (2).

Nous relèverons immédiatement qu'il existe des différences sensibles entre ces deux textes, tout particulièrement en ce qui concerne les deux premiers alinéas de l'article premier où l'on relève la suppression des allusions à la collaboration des classes (la paix sociale) et certains changements caractéristiques (« organisation démocratique » au lieu « d'organisation professionnelle », « l'esprit de fraternité et les exigences de la justice » au lieu de « principes de justice et de charité chrétienne »).

La minorité ayant joué un rôle actif dans la révision des statuts, groupant un pourcentage important des adhérents à la CFTC et comptant sur l'appui des fédérations ouvrières et de plusieurs unions départementales, il était normal que le CFTC, qui a toujours été une organisation démocratique, lui fasse une place dans ses instances dirigeantes. C'est ce qu'elle fit dès 1948 en faisant entrer au Bureau Confédéral MM. Savouillan, secrétaire général de la Fédération de la Métallurgie, et Paul Vignaux, du syndicat de l'Economie Nationale. Bien qu'admise à participer aux organes directeurs de la

(1) Texte proposé par le SGEN et adopté dans les statuts de 1947 : « La confédération se réclame et s'inspire dans son action des principes de la morale sociale chrétienne. Les positions qu'elle prend devant les problèmes de l'organisation économique et sociale avec le souci de la prospérité de la Nation, sont donc dictées par la préoccupation de préparer le triomphe d'un idéal de paix en faisant prévaloir l'esprit de fraternité et les exigences de la justice. »

(2) Texte proposé par le Bureau Confédéral : « La CFTC s'inspire dans son action de la doctrine chrétienne. Elle estime que la paix sociale nécessaire à la prospérité de la Nation et l'organisation professionnelle, assises indispensables de cette paix, ne peuvent être réalisées que par l'application des principes de justice et de charité chrétienne.»

centrale, la minorité dut se heurter à de nombreuses reprises à la majorité sur des problèmes d'importance comme l'affiliation internationale de la CFTC et son indépendance à l'égard des Eglises.

Le problème de l'affiliation internationale de la CFTC s'est posé au 26 ème Congrès réuni en mai 1951. Paul Vignaux, porte parole de ce qu'il était convenu d'appeler la minorité de gauche plaida en faveur de l'adhésion à la CISL, qui devait manifester pour lui et ses amis « la volonté de solidarité effective avec tous les mouvements syndicaux qui poursuivent la transformation sociale dans le maintien de la paix internationale et le respect des libertés syndicales, politiques et spirituelles (1).» Les congressistes ont rejeté, par 2 072 mandats contre 962, la proposition d'affiliation à la CISL pour rester affiliés à la CISC. Le problème sera posé à nouveau au cours des congrès ultérieurs. En définitive, la CFTC ne quittera pas la CISC, mais certaines de ses fédérations adhèreront aux Secrétariats Professsionnels Internationaux qui coopèrent avec la CISL sans en dépendre organiquement.

Une deuxième crise va éclater à l'occasion du Conseil National réuni en octobre 1952. Alors que le groupe Reconstruction estime nécessaire, pour favoriser la progression de la CFTC, notamment dans les milieux ouvriers, sinon d'effacer toute référence aux principes chrétiens qui guident la centrale, au moins de relâcher les liens qui l'unissent à l'Eglise Catholique, la majorité, après avoir évoqué les passages des statuts faisant allusion à la doctrine sociale de l'Eglise, a proposé une résolution habilitant le Président et le Secrétaire Général à rechercher des contacts avec les autorités spirituelles et religieuses pour le recrutement et la formation des militants. La minorité ne pouvait accepter une telle résolution qui trahissait à ses yeux la lettre et l'esprit des statuts de 1947. En effet, tandis que ceux-ci se bornaient à situer le climat dans lequel la confédération voulait travailler, la résolution aboutissait à l'établissement de rapports entre les personnes et à s'adresser aux Eglises pour servir de rabatteurs, ce qui ne pouvait qu'être préjudiciable à l'avenir de la centrale. Les minoritaires décident de quitter le bureau confédéral et de s'organiser en une tendance au sein même de la CFTC qu'ils n'ont à aucun moment envisagé de quitter estimant qu'ils doivent mener le combat de l'intérieur. Dans leur lettre de démission, les minoritaires rappellent que la résolution contre laquelle ils s'insurgent remet en cause toute l'orientation de la CFTC depuis 1947 et va à contre-courant de l'évolution de la Centrale (2).

(1) Compte-rendu du congrès dans *Combat,* 14 mai 1951.

(2) « Les temps ont changé et nous sommes convaincus que le mouvement faillirait à tous ses devoirs s'il se cantonnait dans une action limitée à un milieu confessionnel et prenait des positions principalement en fonction de ce milieu. La responsabilité de la CFTC ne peut plus être ce qu'elle était avant guerre : Elle se trouve considérablement accrue du fait de la situation syndicale française et de la large audience de notre mouvement dans le secteur des industries clés. » Le Monde, 25 octobre 1952.

Grâce à l'action en particulier du Secrétaire Général Maurice Bouladoux qui tint à rappeler que « la CFTC n'a pas de directeur de conscience ou de conseiller moral en dehors de ses propres organes statutaires (1) » des négociations eurent lieu entre les majoritaires et les minoritaires qui entrèrent à nouveau au bureau confédéral en 1957 en la personne d'Eugène Descamps, secrétaire de la Fédération de la Métallurgie, et d'Yves Morel, secrétaire de la Fédération de l'Eclairage. D'autre part, trois conseillers techniques, dont deux minoritaires (Albert Detraz, secrétaire de la Fédération du Bâtiment et Gilbert Declercq, secrétaire de la Métallurgie de Loire-Atlantique) s'étaient chargés d'assister le bureau. Ce congrès décidait également, suivant en celà les vœux de la minorité, d'organiser six groupes fonctionnels placés chacun sous la direction d'un membre du bureau confédéral (2) et de confier la direction de la confédération à un « Brain trust » de huit membres formé du Président Confédéral, du Secrétaire Général et des responsables des groupes fonctionnels qui pourra se réunir quotidiennement et assurer une continuité dans la direction de la centrale.

Les renversements de la majorité et la prise du contrôle de la confédération par la tendance Reconstruction vont être facilités par le ralliement à la minorité de certains majoritaires comme Maurice Bouladoux, Georges Levard et André Jeanson. De leur côté les irréductibles deviennent minoritaires et vont constituer en 1964 une organisation de tendance dont l'organe sera le journal Rénovation (3).

Au congrès de 1961, le pas sera franchi par l'élection d'Eugène Descamps, chef de file de la tendance Reconstruction, comme Secrétaire Général de la CFTC, tandis que Georges Levard devenait Président et que Maurice Bouladoux était appelé à présider la CISC en remplacement de Gaston Teissier. Cette mutation dans le personnel dirigeant de la centrale préfigure la profonde transformation de celle-ci en centrale socialiste et démocratique, selon le vœu même de la nouvelle majorité, la bataille de la déconfessionnalisation n'étant en définitive qu'un épisode significatif d'une transformation plus profonde.

B.— *La bataille de la déconfessionnalisation*

Le problème de la référence chrétienne contenue dans les statuts de la CFTC s'était posé dès 1947. Il fut soulevé régulièrement au fil des années, notamment par les partisans de la tendance Reconstruction. Il fut posé à nouveau en 1960 par Maurice Bouladoux,

(1) Syndicalisme Magazine, novembre 1952, nº 392.

(2) Administration, finances et gestion (M.Glorieux ; organisation du mouvement (M.Morel) ; action professionnelle et sociale (M.Descamps) ; questions économiques (M.Reynaud) ; problèmes internationaux (M.Braun) ; problèmes politiques (M.Jeanson).

(3) Les principaux dirigeants de cette association dénommée Association des Groupes d'Etudes Economiques, Sociales et Syndicales d'inspiration chrétienne (AGESSIC) sont MM.Chavreau (EDF), Bornard (Mineurs), Jacques Tessier (employés) et Costelli (UD des Bouches-du-Rhône).

alors président confédéral, qui invita les cadres syndicaux à une réflexion sur l'avenir de la CFTC. Il s'agissait d'une réflexion globale dépassant, mais sans l'exclure, la question du changement de référence.

Après son élection comme secrétaire général de la CFTC, Eugène Descamps a expliqué au Journal La Croix que le problème de la référence chrétienne se posait car elle empêchait certains travailleurs, qui ne se considérent pas comme chrétiens, d'adhérer à la CFTC et risquait de les repousser vers des syndicats rivaux. Il définit alors l'esprit dans lequel sera étudié cette question. : Eviter des débats passionnés et le risque de division (1).

Au cours du congrès confédéral tenu en juin 1963, le problème de la déconfessionnalisation fut à nouveau posé (2). Le syndicat CFTC des Industries Chimiques du canton du Roussillon déposa une proposition de modification des statuts donnant un nouveau titre et une nouvelle base doctrinale à la CFTC, tandis que la Fédération des Mineurs et Jacques Tessier, leader des Equipes Syndicalistes Chrétiennes, s'opposaient violemment à tout projet de déconfessionnalisation considérant que la CFTC était menacée de perdre son rayonnement si elle abandonnait sa référence chrétienne. M. Gérard Espéret présenta son rapport d'orientation et le syndicat du canton du Roussillon, satisfait par le projet de résolution sur l'orientation et la perspective d'un congrès extraordinaire retira son projet.

Le congrès repoussa, par 19 442 mandats contre 9 632 une motion affirmant « le caractère intangible de la charte constitutive de la CFTC »et décida, par 16 259 voix contre 12 548, la convocation d'un congrès extraordinaire pour le quatrième trimestre 1964 auquel serait soumis le problème de la modification des statuts de la confédération (3).

En vertu du mandat qui lui était donné dans la résolution du congrès le conseil confédéral décida, le 29 juin 1963, qu'une commission serait nommée pour élaborer un texte destiné à être envoyé aux syndicats confédérés dès le 1er octobre 1963, afin qu'ils puissent avoir donné leur réponse dès le 1er décembre de la même année. Après la réception des réponses un rapport de synthèse devait être rédigé pour être soumis, d'abord au bureau confédéral, ensuite au

(1) *La Croix,* 7 juin 1961

(2) Outre la revue Syndicalisme, on trouvera un compte-rendu de ce congrès dans les revues *Témoignage Chrétien* du 20 juin 1963 et *Tribune Socialiste* du 22 juin 1963.

(3) L'alinéa 6 de cette résolution prévoyait que « le congrès donne mandat au conseil confédéral de poursuivre les études entreprises en y associant de nouveau l'ensemble des organisations, afin de préparer les conclusions à tirer de cette prise de conscience des responsabilités du syndicalisme dans le monde moderne, en ce qui concerne la formulation des principes, les statuts, les structures, la stratégie et les responsabilités internationales de la CFTC.»

conseil confédéral entre le 20 février et le 15 mars 1964, enfin au comité national fin mai 1964. Ce rapport, ainsi que les propositions qui devaient être discutées au congrès extraordinaire prévu pour novembre 1964, devaient finalement être envoyés dans toutes les organisations syndicales affiliées à la confédération.

La procédure qui avait été fixée par le conseil confédéral ne fut pas entièrement respectée dans sa forme, ce qui n'empêcha pas une très large confrontation d'idées et une information complète de tous ceux qui étaient appelés à formuler un vote lors du congrès extraordinaire.

La confédération diffusa d'abord une brochure sur l'orientation du mouvement, faisant le point de la question telle qu'elle se présentait au moment de sa parution. Elle comprenait en particulier les réponses qui avaient été données au questionnaire de la commission d'enquête créée en novembre 1960 où l'on demandait en particulier aux syndiqués s'ils considéraient nécessaire une base doctrinale animant leur action, et dans l'affirmative comment ils la formulaient. Après avoir exposé les thèses en présence, la brochure contenait un questionnaire sur l'orientation destiné à tous les syndicats. Ceux-ci répondirent aux questions qui leur étaient posées et leurs réponses furent examinées par le conseil confédéral qui présenta ses propositions dans un numéro spécial de syndicalisme publié en avril 1964.

Eugène Descamps présenta au nom du bureau confédéral un rapport sur l'évolution des perspectives qui avait été diffusé au préalable parmi les syndicats adhérents. C'est dans ces conditions que le congrès décida de changer les statuts de la confédération en modifiant son titre et en supprimant la référence à la morale sociale chrétienne.

Les partisans irréductibles de la référence chrétienne, ayant refusé de s'incliner devant la décision prise à la majorité qualifiée des deux tiers et excipant du non respect des clauses statutaires, déclarèrent que la CFTC continuait et que la CFDT s'en était exclue (1). Ils déposèrent à nouveau les statuts de la centrale et engagèrent une bataille judiciaire qui se terminera par un accord amiable et la victoire de la CFDT.

SECTION II

LA MINORITE QUITTE LE GROUPEMENT OU EN EST EXCLUE

La dernière étape du processus de scission consistera pour la minorité à quitter le groupement ou à s'en faire exclure.

(1) La minorité confessionnelle avait déjà subi une importante défaite en février 1964 lorsque le conseil fédéral de la Fédération des Employés, la plus ancienne et une des plus importantes de la CFTC, s'était prononcée à une majorité frisant l'unanimité, pour la suppression de la référence chrétienne dans l'article 1er des statuts.

§ 1.– LA MINORITE DECIDE DE QUITTER LE GROUPEMENT

Constatant l'échec de son entreprise de réforme du groupement syndical ou de maintien de son idéologie, la minorité peut décider de quitter le groupement afin de constituer une nouvelle personne morale où elle continuera à suivre la ligne de conduite qu'elle s'est fixée. C'est ce que décidèrent de faire Force Ouvrière en 1947 et les partisans irréductibles de la référence chrétienne en 1964.

A.– *Force Ouvrière quitte la CGT*

La rupture entre Force Ouvrière et la CGT fût consommée à l'occasion des grèves de novembre-décembre 1947 où les groupes Force Ouvrière condamnèrent l'action des majoritaires. La décision prise par la Conférence Nationale Force Ouvrière réunie les 18 et 19 décembre fut précédée par des initiatives prises à des échelons plus modestes : Le 28 novembre la minorité Force Ouvrière de la Fédération Postale se sépare de la CGT, le 4 décembre des militants syndicalistes annoncent la constitution d'un Syndicat Général Indépendant des Métaux et Similaires de la Région Parisienne. Le 7 décembre la Fédération Syndicaliste des Travailleurs des Chemins de Fer, issue du Comité d'Action Syndicale créé le 27 juillet, tient son congrès constitutif, et un Comité d'Action Syndicaliste est créé au sein de la Fédération des Métaux. Le 8 décembre les représentants de diverses organisations des PTT créent un cartel en vue de la reconstitution d'une « Fédération des PTT indépendante et démocratique ». C'est dans ce climat que la rupture est devenue définitive.

Réunie à Paris les 18 et 19 décembre 1947 la Conférence Nationale Force Ouvrière publia un manifeste où elle condamnait l'action des majoritaires, confirmait les termes de son précédent manifeste du mois de novembre et tirait les conséquences de l'attitude de la majorité qui, à ses yeux, rendait inévitable la scission pour préserver la pureté et l'authenticité du Syndicalisme. Avant de lancer un appel à la constitution d'une nouvelle centrale, ce manifeste ne se prive pas de relever les incohérences de l'action de la majorité (1).

Appliquant les termes de ce manifeste qui demandait aux «camarades du bureau confédéral de démissionner de leurs postes » cinq des six secrétaires confédéraux qui représentaient la minorité du bureau (Jouhaux, Bothereau, Bouzanquet, Delamarre, Neumeyer) donnèrent leur démission (2). La commission administrative de la CGT se réunit le 19 décembre pour constater la démission des minoritaires et condamner leur action (3). La rupture était définitive.

(1) *Notes et Etudes Documentaires,* « L'évolution intérieure de la CGT » (texte du manifeste p. 27 et 28).

(2) Saillant, secrétaire général de la FSM, s'était rallié à la majorité unitaire.

(3) On trouvera le texte de la résolution dans *Notes et Etudes Documentaires,* L'évolution intérieure de la CGT.

Parachevant leur action, les minoritaires réunirent les 12 et 13 avril 1948 un congrès qui décida de donner à la nouvelle centrale le nom de Confédération Générale du Travail - Force Ouvrière (CGT-FO) marquant ainsi la volonté de continuer la vieille CGT. Ce congrès vota, à l'unanimité moins quatre voix, une résolution sur l'orientation générale en neuf points, la plupart de circonstance, mais dont les deux premiers, sur la liberté et l'orientation des travailleurs, expriment la conception qu'a du syndicalisme la nouvelle centrale : Il doit être fondé sur la liberté et assurer l'émancipation des travailleurs (1).

B.– *Les chrétiens décident de continuer la CFTC*

A l'issue du congrès de novembre 1964 qui avait décidé de transformer la CFTC en CFDT et de supprimer des statuts la référence à la «morale sociale chrétienne», les partisans irréductibles de la référence chrétienne ont décidé de continuer la CFTC.

Après avoir quitté le Congrès qui venait de consacrer la déconfessionnalisation de la CFTC, les minoritaires se sont réunis le 7 novembre 1964 au Musée Social où ils ont tenu une assemblée qui était pour eux « La dernière séance du Congrès extraordinaire de la CFTC (2) ». A l'issue de cette assemblée MM. Sauty, Bornard et Teissier ont fait parvenir à l'Agence France-Presse une déclaration « proclamant leur volonté de continuer et renforcer la CFTC » et dans laquelle les responsables délégués et militants soulignent la présence nécessaire du syndicalisme chrétien dans le monde moderne (2).

Les minoritaires élirent un Bureau, où l'on note les noms de MM. Joseph Sauty (président), Jacques Teissier (secrétaire général) et Jean Bornard (secrétaire général adjoint) qui furent les chefs de file de la minorité, et déposèrent à nouveau les statuts de la Confédération. De leur côté les dirigeants de la CFDT publièrent dès le 8 novembre un communiqué affirmant « la CFTC se continue dans la CFDT ».

§ 2.– LA MINORITE EST EXCLUE DU GROUPEMENT

Lors de la scission CGT/CGTU en 1921, la minorité n'est pas partie volontairement de la centrale qu'elle voulait conquérir de l'intérieur, mais elle en a été exclue à l'initiative du Bureau Confédéral, et c'est ensuite de cette exclusion qu'elle s'est résolue à fonder la CGTU.

(1) Le texte de cette résolution figure dans le numéro de la Documentation Française consacré à l'évolution intérieure de la CGT. On trouve le compte-rendu du congrès constitutif de la CGT-FO et une analyse des décision prises par celui-ci dans le Populaire du 14 avril 1948.

(2) *Le Monde,* 10 novembre 1964.

A.– *La minorité est exclue de la CGT*

L'exclusion des minoritaires n'a été décidée par les majoritaires qu'en désespoir de cause, lorsqu'ils ont vu que leurs adversaires renforçaient régulièrement leurs positions et qu'ils pouvaient espérer, dans un terme plus ou moins long, prendre le contrôle de la centrale pour lui imprimer une direction totalement différente, qui leur semblait étrangère et même contraire aux buts et à la mission du syndicalisme. C'est pourquoi, les menaces n'ayant pas suffi, la majorité a dû se résoudre, pour préserver la CGT, à exclure la minorité.

1) La minorité est exclue des groupements affiliés.

A la suite du vote par le CCN du 9 février 1921 de la motion présentée par le bureau confédéral condamnant le noyautage et les CSR et déclarant que « les organisations syndicales qui donneraient leur adhésion à l'Internationale Syndicale, Section de l'Internationale Communiste, se placeraient elles-mêmes en dehors de la CGT », certaines organisations affiliées décident d'exclure les minoritaires ou de quitter les syndicats qu'ils contrôlent afin de créer une nouvelle personne morale « orthodoxe ».

Le 28 mars 1921, la Fédération Nationale des Employés, réunie en congrès, exclut trois syndicats adhérents aux CSR. Ce sont les syndicats parisiens des comptables, des voyageurs de commerce et des instituteurs libres. Le 23 octobre cette même fédération décide de rayer de ses cadres les syndicats qui, à la date du 10 novembre, ne lui auront pas confirmé par écrit leur non-affiliation aux CSR.

Certaines organisations affiliées n'avaient d'ailleurs pas attendu le vote de cette résolution pour agir contre les CSR. C'est ainsi que dès le 28 novembre 1920 la Fédération de l'Agriculture avait demandé l'exclusion des syndicats qui y sont adhérents.

Dans les organisations dont les minoritaires avaient pris le contrôle les choses ne se sont pas passées aussi facilement et les majoritaires ont dû abandonner le syndicat noyauté pour en fonder un nouveau dont ils ont demandé aux organismes directeurs de la CGT de le reconnaître comme le seul légitime.

Le 21 août, les syndicats « majoritaires » de l'Union Départementale des Bouches-du-Rhône (1) demandent le respect des décisions prises au congrès de Lille et devant le refus qui leur est opposé par les « minoritaires » se résignent à fonder une nouvelle union qui va demander à être reconnue par la CGT comme la seule union régulière.

Même scénario à la Fédération des Services Publics et à celle des Chemins de Fer où les scissions se multiplient. Le 17 octobre,

(1) Cette union est sous le contrôle des minoritaires et a comme secrétaire un de leurs dirigeants, Mayoux.

scission sur le réseau du Nord et le 31 sur celui de l'Etat. Le 7 novembre le nouveau syndicat majoritaire de Paris PLM adhère à la Fédération Majoritaire dite Bureau Montagne, qui convoque un congrès pour s'organiser nationalement.

Les « Majoritaires » de l'Union des Syndicats de la Seine, qui étaient en minorité dans leur Union depuis novembre 1920, s'en retirent pour fonder une nouvelle Union fidèle au Bureau Confédéral.

2) La minorité est exclue de la Confédération.

Les majoritaires, en particulier Léon Jouhaux, avaient tenté d'éviter la scission et de sauver l'unité au CCN de septembre 1921. Dans cet esprit, ils avaient proposé aux minoritaires de participer à la direction de la centrale. A la suite du refus de ceux-ci les positions se sont cristallisées et l'exclusion des minoritaires fut décidée.

Le Bureau Confédéral fit voter par le CCN (1) réuni en septembre 1921 une résolution « donnant mandat au bureau confédéral et à la commission administrative d'exiger le respect rigoureux de la motion de Lille par toutes organisations affiliées qui ont le pouvoir d'exercer les sanctions légitimes en cas d'indiscipline constatée » et précisant que les organisations affiliées qui refusent de s'incliner devant les décisions prises et de coopérer à leur application se mettent délibérément en dehors de l'unité ouvrière et que «ces organisations mettent la CGT dans l'obligation d'admettre dans son sein leurs minorités qui acceptent les décisions des congrès confédéraux ».

Cette résolution du CCN manifeste la volonté des majoritaires de rompre avec les minoritaires si cela est nécessaire pour préserver la CGT.

B.– *La minorité fonde la CGTU.*

A la suite de cette résolution du CCN interdisant l'adhésion aux CSR et excluant de la CGT ceux qui participent à l'action des minoritaires, ceux-ci décident de ne plus participer aux travaux de la commission administrative. A leur instigation les CSR tiennent un congrès en décembre 1921 où ils décident de quitter la CGT et de fonder la CGTU. La nouvelle centrale tint son congrès constitutif à Saint-Etienne en juin 1922.

Dès ce premier congrès les communistes prirent la direction de la nouvelle centrale malgré la présence d'une forte minorité anarchisante. En 1923, la CGTU décida au congrès de Bourges d'adhérer à

(1) La majorité obtenue était très faible : 63 voix contre 58 et 10 abstentions, soit 49% des présents et 53% des votants.

l'Internationale Syndicale Rouge (962 voix pour, 366 contre) et elle connut elle-même une scission en 1926 lorsque ses propres minoritaires, démissionnaires ou exclus, constituèrent une confédération syndicale révolutionnaire la CGT-SR (1).

(1) Les membres de la CGT-SR ont pour la plupart rejoint les rangs de la CGT en 1936. Après la libération certains ont quitté la CGT en 1946 pour fonder la CNT, d'autres l'ont quitté en 1947 pour rejoindre la CGT-FO, d'autres enfin sont restés dans la CGT.

CHAPITRE II

LA REALISATION DE LA SCISSION

Pour que notre étude du processus de la scission soit complète il nous reste à chercher comment la scission s'est effectivement réalisée. Il ne suffit pas de constater qu'une des deux tendances d'un syndicat a décidé de se séparer de l'autre et de constituer une autre personne morale pour rendre compte du phénomène de la scission syndicale, et encore moins pour être en possession d'éléments de solution au problème que les tribunaux auront à résoudre, concernant la dévolution des droits partrimoniaux et extra-patrimoniaux de la personne morale scindée. D'autre part, le juriste se doit, en l'état actuel de notre droit (1), de tenter de déterminer des responsabilités et de savoir qui a, en définitive, provoqué la scission. Il est bien entendu qu'on ne peut pas s'arrêter aux apparences et dire que c'est la tendance qui est restée dans le groupement initial dont elle a conservé le nom et le patrimoine qui continue l'ancienne personne morale, l'autre étant par définition le mouvement scissionniste.

Nous tenterons de répondre à cette question délicate en examinant les déclarations de principe qui ont pu être faites à l'occasion de ces conflits, puis en descendant sur le terrain des réalités et en cherchant si une tendance n'a pas, par son attitude, poussé l'autre à prendre une décision irrévocable.

(1) Nous verrons dans l'épilogue (p. 195 sq.) qu'en définitive la Cour de Cassation a, sans le dire, tranché le litige CFTC/CFDT en renvoyant en fait les adversaires dos à dos, comme l'avait suggéré dans ses conclusions devant la Cour d'Appel l'Avocat Général Souleau. Si une telle attitude devait persister dans le cadre de procès provoqués par une éventuelle scission qui viendrait à nouveau affecter le mouvement syndical français, l'objet de la recherche que nous allons entreprendre s'avèrerait inutile. Soulignons dès à présent, que s'il est des domaines où l'intervention du droit n'est pas souhaitable, et où le jugement de Salomon est de loin préférable, notre matière est de ceux-ci. Ne pas diviser en voulant trop juger, mais au contraire concilier est en effet le meilleur moyen de tenir compte du caractère spécifique du phénomène syndical et de la scission syndicale.

SECTION I

LES DECLARATIONS DE PRINCIPE : REFORMER LE GROUPEMENT DE L'INTERIEUR

Il existe une constante aux trois grandes scissions syndicales françaises : A l'origine et aussi longtemps que cela a été possible les tendances opposées ont tenté de se maintenir dans la confédération et ce n'est qu'en désespoir de cause que l'une d'entre elles s'est résolue à quitter le groupement.

§ 1.– LA SCISSION CGT/CGTU

La minorité de la CGT, hostile au programme minimum et à la politique réformiste, tout en s'organisant et en se structurant, voulait rester dans la CGT et poursuivre de l'intérieur son combat pour la conquérir. Elle ne se résoudra à quitter la CGT et à fonder la CGTU qu'après avoir été exclue de la centrale, le problème se posant alors de savoir si elle a ou non volontairement provoqué son exclusion.

A.– *La minorité poursuit le combat de l'intérieur.*

Les minoritaires proclament leur volonté de rester dans la CGT et de la conquérir, convaincus que la majorité doit passer prochainement de leur côté. Leurs espoirs ne semblaient pas vains puisque leur position n'avait cessé de se renforcer depuis le congrès d'Orléans d'octobre 1920, où les thèses de Jouhaux défendant le principe de l'autonomie de la CGT vis-à-vis de la nouvelle Internationale Rouge ont obtenu 1 515 mandats sur 2 246 (67% des voix), alors qu'au comité confédéral de novembre 1920 la motion proposée par Dumoulin (1) condamnant l'attitude des CSR et les menaçant d'exclusion n'a été votée qu'à une faible majorité (72 oui sur 120 suffrages exprimés et 143 votants).

(1) Nous avons vu (p. 67 sq.) et verrons (p. 94 sq.) que la minorité s'était organisée et structurée très fortement, comme le fera d'ailleurs après la Libération la minorité réformiste en organisant les groupes et les conférences de Force Ouvrière.

La position des révolutionnaires se renforce de plus en plus au fil des mois. Au Comité Confédéral de février 1921, la motion Dumoulin appuyée par Jouhaux sommant les membres des CSR de choisir entre leur appartenance à la CGT et leur appartenance à ces comités (1) n'a été votée que par 57,3% des voix (82 sur 143). Dernier vote significatif, la décision d'avancer le congrès confédéral de 1921 au mois de juillet, au lieu de septembre qui a la préférence des minoritaires, n'a été approuvée au CCN de mai 1921 que par 48,25% des voix (69 pour juillet, 53 pour septembre).

Forte de sa puissance grandissante et convaincue qu'un retournement de majorité se fera à son profit, la minorité révolutionnaire met la majorité réformiste face à ses responsabilités, déclarant clairement qu'elle veut conquérir la CGT pour la transformer radicalement et qu'elle est l'émanation de la volonté de la majorité des militants de base (2).

A l'issue du vote par le CCN de la résolution condamnant le noyautage communiste et l'action des CSR, et déclarant que « les organisations syndicales qui donneraient leur adhésion à l'Internationale Syndicale, Section de l'Internationale Communiste, se placeraient elles-mêmes en dehors de la CGT » les minoritaires ont à nouveau manifesté leur volonté de se maintenir en soulignant que jamais le congrès ne prendrait l'initiative de la scission (3).

B.– *La majorité veut préserver l'unité de la centrale*

De sont côté, en face de cette montée lente mais régulière de la minorité, la majorité va d'abord tenter de préserver l'unité syndicale et de maintenir ses positions. C'est dans cet esprit que s'est tenu le CCN de novembre 1920 et qu'une dernière tentative a été faite par la majorité en direction de la minorité au CCN de septembre 1921.

La motion proposée par Dumoulin en novembre 1920 au CCN, condamnant les CSR et les menaçant d'exclusion, a pour but aux yeux de la majorité de souligner le danger de l'action fractionnelle des minoritaires et de les contraindre à rentrer dans le rang afin d'éviter une scission que la poursuite de leur action pourrait rendre inévitable. (4).

(1) Voir note n°1 p. précédente

(2) Intervention de Mayoux au CCN du 8 février 1921.

(3) *La Vie Ouvrière,* 18 février 1921.

(4) Passages essentiels de la motion proposée par Dumoulin : « (...) Le comité confédéral national rappelant les décisions du congrès d'Orléans, déclare que les syndicats qui ont leur adhésion de fait aux comités syndicalistes révolutionnaires se sont placés dans une position d'hostilité, de scission morale et de désorganisation des forces confédérales (...). La position ainsi choisie place ces organisations dans l'obligation d'appliquer les méthodes de division indiquées par l'Internationale de Moscou dont le noyautage est un des moyens prévus et déjà employés.Le comité confédéral national met en garde ces organisations contre les conséquences inévitables de leur adhésion, qui pourraient provoquer de la part des Fédérations et des UD des mesures d'exclusion contre lesquelles la CGT ne pourrait nullement intervenir ».

Les interventions de Léon Jouhaux au cours de ce comité ont été faites dans cet esprit. C'est ainsi qu'il soutenait la proposition de Dumoulin (1) et qu'après le vote de cette résolution à une majorité trop faible à ses yeux, il a repris la parole pour déplorer un tel état de choses et pous insister sur la nécessité de préserver l'unité du mouvement syndical (2).

La minorité n'a pas voulu ou pu saisir ce qui lui était ainsi offert, sincèrement ou par tactique, par Léon Jouhaux et celui-ci a obtenu du comité qu'il vote à une forte majorité (103 oui, 3 non, 22 abstentions) un appel émanant de différentes fédérations soulignant « les dangers qui menacent l'organisation ouvrière » et demandant aux secrétaires confédéraux de « s'élever au-dessus des misères morales dont nous souffrons pour assurer la continuité des efforts d'organisation et de propagande ». Léon Jouhaux obtint également que les statuts soient modifiés dans le sens qu'il avait demandé au congrès d'Orléans afin de permettre au bureau confédéral de se défendre contre la pression minoritaire (3).

La majorité va tenter un dernier effort en faveur de l'unité au CCN réuni en septembre 1921. Jouhaux proposera à la minorité de partager les responsabilités et de quitter ses organisations fractionnelles (4) Par la bouche de Monmousseau, la minorité refusa l'action commune qui lui était proposée (5), et la majorité fit voter une résolution excluant les minoritaires qui refusaient de se soumettre aux décisions régulièrement prises par les congrès confédéraux.

(1) Voir note 4, page précédente.

(2) CCN, 8-9 novembre 1920 - *Information Ouvrière et Sociale,* 18 novembre 1920.

(3) Les modifications les plus importantes concernaient :
1) L'interdiction de se prévaloir de son titre de confédéré dans un acte électoral ou politique quelconque (art.1er), ceci en réplique à l'abus du titre de secrétaire d'UD ou de Fédération dans les réunions socialistes.
2) L'adhésion de la CGT à la FSI (art.2).
3) L'obligation pour les candidats au Bureau Confédéral d'avoir 5 ans de présence ininterrompue dans les organisations syndicales et d'être présentés par une Fédération ou une UD (art.9).
4) L'interdiction faite aux unions départementales et locales de décider une grève (art.26), cette décision pouvant être prise par le seul CCN, ou la CA sur délégation du CCN (art.25), ceci afin d'empêcher le renouvellement des incidents de 1920 où la CGT toute entière se trouva entraînée dans une grève générale sans avoir pu se prononcer elle-même.

(4) Intervention de Léon Jouhaux (*La Voix du Peuple,* 1921, p.616).

(5) CCN, 19 septembre 1921.

§ 2.– LA SCISSION CGT/CGT-FO

En 1947, les rôles seront renversés, ce sont les réformistes qui se trouvent en minorité alors que les communistes ont réussi à prendre le contrôle de la CGT. Tout au long de la période qui s'étend de la Libération à décembre 1947, les réformistes n'ont cessé de proclamer leur volonté de reconquérir la CGT de l'intérieur et de préserver l'unité de la centrale. Cette volonté a été manifestée à de nombreuses reprises, notamment à l'occasion de la crise qui éclata au sein de la Fédération Postale et de la Fédération des Cheminots et de la réunion de la conférence des groupes Force Ouvrière en novembre 1947.

A.– *Les crises des postiers et des cheminots*

Au cours de la grève du mois d'août 1947, les minoritaires réformistes se sont violemment heurtés aux majoritaires communistes au sein des organes directeurs de la Fédération Postale et du comité de grève. La minorité de la Fédération, contrôlée par les communistes, demanda la dissolution. Elle a tenu à affirmer sa volonté de rester au sein de la Fédération postale tout en conservant son comité d'action en qui elle voyait un instrument lui permettant de reconquérir la majorité. Le chef de file de la minorité réformiste, M. Berloux rappela d'ailleurs : « Nous ne sommes pas en lutte contre une fédération, ni contre la CGT, mais pour une fédération et une CGT vraiment libres (1) ». Cette initiative des minoritaires rappelle le précédent de 1920 où les communistes, alors minoritaires, avaient créé des comités syndicalistes révolutionnaires au sein des groupements confédérés, organismes qui sont à l'origine de la création de la CGTU. Il existe cependant une différence entre 1921 et 1947 : En 1921 les communistes harcelaient les réformistes et faisaient tout leur possible pour provoquer une scission dont ils espéraient tirer parti (2) alors qu'en 1947, les minoritaires réformistes ont fait tout leur possible pour rester au sein d'une CGT dont ils avaient le contrôle, mais qu'ils ne désespéraient pas de reconquérir.

L'attitude adoptée par les minoritaires groupés autour de Force Ouvrière au cours de la crise qui, de mai à octobre 1947, secoua la Fédération des Cheminots révèle encore une fois qu'ils se refusaient à envisager une scission syndicale et voulaient opérer à l'intérieur même de la CGT le redressement qu'ils jugeaient nécessaire dans le sens de la démocratie et de l'indépendance syndicales. C'est ce qu'ils ont exprimé dans deux résolutions votées le 18 mai et le 12 octobre 1947 par les délégués des groupes Force Ouvrière de la Fédération des Cheminots (3). La première résolution contient

(1) *Tribune Economique,* 20 décembre 1946

(2) « Vous autres majoritaires, pourquoi ne l'imposez-vous pas, cette scission ? ». CCN du 8 février 1921, intervention de Mayoux.

(3) *Notes et Etudes Documentaires,* L'évolution intérieure de la CGT (pp. 20 et 21).

une critique sévère de l'action de la majorité communiste, mais manifeste cependant le souci de la minorité « de redonner à la Fédération son vrai visage, son véritable caractère d'organisme revendicatif et révolutionnaire, de voir les cheminots reprendre le goût d'assister à toutes leurs assemblées générales par un renouveau de confiance dans leurs organismes directeurs » . Cette résolution n'ayant pas produit les effets espérés les minoritaires en votèrent une seconde le 12 octobre 1947, dans laquelle ils continuaient d'affirmer leur volonté de préserver l'unité de la CGT tout en respectant leurs convictions profondes, et en déclinant donc toute responsabilité quant à l'avenir si les majoritaires s'obstinent à poursuivre une politique qu'ils jugent contraire à l'intérêt de la confédération, du syndicalisme et de la classe ouvrière.

B.– *La conférence des groupes Force Ouvrière de novembre 1947.*

La volonté de la minorité de préserver l'unité de la CGT a été maintes fois proclamée au niveau confédéral que ce soit par son chef, Léon Jouhaux, ou par la Conférence Nationale des Groupes Force Ouvrière.

Léon Jouhaux, à l'époque Secrétaire Général de la CGT et Président du Conseil Economique, accorda en novembre-décembre 1947 une interview au journal Combat dans laquelle il expliqua clairement quel était le but poursuivi par Force Ouvrière et sa volonté de voir maintenue l'unité de la CGT (1).

Les groupes Force Ouvrière manifestèrent solennellement leur intention de préserver l'unité de la CGT en votant à l'issue de leur conférence des 8 et 9 novembre 1947, une résolution dont les termes ne prêtent à aucune équivoque quant à leur volonté de rester dans la CGT et d'en préserver l'intégrité (2).

§ 3.– LA SCISSION CFTC/CFDT

Nous avons déjà vu que la scission CFTC/CFDT présentait cette particularité de s'être réalisée sur une période beaucoup plus longue que les deux scissions de la CGT où le drame a éclaté , s'est noué et a été résolu bien plus rapidement, en l'espace de quelques mois. Une autre particularité de l'histoire de la scission CFTC/CFDT est que l'on assiste au cours de celle-ci à un renversement de majorité confinant dans l'opposition à partir de 1960 l'ancienne majorité partisan du maintien de la référence chrétienne. Cette nouvelle minorité présente une différence avec l'ancienne regroupée autour de Reconstruction : Elle envisage la possibilité d'une scission que l'autre s'était toujours refusée à admettre.

(1) *Combat,* 4 décembre 1947.
(2) *Notes et Etudes Documentaires,* L'évolution intérieure de la CGT.

Dès la libération, la minorité favorable à la déconfessionnalisation de la CFTC s'était regroupée autour de Reconstruction et avait engagé la lutte, tout en manifestant sa volonté de préserver l'unité de la centrale. Elle resta fidèle à sa ligne de conduite après la démission en octobre 1952 de ses représentants au Bureau Confédéral et après le renversement de la majorité et sa prise du contrôle de la confédération. Peu après son élection au poste de Secrétaire Général de la CFTC, M. Eugène Descamps ne manque pas d'ailleurs de confirmer que la nouvelle majorité maintenait cette position (1).

A côté de cette attitude des partisans de la déconfessionnalisation celle des partisans du maintien de la référence chrétienne tranche nettement : Ils envisagent franchement l'éventualité d'une scission, comme le montrent en particulier les déclarations faites par leurs dirigeants peu avant le congrès de novembre 1964 et au cours de celui-ci. Au congrès ordinaire de juin 1964, M. Joseph Sauty marqua son opposition à une éventuelle déconfessionnalisation qui pourrait être décidée au congrès extraordinaire de novembre 1964 en des termes qui ne permettent aucun doute sur sa détermination de continuer coûte que coûte la CFTC (2). M. Sauty réaffirma sa volonté et celle des minoritaires au congrès des mineurs tenu à Douai en septembre 1964 où il proclamait sa fidélité inconditionnelle à la CFTC et à l'idéal qu'elle incarne (3). Les minoritaires affirment à nouveau leur détermination lors de l'ouverture du congrès extraordinaire de novembre 1964, par la bouche de M. Bornard qui déclara que « en tout état de cause la CFTC continuera, non pas pour défendre un ghetto, mais parce qu'elle est essentielle à l'intérêt des travailleurs (4) ».

SECTION II

MALGRE LES DECLARATIONS DE PRINCIPE, IL Y A EU SCISSION

Nous venons de voir que tout le monde se défend de vouloir provoquer une scission et proclame bien haut sa volonté de maintenir l'unité du groupement. Pourtant il y aura scission malgré ces belles déclarations de principe, et elle se réalise en deux étapes, la minorité commençant par s'organiser et se structurer avant de décider de quitter la confédération ou d'en être exclus.

(1) *La Croix*, 7 juin 1961.
(2) *La Croix*, 16 et 17 juin 1964.
(3) *La Croix*, 8 septembre 1964.
(4) *Combat*, 7 et 8 novembre 1964.

§ 1.– LA MINORITE S'ORGANISE ET SE STRUCTURE.

Une des constantes des trois scissions que nous étudions consiste pour la minorité à s'organiser et à se structurer tout en restant bien entendu dans le groupement qu'il n'est pas question d'abandonner puisque le but poursuivi est de le réformer de l'intérieur.

A.– *La scission CGT/CGTU*

Dès la fin de la guerre, la minorité révolutionnaire s'organise, sans se laisser désemparer par les échecs qu'elle rencontre aux congrès et aux CCN de la CGT, d'autant plus que ceux-ci sont de moins en moins cuisants et qu'elle rallie un nombre grandissant de suffrages en faveur de ses positions. Sa politique va consister à prendre le contrôle de nombreux groupements affiliés et à créer une organisation minoritaire parallèle aux institutions confédérales.

1) La minorité prend le contrôle de nombreux groupements affiliés.

Les minoritaires animent de nombreux syndicats et les font adhérer à la Troisième Internationale malgré les décisions des congrès confédéraux . Ils poursuivent leur action de prise de contrôle méthodique de la CGT par l'intérieur en s'efforçant de faire passer entre leurs mains la direction des Fédérations et des Unions Départementales et de les faire adhérer aux CSR.

Les minoritaires remportent des succès nombreux, dont certains sont d'ailleurs discutés par la majorité. N'ayant pas la prétention de faire l'exposé de la conquête de la CGT et des groupements affiliés par la minorité, nous nous contenterons de ne donner que quelques exemples de celle-ci. Au congrès de l'Union des Syndicats de la Seine (14-18 novembre 1920), les minoritaires prennent le contrôle du groupement et le font adhérer aux CSR par 85 voix contre 52. Toujours dans la Seine, le syndicat des Métaux (mai 1920) et la Fédération de l'Habillement (septembre 1920) adhèrent aux CSR.

Ces succès de la minorité sont certes spectaculaires, mais ils ne sont pas aussi absolus qu'on pourrait le croire de prime abord. Ainsi il est curieux de constater que la Bourse du Travail de Paris resta aux mains des partisans du Bureau Confédéral, à une faible majorité il est vrai (240 voix contre 220), alors que l'Union des Syndicats de la Seine passait sous le contrôle de la minorité. C'est là une illustration des hésitations des adhérents et également de l'anarchie qui régnait à cette époque au sein de la CGT.

L'adhésion aux CSR du Syndicat des Métaux n'avait été acquise qu'à la majorité des 850 présents alors que le Syndicat déclarait 20 000 adhérents. De même l'adhésion de la Fédération de l'Habillement a été acquise au cours d'une séance où la parole fut refusée au porte parole du Bureau Confédéral et qui ne réunissait que 200 présents alors que la Fédération comptait 3 000 adhérents. Cette méthode des minoritaires consistant à ne convoquer que les partisans de la décision qu'ils souhaitent voir prendre est intéressante à noter dès à présent car elle montre une certaine conception de la démocratie syndicale et surtout parce qu'elle sera reprise après la scission de 1947 par les partisans de la CGT lorsque se posera aux groupements affiliés la question de savoir s'ils maintiennent leur adhésion à la CGT ou s'ils décident d'adhérer à la CGT-FO. La Cour de Cassation et les Juges du fond auront l'occasion de relever de nombreuses irrégularités de ce genre et d'en tirer les conséquences (1).

Les minoritaires ne réussissent pas partout leur opération de prise de contrôle des groupements. Ils subissent parfois des échecs, d'ailleurs aussi relatifs que leurs succès. Prenons à titre d'exemple le cas du Syndicat du Livre.

Le 18 mars 1921, la 2ème section du Livre décida de réélire son bureau « majoritaire » tout en votant une motion s'opposant à toute exclusion des minoritaires. De même, le Congrès des Agents des PTT repoussa, le 24 avril, une motion d'adhésion aux CSR par 11 712 suffrages contre 2 116 (80% des voix) mais ne vota une motion condamnant l'action de ceux-ci qu'à une majorité bien plus faible de 9 139 suffrages contre 6 591 (60% des voix). Les minoritaires subirent un échec plus grand lorsque la Fédération Nationale des Employés réunie en Congrès décida, le 28 mars 1921, d'exclure trois syndicats adhérant aux CSR (2).

2) La minorité crée une organisation parallèle aux institutions confédérales

Suivant les directives de la Troisième Internationale, les minoritaires ne se contentent pas de prendre la direction des syndicats où cela leur est possible, ils créent également des noyaux révolutionnaires, dont l'Internationale Communiste avait demandé la création en Juillet 1920, au sein des syndicats restés fidèles à la majorité.

Les minoritaires créent également des comités syndicalistes révolutionnaires auxquels ils font adhérer les syndicats dont ils ont

(1) Union Départementale des Syndicats ouvriers de la Manche contre Lelièvre : T. Civ.Cherbourg, 5 juillet 1948, Droit Social 1948 p. 147, GP 1948. 2. 112 - Caen, 11 juillet 1949, GP 1949. 2.287 - Soc. 28 mai 1959, Droit Social 1960 p. 24 (4ème espèce), D 1960 J. 145 (1ère espèce) ; - Union Départementale des Syndicats ouvriers du Nord contre Guilloton : T. Civ. Lille, 23 juin 1948, JCP 1948.2. 4544 (1ère espèce) - Douai, 13 avril 1949, JCP 1949.2.5035 - Soc. 28 mai 1959, Droit Social 1960 p. 25 (5ème espèce), D 1960 J. 147 (4ème espèce).

(2) Il s'agit des syndicats parisiens des comptables, des voyageurs de commerce et des instituteurs libres.

pris le contrôle et qui tinrent les 25 et 26 septembre 1920, une assemblée générale à Orléans, avant le congrès confédéral, pour mettre sur pied l'organisation de l'opposition. Fut également réuni à Lille, les 24 et 25 juillet 1921, un congrès parallèle à celui de la Confédération.

Le Congrès minoritaire de Lille montra que la minorité était divisée. On trouvait des noyaux communistes, la Fédération des CSR dont les membres dirigeants n'appartenaient pas tous au Parti Communiste, quelques anarchistes et des individualités diverses. En gros, on peut dire qu'au cours de ce congrès « deux tendances s'affrontent, l'une qui voudrait que l'autonomie syndicale soit reconnue pour que l'adhésion à Moscou puisse être envisagée, l'autre qui veut adhérer tout de suite, quitte à lutter dans l'Internationale pour obtenir plus tard l'autonomie (1) ».

Dès le premier congrès de la CGTU tenu en 1922, ces oppositions de tendance n'ont plus qu'un intérêt historique puisque les communistes ont pris les postes de direction et fait de la centrale la « courroie de transmission » de leur Parti.

B.– *La scission CGT/CGT-FO*

La minorité réformiste de la CGT comprenait à la Libération tous les ex-confédérés dont certains, tel Louis Saillant, Secrétaire Général de la FSM et Secrétaire Confédéral, ne se joignirent pas à Force Ouvrière et restèrent jusqu'au bout fidèles à la CGT. Dès l'apparition des premières difficultés entre ex-unitaires et ex-confédérés, les observateurs constatèrent que le scénario de 1921 se reproduisait et envisageaient l'éventualité d'une scission, mais sans y croire.

Bien que n'ayant pas l'intention de quitter la CGT mais bien au contraire de la reconquérir de l'intérieur, les minoritaires de 1947 s'étaient organisés, nous l'avons vu, en tendance dont l'organe était le journal Force Ouvrière qui avait succédé à Résistance Ouvrière, avec les différences que nous avons signalées sur l'anti-communisme de Force Ouvrière et sur la non-participation de certains ex-confédérés comme Louis Saillant. L'organisation de base de la tendance comprenait les groupes Force Ouvrière qui tinrent à plusieurs reprises des conférences nationales qui étaient en fait des congrès minoritaires.

En définitive, 1947 voyait se reproduire le même processus que 1921 avec cette seule différence que les minoritaires d'alors étaient devenus majoritaires et que ce sont les ex-confédérés qui on dû se résoudre à quitter la CGT après avoir constaté qu'ils ne pouvaient plus espérer faire admettre leur conception du syndicalisme. Instruits

(1) *Le Libertaire*, 24 juillet 1921.

par le précédent de 1921, les observateurs de la vie syndicale envisageaient sérieusement l'éventualité d'une scission, mais sans trop y croire (1), ceci en considération de facteurs de politique intérieure et de politique internationale.

Sur le plan de la politique intérieure, observateurs et hommes politiques estiment que la scission n'est souhaitable, ni pour les majoritaires ni pour les minoritaires, qui ont effectué en 1946-1947 un redressement sensible, et également pour aucun des partis politiques de gauche, qui veulent conserver dans la CGT une masse de manœuvre et une clientèle électorale sur laquelle ils comptent pour arriver à leurs fins.

Les minoritaires ne veulent pas provoquer la scission car ils estiment qu'ils ont pu, en un an, reconquérir un terrain important et qu'ils peuvent poursuivre cette action de reconquête (2). Il est en effet certain que la minorité Force Ouvrière avait réussi à s'installer solidement à tous les échelons de la vie syndicale et que son audience parmi les travailleurs était telle, que les majoritaires et les communistes ont souvent dû changer de tactique afin de ne pas être débordés par une base dont ils auraient perdu le contrôle (3). Cette nécessité absolue pour le Parti Communiste de ne pas se couper de sa base syndicale, explique qu'aux yeux de beaucoup, la menace de la scission était une arme considérable aux mains des minoritaires (2). Or il semble qu'à l'époque personne ne tenait à provoquer une scission dont on ignorait et craignait les conséquences. Pas plus les communistes que les socialistes ne voulaient courir le risque de se couper d'une base syndicale qui constitue à leurs yeux l'essentiel de leur clientèle électorale (3).

Devant une telle situation, l'éventualité d'une scission n'était - à la veille de celle-ci ! - envisagée que dans une échéance relativement lointaine et comme étant le résultat d'un débordement des dirigeants des tendances antagonistes par leur base.

La scission de la CGT risquait également d'avoir des conséquences au niveau du syndicalisme international. Celui-ci avait été reconstitué en la personne d'une Fédération Syndicale Mondiale où l'influence de l'URSS et de ses satellites était prépondérante. La FSM était déjà affaiblie par le départ des syndicats chrétiens qui avaient reconstitué l'internationale chrétienne et les communistes ne pouvaient accepter de courir le risque d'une nouvelle scission de la FSM ne lui laissant comme adhérents que les syndicats de l'URSS et des pays satellites. C'est d'ailleurs ce qui s'est passé après la scission CGT/CGT-FO de 1947 et la constitution de la CISL en 1949.

(1) *Tribune Economique,* 30 janvier 1946 et 31 octobre 1947 ; - *Le Monde,* 13 mai 1947 et 6 octobre 1947.

(2) *Tribune Economique,* 31 octobre 1947.

(3) *Le Monde,* 6 octobre 1947.

Ils avaient donc raison, ceux qui écrivaient dès 1946 que « toute division du syndicalisme français risquerait de mettre en cause l'unité de la FSM elle-même, par la menace de la reconstitution d'une fédération syndicale internationale non communiste », ce que l'URSS et le parti communiste ne pouvaient admettre ayant compris que « aux mains de qui y détient la majorité, la Fédération Syndicale Mondiale est un instrument incomparable (1) ».

C.– *La scission CFTC/CFDT*

La scission CFTC/CFDT a été réalisée à la suite du changement de majorité intervenu aux environ de 1960 et en raison de la volonté irréductible des partisans de la référence chrétienne de maintenir celle-ci dans les statuts.

1)La succession des minorités : Reconstruction et Rénovation

Le groupe Reconstruction s'est constitué dès la Libération et rassemble les partisans de la déconfessionnalisation de la CFTC. Il a dès le début, manifesté son intention de mener sa lutte dans la confédération et de ne jamais s'en retirer. Il est resté fidèle à sa parole et a fini par l'emporter. Dès 1946, la doctrine de Reconstruction était fixée et exposée dans la presse (2). Elle n'a pas changé depuis.

Après la crise d'octobre 1952, qui trouve son origine dans le vote imposé par la majorité d'une motion soulignant la nécessité de rechercher des contacts avec les autorités spirituelles et religieuses pour le recrutement et la formation des militants, les représentants de la minorité au Bureau Confédéral ont bien sûr précisé dans leur lettre de démission qu'ils combattront pour leurs idées à l'intérieur de la CFTC et qu'ils s'organiseront pour les faire prévaloir devant le mouvement tout entier (3).

Après le renversement de majorité survenu au début des années soixante, la nouvelle minorité « chrétienne » s'est organisée et regroupée autour de son journal, « Rénovation ». Elle a organisé des groupes d'inspiration chrétienne qui se sont eux-mêmes rassemblés à l'échelon national en une Association de Groupes d'Etudes Economiques, Sociales et Syndicales d'Inspiration Chrétienne (AGESSIC) qui estiment intangible la Charte constitutive de la CFTC.

2) La minorité chrétienne résolue à la scission

Rejetés dans l'opposition, les partisans irréductibles du maintien de la référence chrétienne ont dès l'abord manifesté leur intention de préserver coûte que coûte la charte de 1947, estimant que

(1) *Tribune Economique,* 30 janvier 1946.
(2) *Le Monde,* 7 janvier 1948.
(3) Lettre des cinq démissionnaires au Président Gaston Teissier (*Le Monde,* 25 octobre 1952).

c'est aux majoritaires qui veulent la modifier de quitter la centrale. Dans un second temps, la minorité s'est résignée à envisager une scission, de plus en plus précisément à partir de 1963 lorsque l'échéance du congrès de novembre 1964 est devenue inéluctable.

§ 2.– A QUI INCOMBE LA RESPONSABILITE DE LA SCISSION ?

Il nous reste à chercher à qui incombe la responsabilité de la scission, et lequel des groupements issus de celle-ci continue l'ancien, l'autre étant une personne étrangère au groupement scindé. Cette recherche qui peut, de prime abord, paraître aussi vaine et malsaine que celle des torts dans un divorce, reste nécessaire car elle permet, non seulement de déterminer la légitimité historique des groupements issus de la scission, mais également d'apporter une solution aux problèmes juridiques posés par la scission syndicale. La jurisprudence décide en effet que le patrimoine du syndicat ancien doit revenir en entier à celui des deux nouveaux qui continue le syndicat d'origine. Les Tribunaux ont écarté la solution qui s'offrait à eux de se déterminer d'après la seule dénomination des syndicats nouveaux, l'éventuel changement des noms pouvant n'être dû qu'à des circonstances fortuites. Ils ont également évité de se pencher sur l'histoire du syndicat, les luttes qui ont opposé ses tendances, craignant de s'engager sur un terrain d'autant plus difficile qu'il leur est étranger et qu'il laisse une grande part, la plus grande même, à l'idéologie et aux convictions personnelles.

La jurisprudence a décidé de rechercher dans quelles conditions a été prise la décision à l'origine de la scission. En droit, la solution dépend d'abord du point de savoir si le changement d'orientation du syndicat a été décidé régulièrement, c'est-à-dire par l'organe compétent dans les conditions requises. Cependant, il est vite apparu nécessaire de réintroduire l'examen de l'histoire du syndicat, car il importait également de savoir si une décision, même régulièrement prise à la majorité par l'organe compétent, pouvait modifier les statuts dans n'importe quelle condition. La Jurisprudence ayant décidé que la majorité pouvait apporter une telle modification à condition de respecter les « qualités substantielles » de la personne morale, un recours à l'histoire du syndicat considéré se révèle nécessaire afin de déterminer la portée exacte de la modification apportée aux statuts. C'est ce qui a été fait d'une manière sommaire à l'occasion des procès consécutifs à la scission CGT/CGT-FO, qui n'ont intéressé que les groupements affiliés, et d'une manière plus approfondie à l'occasion du procès CFTC/CFDT, qui s'est lié au niveau même des confédérations. Il ne faut pas se dissimuler que cette recherche est difficile et que ses résultats sont bien incertains.

A.– *Une recherche difficile.*

La difficulté de cette recherche tient d'abord au fait que personne ne reconnaît vouloir la scission, ou que lorsque une tendance s'y résoud ou l'envisage officiellement, elle ne manque pas de dire que c'est pour préserver l'intégrité et l'authenticité du syndicat considéré, et d'apporter des arguments solides à l'appui de ses affirmations.

1) La Scission CGT/CGTU.

Qui doit endosser la responsabilité de la scission CGT/CGTU de 1921 ? Les majoritaires qui ont décidé d'exclure de la CGT les syndicats adhérant aux CSR ? Les minoritaires qui ont jugé indispensable de créer une nouvelle confédération devant l'impossibilité où ils se voyaient de faire triompher leur conception du syndicalisme au sein de la CGT ?

Peut-on s'arrêter à ces apparences ? Ne faut-il pas rechercher qui a, par son attitude, poussé à la scission (1) ? Dans une telle optique, la décision d'exclure les minoritaires prise par le CCN de septembre 1921 a été rendue nécessaire par leur attitude et ne manifeste en aucune manière la volonté des majoritaires de provoquer la scission de la CGT (2).

Mais il faut reconnaître que les minoritaires disposaient d'arguments solides pour affirmer qu'ils n'ont pas provoqué la scission et que ce sont les majoritaires qui ont délibérément provoqué celle-ci. Il est en effet indéniable qu'à la veille de la première guerre la CGT, qui prétendait ne pas faire de politique, mettait au premier rang de ses préoccupations un problème politique, la lutte anti-militariste et qu'elle se rapprochait du Parti Socialiste pour lutter avec plus d'efficacité contre la guerre qui menaçait d'éclater. Il est vrai qu'il est difficile, pour ne par dire impossible et même hypocrite, de distinguer la lutte syndicale de la lutte politique, tant elles sont étroitement imbriquées. D'autre part, ce n'est pas trahir l'indépendance du mouvement que de se rapprocher d'un parti ouvrier dès lors que le syndicat reste indépendant de celui-ci.

Bien sûr la condition posée par la Troisème Internationale prévoyant que « des noyaux communistes doivent être formés dont le travail opiniâtre et constant conquerra les syndicats au communisme » et que « ces noyaux doivent être complètement subordonnés à l'ensemble du Parti » avait de quoi effrayer les majoritaires qui voulaient éviter à tout prix la mainmise d'un parti sur la CGT. Certes, les minoritaires affirmaient qu'il était possible de préserver l'indépendance du syndicalisme à l'égard du Parti Communiste et

(1) Intervention de Léon Jouhaux au CCN le 13 mai 1921.
(2) *Le peuple*, 11 décembre 1921.

ils présentèrent, dans cet esprit, une résolution au congrès de Lille affirmant que la CGT pouvait « adhérer à l'Internationale Syndicale de Moscou, à la condition expresse que ses statuts respectent l'autonomie du mouvement syndical ».

Ainsi les minoritaires pouvaient prétendre que la CGT aurait pu conserver son unité en 1921. Elle existait avant l'unification du Parti Socialiste, elle pouvait continuer d'exister après la rupture de cette unité. Mais la scission est intervenue, car les majoritaires ont jugé insuffisantes les garanties verbales proposées par les minoritaires, d'autant plus insuffisantes que la politique d'obstruction menée par ceux-ci ne leur permettait pas d'accorder le moindre crédit à leurs promesses.

2) La scission CGT/CGT-FO.

Le problème s'est posé en des termes identiques en 1947 lorsque la question s'est posée aux réformistes devenus minoritaires de rompre avec une CGT qui n'avait plus à leurs yeux que le nom de la Confédération ouvrière à laquelle ils avaient consacré leur activité militante. La décision de rupture prise par la conférence Force Ouvrière a été légitimée par Léon Blum et par les deux grands syndicalistes que furent Léon Jouhaux et Robert Bothereau.

Après le vote, le 9 novembre 1947, par la Conférence des Groupes Force Ouvrière de la motion dans laquelle cette tendance réaffirmait sa volonté de maintenir l'unité syndicale et de lutter à l'intérieur de la CGT pour la démocratie et l'indépendance syndicales, Léon Blum publia un article dans lequel il expliquait que Force Ouvrière reprenait la vieille tradition qui a fait la force du mouvement ouvrier en France, celle de l'indépendance des syndicats par rapport aux partis politiques, ce qu'il appelle l'autonomie (1).

Dans l'optique de la reconstitution de l'unité ouvrière, Léon Blum préconise donc la reconquête de la CGT par les syndicalistes orthodoxes, mais ils apparaît bien que pour lui l'essentiel est de préserver l'indépendance du syndicalisme à l'égard des partis politiques et qu'en cas d'échec des minoritaires dans leur tentative se reconquérir la CGT de l'intérieur il se résoudrait à accepter une scission permettant à un syndicalisme authentique de renaître et de se développer libre de toute emprise politique.

Les minoritaires ne se sont résolus à la scission que parce qu'ils ne pouvaient pas accepter que la CGT devienne un instrument entre les mains d'un parti politique, et de donner par leur présence leur caution à une entreprise de dénaturation du syndicalisme qu'ils condamnaient. C'est ce qu'ont expliqué Léon Jouhaux et Robert Bothereau au lendemain de la conférence Force Ouvrière du 19 Décembre 1947 à l'issue de laquelle il fut décidé par les minoritaires de reconstituer l'authentique CGT.

(1) *Le Populaire,* 13 novembre 1947.

Pour sa part, Léon Jouhaux a insisté essentiellement sur la volonté des minoritaires de ne pas permettre que la CGT devienne un instrument entre les mains du Parti Communiste (1). C'est pourquoi, comme l'a expliqué Robert Bothereau, les minoritaires ont dû se résoudre à la scission, car ils ne pouvaient accepter de continuer à collaborer avec les majoritaires et de servir d'otages au Parti Communiste (2).

Ainsi, Force Ouvrière a été obligée de sacrifier une unité syndicale factice qui avait perdu tout son sens pour créer une nouvelle confédération apolitique et authentiquement syndicale, autour de laquelle et grâce à qui elle espérait reconstituer l'unité de la classe ouvrière.

3) La scission CFTC/CFDT.

Dès l'entre-deux guerres la CFTC avait entrepris de se détacher de l'Eglise catholique d'abord, puis des milieux exclusivement chrétiens, afin d'élargir son audience et de s'ouvrir à tous ceux qui ne voulaient pas adhérer à la CGT. Ce mouvement s'est poursuivi tout au long de son histoire, et l'on peut dire que la réforme statutaire de 1964 est le fruit d'une longue évolution qui a commencé dans l'entre-deux guerres et dont l'aboutissement s'est fait en deux étapes aux congrès confédéraux de 1947 et de 1964 (3).

Dès les premières années de son existence la CFTC a amorcé un mouvement qui est une constante de son histoire et a trouvé un aboutissement dans le congrès de novembre 1964, tendant à séparer le syndicat de l'Eglise, à lui assurer une indépendance de plus en plus grande à l'égard de la hiérarchie catholique et même de la morale sociale chrétienne entendue autrement que comme une inspiration générale. Très tôt la CFTC s'est en effet présentée comme « l' autre syndicalisme » en face de la CGT dont l'inspiration marxiste ne satisfaisait pas tous les esprits.

Ce mouvement s'est amorcé très tôt, bien avant la constitution de la CFTC en 1919. Ainsi, dès 1891, le Syndicat des Employés du Commerce et de l'Industrie, qui constitue le noyau de la CFTC, refusa de conférer à l'aumônier une quelconque autorité, même purement morale, à l'intérieur du Syndicat (4). Il n'en demeure pas moins que dans leur rédaction de 1889, les statuts de ce syndicat faisaient à ceux qui voulaient adhérer, l'obligation suivante : « Etre catholique et honorer sa foi par une bonne réputation ; être membre d'une œuvre catholique de persévérance ». Par contre, dès sa fondation la CFTC était ouverte à tous les chrétiens, marquant ainsi une ouverture beaucoup plus grande, conforme à la volonté de ses fondateurs.

(1) *Force Ouvrière*, 1er janvier 1948.
(2) *Force Ouvrière*, 25 décembre 1947.

(3) Georges Levard ; *Chances et périls du syndicalisme chrétien*, Armand Fayard, 1955.

(4) E. Verdin, *La Fondation du Syndicat des Employés du Commerce et de l'Industrie.*

Mais ce mouvement n'est pas aussi ample et absolu qu'on pourrait le croire de prime abord. Ainsi, en 1937, les statuts du Syndicat des Employés demandaient encore à tout adhérent d'être notoirement catholique. Plus grave et significatif d'une évolution très lente, le texte d'une circulaire confédérale où il est dit qu'il faudra « éviter tout particulièrement de faire une propagande intensive » dans les milieux sympathisants, désabusés ou non chrétiens « tant que la masse syndicale nettement chrétienne ne sera pas solidement assise (1) ».

La situation avant la dernière guerre était donc la suivante : Le syndicalisme chrétien était ouvert à tous, mais à la condition que cette ouverture ne lui fasse pas perdre son caractère spécifiquement chrétien.

Tout en conservant l'étiquette chrétienne, le congrès de 1947 a modifié l'article 1er des statuts en supprimant la référence à l'Encyclique Rerum Novarum pour la remplacer par une référence aux principes de la morale sociale chrétienne. Quelle signification apporter à ce changement de formulation de la référence doctrinale de la confédération ? Pour M. Gaston Teissier, secrétaire général de la CFTC, il ne s'agit pas d'un abandon des principes qui ont guidé jusque là l'action de la confédération mais de permettre à tous ceux qui souscrivent à la morale sociale chrétienne, sans être pour autant chrétiens, d'adhérer à la CFTC (2).

M. Georges Levard (3) donne une analyse identique de la portée de cette modification : Il s'agissait de rendre plus facile l'adhésion de chrétiens non catholiques et de tenir compte du fait que d'autres Encycliques avaient suivi Rerum Novarum. M. Georges Levard ajoute que cette modification souligne que l'Eglise Catholique n'apporte pas de doctrine sociale toute faite et que les syndicalistes chrétiens, tout en demeurant fidèles aux exigences chrétiennes, doivent définir eux-mêmes leur action économique et sociale. L'analyse qui vient d'être rappelée tendrait à démontrer que la transformation statutaire votée par le congrès extraordinaire de novembre 1964, remplaçant la référence à la « morale sociale chrétienne » par une référence à « tous les apports de l'humanisme, dont l'humanisme chrétien », réalise une véritable rupture dans l'histoire de la CFTC, par l'abandon de tout ce qui avait fait sa spécificité.

La réalité est cependant plus complexe. La portée de la transformation apportée au texte des statuts en 1947 ne peut être appréciée qu'en la replaçant dans son contexte historique. Elle est es-

(1) Cité d'après J. Rochelle, *Cahiers des Groupes Reconstruction,* avril 1955. On se souvient que la démission en octobre 1952 des minoritaires du Bureau Confédéral où ils représentaient les groupes Reconstruction avait pour origine la volonté des majoritaires de s'adresser aux autorités religieuses pour le recrutement et la formation des militants.
(2) *Le Monde,* 27 mai 1947.
(3) *Chances et Périls du Syndicalisme Chrétien,* Armand Fayard, 1955.

sentiellement dûe à l'action efficace de la minorité d'alors qui proposait de métamorphoser entièrement le syndicalisme chrétien. Certains parmi cette minorité demandaient même, dès la libération, que l'adjectif chrétien disparaisse du titre confédéral et que l'on substitue à la pensée syndicale de la CFTC une doctrine rappelant le syndicalisme révolutionnaire de 1906, mais adaptée aux impératifs de notre temps.

Il est donc bien difficile de déterminer la portée exacte des modifications statutaires de 1947 et de 1964 : En définitive, la réponse qui sera donnée à cette question dépend des options personnelles de celui qui l'apporte et ne peut pas être déduite de considérations objectives.

B.– *Une recherche incertaine.*

Nous venons de voir combien la recherche des responsabilités dans la scission et de la filiation des syndicats issus de celle-ci par rapport au syndicat ancien est difficile et dépend en définitive des options personnelles de l'observateur, sans qu'il soit possible de recourir à des faits objectifs pour donner une réponse qui ait un minimum de certitude et d'objectivité. Une telle situation rend la recherche bien incertaine, en faisant dépendre son résultat de facteurs purement subjectifs.

1) Quel sens donner au mot Révolution ?

Les scissions qui ont affecté la CGT en 1921 et en 1947 ont en définitive leur origine dans une interprétation divergente de la manière dont la révolution, qui doit libérer le prolétariat de son asservissement, doit être réalisé. Faut-il une révolution violente qui transforme brutalement la société ou bien agir plus lentement en imposant des modifications successives qui la transforment progressivement ? Lesquels sont de véritables révolutionnaires ? Ceux qui veulent tout transformer immédiatement au risque d'un échec qui repoussera l'échéance escomptée, ou ceux qui veulent tenir compte des réalités présentes pour y adapter leur stratégie syndicale et réaliser dans les meilleures conditions la transformation radicale de la société à laquelle ils ne renoncent pas malgré les apparences ?

Dès les années 1920-1921, Léon Jouhaux avait donné une réponse qui fut celle des confédérés de l'époque et que la CGT-FO d'aujourd'hui ne renie pas. Il explique que « la révolution n'est pas l'œuvre d'un jour, c'est l'organisation de la transformation de la société, ce n'est pas qu'une œuvre de force, c'est une œuvre de confiance et de maturité (1) » et que « l'action révolutionnaire, elle,

(1) Extrait d'une intervention de Léon Jouhaux au CCN du 8 novembre 1920 citée dans *Information Ouvrière et Sociale* (18 novembre 1920).

consiste à faire entrer dans les faits, dans la réalité, le maximum de réalisations qui comptent, non pas comme des réformes définitives, mais comme des préparations aux transformations sociales. C'est ainsi que vous et nous avons toujours considéré l'action corporative du mouvement syndical. Elles valent ces réformes, non seulement parce qu'elles apportent une amélioration immédiate à la situation des travailleurs, mais elles valent surtout parce qu'elles comportent en elles des possibilités de progrès social, des possibilités d'éducation, d'élévation intellectuelle, parce qu'elles sont un pas en avant vers la révolution, une victoire sur les forces du passé (1) ».

En définitive, la solution du problème de filiation que nous nous posons dépend d'un postulat doctrinal adopté à priori : Si la révolution doit se faire brutalement, la CGT d'origine a pour fille et petite-fille la CGTU et la CGT de 1948. Si elle doit se faire progressivement, la CGT d'origine a pour fille et petite-fille la CGT de 1922 et la CGT-FO. On comprend, dans ces conditions, que les Tribunaux aient renoncé à se lancer dans le domaine mouvant de l'histoire des doctrines pour décider à quel mouvement issu de la scission, revient l'héritage syndical et se soient contentés d'analyser les statuts et de rechercher dans quelles conditions le groupement affilié avait décidé de changer ou de maintenir son affiliation confédérale.

2) Quelle portée donner à la référence à la morale sociale chrétienne ?

Cette solution de facilité n'a pu être adoptée par le Tribunal de Grande Instance de la Seine (2) et la Cour d'Appel de Paris (3) lorsqu'ils ont eu à juger le procès opposant la CFTC maintenue à la CFDT. Les magistrats ont du faire appel à l'histoire de la CFTC et la replacer dans son contexte général. Chaque juridiction donne une analyse différente de l'évolution historique de la CFTC. Pour le Tribunal, la rupture avait eu lieu dès 1947, alors que pour la Cour elle avait eu lieu en 1964. Avec une égale bonne foi et un même désir d'objectivité, ces deux juridictions ont tiré des mêmes faits des conclusions contraires. C'est le propre de la justice humaine, mais c'est aussi le sort de l'Histoire d'être incertaine et de ne pouvoir donner au chercheur que les éléments d'une solution personnelle, en l'absence de toute réponse indiscutable.

Quelle est la portée exacte de la réforme statutaire de 1947, qui a substitué la référence à la morale sociale chrétienne à la référence à l'Encyclique Rerum Novarum ? Nous avons vu que pour Gaston Teissier, à l'époque secrétaire général de la CFTC, cette modification des statuts ne signifiait en rien l'abandon de l'inspiration

(1) Intervention de Léon Jouhaux au Congrès de Lille, p. 281.

(2) TGI Seine, 7 juillet 1965 *Droit Social,* 1965, p.553 (obs. Brèthe de la Gressaye), D 1966 j 215 (note Verdier)' JCP 1966.2.14515 (note Mme Sinay).

(3) Paris, 21 juin 1966, JCP 1966.2.14726 (conclusions Souleau), D 1967 J 321 (note Brèthe de la Gressaye), *Droit Social,* 1967 p.32 (note Verdier).

chrétienne de la confédération, mais qu'il s'agissait de tenir compte de ce que le syndicalisme chrétien était ouvert à tous ceux qui reconnaissent la morale chrétienne comme une valeur de référence et comme idéal à réaliser. Cette opinion n'était pas partagée par tous et certains estimaient au contraire que la modification des statuts intervenue en 1947 est une des étapes de la déconfessionnalisation de la CFTC. C'est ce qu'expliquait en 1955 Maurice Bouladoux, président de la CFTC (1).

Certains propos tenus par Jacques Teissier à cette époque permettent de douter de la profondeur de l'attachement à la morale sociale chrétienne des majoritaires d'alors, qui semblent plus tenir à se démarquer par rapport à la CGT marxiste et à la CGT-FO laïque qu'à promouvoir une mouvement syndical authentiquement chrétien (2). Si l'on croit en effet Jacques Teissier, la morale chrétienne ne vaudrait comme référence doctrinale que parce que ce serait la seule que certains syndicalistes auraient trouvé à opposer au marxisme. On se demande alors pourquoi la dernière étape de la déconfessionnalisation a été l'occasion d'une lutte aussi sévère. Si la CFTC était déjà déconfessionnalisée dans les faits dès 1947, la modification des statuts intervenue à cette époque consacrant une évolution déjà ancienne, la suppression de la référence chrétienne en 1964 ne faisait que mettre les statuts de la confédération en harmonie avec la réalité telle qu'elle se manifestait dans son action et dans son recrutement (3).

Dans cette optique, la laïcisation de la CFTC était acquise dans les faits depuis de nombreuses années et la modification des statuts, en faisant disparaître toute référence confessionnelle, n'avait pour seul but que de mettre ceux-ci en harmonie avec les faits et de permettre une ouverture de la confédération plus grande que celle déjà réalisée (4). Si l'on va un peu plus loin dans le sens indiqué par Eugène Descamps, la référence chrétienne apparaît comme un boulet dont il faut à tout prix se débarrasser pour constituer un syndicalisme qui puisse rivaliser efficacement avec la CGT. Au nom d'une certaine efficacité, il faut tirer un trait sur le passé, ou plutôt sur certains aspects de celui-ci qui paraissent gênants à notre époque (5).

(1) *L'Economie*, 13 janvier 1955. A l'occasion de la crise d'octobre 1952, qui avait entraîné la démission des minoritaires représentant la tendance Reconstruction au Bureau Confédéral, à la suite du vote d'une motion mandatant le président et le secrétaire général afin de prendre contact avec les autorités religieuses pour le recrutement et la formation des militants, M. Bouladoux avait tenu à affirmer que « la CFTC n'a pas de directeur de conscience ou de conseiller moral en dehors de ses propres organes statutaires issus de la confiance de ses congrès ». (*Syndicalisme*, 20 octobre 1952).

(2) Syndicalisme CFTC, 15 au 22 août 1946.

(3) Georges Montaron « Vers l'Union Générale des Travailleurs » (*Témoignage Chrétien*, 7 juin 1963).

(4) Intervention d'Eugène Descamps au congrès de la Fédération Générale de l'Agriculture CFTC (*Le Monde*, 18 février 1964 ; - *Combat*, 17 février 1964).

(5) « L'étiquette chrétienne a eu son intérêt à un moment de l'histoire. Maintenant, il ne faut plus faire de différence entre celui qui croit au ciel et celui qui n'y croit pas ». Eugène Descamps, intervention devant le congrès de la Fédération de l'Agriculture (*Le Monde*, 6 mars 1964).

Cette gêne des uns devant l'étiquette chrétienne que l'on veut à tout prix supprimer et l'attachement des autres à cette même étiquette qu'ils veulent à tout prix conserver est illustrée par un dialogue entre Jean Maire, secrétaire général de la Fédération de la Métallurgie, et Jean Bornard, secrétaire général de la Fédération des Mineurs, où deux syndicalistes répondaient (1) à la question suivante : « un récent amendement vient de réintroduire dans le projet de préambule une référence à l'humanisme chrétien. Est-ce trop ou trop peu ? : Jean Maire répondait : « Personnellement, j'aurais préféré qu'on ne réintroduise pas une telle formule. Je ne conteste nullement la valeur de l'humanisme chrétien mais je ne vois pas la nécessité pour notre organisation syndicale de le souligner de cette manière (...). Le syndicat n'est pas un mouvement d'évangélisation et (...) ce qui convient à l'un ne convient pas nécessairement à l'autre. L'Evangélisation est un problème d'Eglise et il appartient aux chrétiens de l'examiner à ce niveau là ». Alors que pour Jean Bornard « cette mention de l'humanisme chrétien est tout à fait insuffisante. En fait, il s'agit d'une opération tactique de dernière heure destinée à gagner des voix, car la confédération craignait de ne plus en avoir assez (...). Ceux qui veulent l'évolution doivent dire clairement qu'ils rejettent la morale sociale chrétienne comme inspiration dominante de notre mouvement ».

C'est là que se place en définitive le point de rupture et ce qui permet de soutenir que la révision des statuts intervenue en 1964 marque une rupture profonde dans l'évolution de la CFTC. En 1947 la confédération était ouverte à tous ceux, chrétiens et non chrétiens, qui acceptaient que la morale sociale chrétienne fut l'inspiration dominante de leur mouvement. En 1964, la morale sociale chrétienne est rejetée comme source d'inspiration dominante de la centrale. Certes, c'est le fruit d'une longue évolution et cette déconfessionnalisation était inéluctable. Mais il n'en demeure pas moins que la révision des statuts intervenue en 1964 marque un changement profond, bien plus profond que celle de 1947 : La morale sociale chrétienne n'est plus qu'une source d'inspiration parmi d'autres de l'action de la centrale, et encore n'a-t-elle été admise qu'à la dernière minute sous la forme édulcorée de l'humanisme chrétien.

Dans de telles conditions les partisans du maintien de la référence chrétienne ne pouvaient suivre le raisonnement d'André Jeanson, minoritaire rallié à la majorité, pour qui « les choses sont claires. Ni rupture, ni reniement, mais ouverture, épanouissement dans la continuité voilà l'étape que prépare la direction confédérale avec ses syndicats, dans la conviction que la fidélité à l'inspiration qui anima les fondateurs de notre mouvement nous donne la mission de bâtir ce syndicalisme à la fois solide dans sa pensée et dans son respect des valeurs permanentes de l'homme, et ouvert sur les réalisations du monde moderne, sur les aspirations et les besoins de l'homme de demain (2) ».

(1) *La Croix,* 4 novembre 1964.
(2) André Jeanson, « Une ouverture indispensable » (*Le Monde,* 30 mai 1964).

TROISIEME PARTIE

LES CAUSES DES SCISSIONS SYNDICALES

Il est frappant de constater que les scissions syndicales trouvent leur origine, moins dans des divergences d'ordre purement syndical que dans des oppositions sur des problèmes plus généraux, de politique intérieure ou même internationale.

On peut distinguer deux ordres de causes aux scissions du mouvement syndical français, d'une part, des causes profondes tenant à des oppositions idéologiques irréductibles, d'autre part, des causes immédiates tenant à des oppositions sur des problèmes de conjoncture, qui souvent n'ont servi que de révélateur ou de prétexte.

CHAPITRE I

LES CAUSES PROFONDES : LE CONFLIT DES IDEOLOGIES

Toute l'histoire du syndicalisme français est commandée par des débats d'idées. Alors que le syndicalisme anglo-saxon, ou celui des pays scandinaves, ont surtout obéi dans leur action à des considérations d'opportunité, utilisant les moyens que les circonstances leur paraissent commander pour améliorer la condition ouvrière, le syndicalisme français n'a cessé de chercher à se définir, et à déduire ses objectifs et ses méthodes de principes cohérents.

A ces débats d'idées ont participé, à la fois, les dirigeants syndicaux eux-mêmes, tel Fernand Pelloutier, les animateurs du mouvement socialiste, parmi lesquels Jules Guesde et Jean Jaurès, et des théoriciens du socialisme, dont le plus illustre est Georges Sorel. Ils ont d'ailleurs comme toile de fond les débats qui opposent, abstraction faite du problème syndical, les diverses tendances du mouvement socialiste : Tradition des utopistes, influence de Proudhon, puis de Marx.

Les controverses ne se sont pas limitées à des débats entre intellectuels. Elles ont eu une incidence directe sur les attitudes pratiques et même sur la structure du mouvement syndical. Elles ont porté tout à la fois sur les buts et sur les moyens de l'action syndicale. Sur ce double terrain, deux grandes tendances se dessinent, au prix de bien des simplifications, la tendance révolutionnaire et la tendance réformiste.

L'essentiel des discussions qui ont opposé ces deux tendances concerne les rapports du syndicalisme et de la politique. C'est donc sur cette question que nous nous attarderons, après avoir présenté les deux grandes tendances qui s'opposent.

SECTION I

LE CONFLIT DES TENDANCES

Nous étudierons le conflit des tendances qui divisent le monde du travail, en nous plaçant successivement à deux niveaux. D'abord, nous présenterons brièvement chacune des tendances en voyant quelles sont les grandes lignes de sa doctrine et quels sont les mouvements qui se réclament d'elle. Ensuite nous chercherons à déterminer le pourquoi de ces divisions et verrons qu'il réside dans l'hétérogénéité de ce qu'il est convenu d'appeler la *classe ouvrière* et dans la divergence d'intérêts de ses éléments constitutifs.

§ 1.– LES MANIFESTATIONS DU CONFLIT

Les deux grands courants qui s'opposent sont ce qu'il est convenu d'appeler le courant révolutionnaire et le courant réformiste que nous examinerons successivement tout en sachant que cette distinction paraît à beaucoup dépassée de nos jours (1).

A.– *La tendance révolutionnaire*

Plusieurs courants concourent à la formation de la doctrine du syndicalisme révolutionnaire : Le marxisme, des survivances proudhoniennes, l'anarchisme, dont l'influence a été grande avant 1917. Ce qui caractérise le syndicalisme révolutionnaire, ce sont à la fois son but et ses moyens.

Pour le syndicalisme révolutionnaire, le but à atteindre est non seulement la destruction du capitalisme, mais encore celle de l'Etat qui est nécessairement un instrument d'oppression, même lorsqu'il se prétend démocratique. La société nouvelle reposera essentiellement sur le syndicalisme, les syndicats prenant en main l'organisation de la production.

Sur le plan des moyens, il ne peut être question, ni de collaboration avec le patronat (la lutte des classes est un postulat qui ne prête pas à discussion), ni de collaboration avec l'Etat, ni même d'une action constructive qui serait, par la force des choses, conduite à s'insérer dans les cadres sociaux existants, et pourrait laisser croire à leur acceptation (2).

La revendication par la violence, la mise à l'index, le boycottage, le sabotage pour certains, et au tout premier plan la grève, sont la forme essentielle de l'action syndicale. Son ultime recours est la grève générale qui doit provoquer l'effondrement de la société bourgeoise. Le syndicalisme dispose de moyens qui lui sont propres, et c'est pourquoi son action ne saurait se lier avec celle d'un parti politique, même de ceux qui poursuivent des buts analogues.

(1) Une telle distinction, qui a le mérite de la simplicité et de faciliter un exposé didactique, paraît simpliste à certains, tel Serge Mallet qui écrit : « Il n'y a pas dans la politique sociale de réformistes ou de révolutionnaires : Il y a des situations réformistes et des situations révolutionnaires. Le mouvement ouvrier doit donc, au premier chef, déterminer la situation dans laquelle il se trouve et adapter ses objectifs en conséquence. En dehors de cette conception dialectique de la lutte politique, il n'y a que fuite devant les responsabilités ou gesticulation gratuite ». (« La nouvelle classe ouvrière », *Esprit* - 1963 p. 18 et 19).

(2) De nos jours, les révolutionnaires ne refusent plus le dialogue et ce dans un but exclusif d'efficacité, c'est ce qu'expliquent Pierre Le Brun et André Barjonet dans l'article qu'ils ont consacré au syndicalisme dans l'Encyclopédie française (Tome 9 ; - cité par Serge Mallet, « La Nouvelle classe ouvrière », p.44).

La Charte d'Amiens, œuvre du Congrès de la CGT de 1906, et qui reste pour le syndicalisme français un document de base, affirme énergiquement cette autonomie de l'action syndicale par rapport à l'action politique. Ce courant de pensée est prédominant avant 1914. Il s'accompagne d'un refus de l'idée nationale, d'un antimilitarisme actif, d'une coloration ouvriériste qui fait confiance, pour préparer l'avenir, à la classe ouvrière seule.

Dans certains pays européens, le syndicalisme révolutionnaire est représenté par deux mouvements, souvent en lutte ouverte, l'anarcho-syndicalisme et le marxisme-léninisme.

Inspiré de Proudhon, de Bakounine et de Kropotkine, l'anarcho-syndicalisme a joué un rôle important dans le mouvement syndical français d'avant la première guerre mondiale, et dans l'histoire de l'Espagne républicaine avant et pendant la guerre civile (1931-1939).

Le marxisme-léninisme voit dans le syndicat *l'école primaire du communisme* et conçoit différemment l'action syndicale selon qu'il s'agit d'un Etat capitaliste ou d'un Etat en marche vers le communisme. Dans l'Etat capitaliste, l'objectif est la destruction de l'Etat bourgeois grâce à une tactique souple faisant leur part aux conquêtes progressives et à l'action révolutionnaire. Dans l'Etat en marche vers le communisme, l'objectif est la dissolution progressive de l'Etat, mais la réalisation de cet objectif ne peut résulter que de la collaboration des ouvriers et des paysans, organisés dans leurs syndicats, avec l'Etat socialiste.

On peut remarquer que Marx n'a personnellement rien écrit sur les syndicats et que Lénine s'est contenté de leur consacrer une brochure à l'époque de la NEP (1). Mais, dès 1920, le Congrès du Parti Communiste tenu à Moscou définissait sa conception de la lutte communiste, où il reconnaissait implicitement le rôle fondamental du syndicat en affirmant que « tout parti désireux d'appartenir à l'organisation communiste doit poursuivre une propagande systématique au sein des syndicats, des coopératives et des organisations des masses ouvrières » et en ajoutant que « des noyaux communistes doivent être formés, dont le travail opiniâtre et constant aura pour objectif la conquête de tous les syndicats au communisme » et que « leur devoir sera de révéler à tout instant la trahison des sociaux-démocrates et les hésitations du centre ».

B.– *La tendance réformiste*

Ce n'est pas tant par les buts que par les moyens que la tendance réformiste se distingue de la tendance révolutionnaire. Le but reste la suppression du capitalisme, mais le réformisme accepte l'Etat et croit possible de le transformer progressivement. Pour améliorer dans l'immédiat la condition ouvrière, il n'hésite pas à utiliser les

(1) Lénine, Les tâches des syndicats.

moyens d'action que la loi lui donne, ni à engager des négociations avec le patronat, ni à collaborer avec les pouvoirs publics, sans renier pour autant la grève. Mais il y recourt seulement lorsqu'elle est nécessaire au triomphe d'une négociation précise, et non d'une façon systématique en vue de développer la combativité ouvrière (1).

Le réformisme, qui a des origines anciennes, est à partir du siècle dernier et jusqu'en 1914 éclipsé au sein de la CGT par la tendance révolutionnaire.

La guerre de 1914-1918 marque le ralliement de la CGT à l'idée nationale, notamment sous l'influence de son Secrétaire Général, Léon Jouhaux, et la conduit à une collaboration de fait avec le gouvernement. Au lendemain de la guerre, la CGT étudie dans cette perspective un plan de réformes économiques qui dépasse les attitudes purement revendicatives et entend prendre en considération l'ensemble des intérêts économiques de la Nation. La nationalisation des moyens de production, leur gestion par les représentants des travailleurs, des usagers et de l'Etat, figurent au premier plan de ce programme et inspireront la législation de 1936 et de 1946. Depuis lors, cette tradition s'est perpétuée à travers des crises nombreuses . L'avènement du Front Populaire en 1936, la Libération et les années qui l'ont suivie, ont facilité la collaboration du mouvement syndical et de l'Etat.

A l'étranger, le syndicalisme réformiste a obtenu de grands succès, et même pratiquement éliminé les autres tendances dans certains pays comme la Grande Bretagne, la Suède ou l'Allemagne Fédérale.

Le syndicalisme chrétien constitue la seconde branche du réformisme. Il est le fruit d'un profond mouvement d'idées qui s'est développé dans l'opinion publique catholique pendant la seconde moitié du 19ème siècle et a trouvé sa consécration officielle dans l'Encyclique Rerum Novarum de 1891. A la même époque, un mouvement d'idées semblable se dessine dans certains milieux protestants. Ce mouvement est connu sous le nom de Doctrine Sociale Chrétienne. Il ne s'agit pas d'une technique économique et sociale, mais d'une morale qui impose un modèle d'organisation à la société. Elle considère que les relations entre les classes sociales ne doivent pas dépendre de la force, ni être dominées par la haine : La

(1) Cette définition correspondrait parfaitement à la CGT de 1975 qui fait figure de réformiste au côtés d'une CFDT qui donne l'impression d'être plus combative et révolutionnaire. Dans la suite de cette étude nous conserverons cependant le clivage classique CGT et CFDT, révolutionnaires,CGT-FO et CFTC, réformistes, qui nous semble moins dépassé qu'il pourrait paraître de prime abord. En particulier, la grève est employée par la CGT et la CFDT dans le cadre d'une politique globale que la CGT-FO et la CFTC veulent ignorer pour limiter leur action au domaine professionnel. De plus, CGT et CFDT semblent avoir conservé la volonté de transformer radicalement la société, alors que la CGT-FO et la CFTC semblent se contenter d'apporter des retouches au système existant pour le transformer progressivement, sans provoquer de rupture.

Justice et la Charité doivent être la base d'une coopération sociale et économique. De ce fait, elle rejette l'individualisme du libéralisme et réprouve les aspects matérialistes du socialisme et du communisme.

Des organisations syndicales chrétiennes, s'inspirant de cette doctrine sociale, ont vu le jours dès la fin du siècle dernier en Europe occidentale et centrale, notamment en France, en Belgique et en Allemagne. Le syndicalisme chrétien s'est par la suite implanté dans la plupart des pays européens (1), et dans d'autres continents. Dans certains pays, en particulier la Grande-Bretagne et les Etats-Unis, où les organisations syndicales n'ont pas un caractère idéologique prononcé, les chrétiens n'ont pas jugé utile de se grouper dans des organisations séparées.

Au lendemain de la Deuxième Guerre Mondiale, le syndicalisme chrétien, tout particulièrement en France, se présentait comme un mouvement ouvrier dont les rangs sont ouverts à tous ceux qui sont prêts à souscrire aux principes spiritualistes sur lesquels il se base. Aussi trouve-t-on à côté des catholiques et des protestants, des musulmans en Afrique, des bouddhistes au Vietnam, et d'autres encore qui n'ont aucune référence précise, mais dont les principes sont identiques à ceux de la doctrine sociale chrétienne (2).

Une dernière étape de l'évolution du syndicalisme chrétien a conduit, en France et à l'échelon international, à l'abandon de la référence chrétienne et à la transformation de la CFTC en CFDT (3) et de la CISC en CMT (4).

C.– *Apparition d'un nouveau syndicalisme révolutionnaire*

Avec la transformation du syndicalisme chrétien, nous avons assisté à l'apparition et au développement d'une nouvelle forme de syndicalisme révolutionnaire qui a son origine dans un syndicalisme jusqu'alors d'inspiration réformiste, mais qui prend une tendance libertaire assez fortement marquée.

Ce mouvement s'est progressivement libéré, au moins en Europe, de toute influence religieuse, et en particulier de toute ingérence de la hiérarchie catholique. Le problème est alors de savoir ce qui reste de l'inspiration chrétienne d'origine. Peut-être ces nouveaux révolutionnaires sont-ils en définitive plutôt adeptes de l'Ancien que du Nouveau Testament ?

§ 2.– LES CAUSES DU CONFLIT

Il nous semble que ce conflit de tendances qui déchire le syndicalisme français a une double origine. D'abord, il est le résultat du

(1) Patrick de Laubier, « Les acteurs historiques de la politique sociale. Sociologie historique du syndicalisme chrétien en Europe jusqu'en 1940 » (*Revue Française des Affaires Sociales,* 1975, n°3).

(2) L'ouverture de la CFTC aux non-chrétiens est un des arguments qui fut avancé par les partisans de la déconfessionnalisation à l'appui de leurs prétentions.

(3) Congrès extraordinaire de novembre 1964.

(4) Congrès de Luxembourg réuni en octobre 1968.

caractère hétérogène de ce qu'il est convenu d'appeler la classe ouvrière. Ensuite, il est la conséquence d'une divergence d'intérêts entre les éléments qui constituent le monde du travail.

A.– *Hétérogénéité de la classe ouvrière*

1) Mesure du phénomène

Le concept sociologique de classe ouvrière recouvre une réalité multiple rendant très difficile la définition de cette catégorie sociale. Des tentatives en ce sens ont bien sûr été faites, et l'on a pu définir la classe ouvrière à partir de son rôle productif et de son exclusion de la propriété ou de la gestion des instruments de production (1). Cela revient pratiquement à définir la classe ouvrière par rapport à la classe capitaliste, et en opposition avec elle (2).

Mais cette définition nous paraît pêcher par une sorte d'impérialisme ouvriériste que nous devons dénoncer. Il n'est en effet, ni rationnel, ni scientifique, d'opposer à l'heure actuelle la seule classe ouvrière à la classe capitaliste. C'est faire là bon marché de tous ceux qui, sans être producteurs, sont également exclus de la propriété ou de la gestion des instruments de production sans les posséder, et nous faisons là allusion aux cadres supérieurs, aux *managers*. L'apparition d'un syndicalisme propre aux cadres, l'existence dans les grandes centrales ouvrières d'unions de cadres, sont précisément la manifestation, sur le plan syndical, du caractère de cette nouvelle catégorie de salariés.

Cette mutation profonde du monde du travail a été maintes fois décrite par les économistes et les sociologues, mais ils ont plus insisté sur l'importance relative des 3 secteurs d'activité (primaire, secondaire, tertiaire) que sur la répartition entre employeurs et salariés, et sur les distinctions qu'il convient de faire à l'intérieur de cette dernière catégorie. Les renseignements que nous pouvons recueillir auprès d'eux ne manquent cependant pas d'intérêt pour notre étude, puisque nous savons qu'il y a des patrons (en minorité), et des salariés (en majorité plus ou moins forte selon chaque cas) dans les trois secteurs de l'activité économique.

Le premier élément de réflexion qui s'offre à nous réside dans la répartition globale de la population active entre les trois secteurs d'activité, primaire, secondaire et tertiaire. Nous rappellerons ici trois études qui font apparaître l'importance du secteur tertiaire dans notre monde contemporain, et la montée du secondaire, puis du tertiaire aux dépens du primaire depuis le début du XIXème siècle.

Dans ses *Etudes sociologiques sur les couches salariées,* Roger Girod décrit l'évolution de la population active aux Etats-Unis, et la répartition actuelle de celle-ci à Paris, Genève et Berlin (3). Il constate ainsi que l'évolution américaine montre une diminu-

(1) Serge Mallet, « La nouvelle classe ouvrière » (*Esprit,* 1963), introduction.
(2) Serge Mallet, « La nouvelle ouvrière », p. 19.
(3) Roger Girod, *Etudes sociologiques sur les couches salariées.* (Marcel Rivière, 1960).

tion constante des agriculteurs et une progression corrélative des activités non agricoles (1).

De même, on constate une évolution de la répartition de l'intérieur de cette catégorie (1) où l'importance relative des travailleurs manuels diminue par rapport à celle des travailleurs non manuels (75% contre 25% vers 1800, 70% contre 30% vers 1850, 52% contre 48% vers 1950). A l'intérieur des travailleurs non manuels, l'évolution est moins claire : La catégorie des commerçants et boutiquiers semble avoir été à son apogée au milieu du siècle dernier, et connaître une éclipse actuellement. La catégorie des employés et celle des intellectuels et des dirigeants connaissent au contraire une hausse sensible. Dans la mesure où il est couramment admis que les pays d'Europe occidentale suivent avec plusieurs années de retard, l'évolution des Etats-Unis, il est permis de penser que cette situation, qui était celle de ce pays il y a moins de trente ans, donne une idée de la situation actuelle de la France. Les chiffres recueillis par M. Girod à propos de la répartition de la population active à Paris, Genève et Berlin en 1950, confirment cette tendance, les différences que l'on peut noter tenant au fait que les chiffres que nous avons vu précédemment concernaient les Etats-Unis dans leur entier, alors qu'il s'agit ici de villes ayant, à des degrés divers, un rôle spécifique de capitale et de centre international (2).

Dans une étude qu'il a consacrée à « La répartition de la main-d'œuvre au niveau national » Jean Fourastié a retracé l'évolution de la population active en France (3), montrant l'importance croissante des secteurs secondaire et tertiaire et la baisse non moins constante du secteur primaire (4).

A l'époque où fut rédigée cette étude, il y a une quinzaine d'années, on constatait un équilibre entre les secteurs secondaire et tertiaire, avec cependant un léger avantage au bénéfice du secteur secondaire. Il n'est pas certain que cet équilibre soit rompu à l'heure actuelle, mais il est vraisemblable que c'est le secteur tertiaire qui a pris à son tour un léger avantage.

Nous trouverons des renseignements intéressants sur la répartition entre ouvriers, employés et cadres dans une étude de M. Jean-Paul Trystram consacrée essentiellement à la situation des travailleurs étrangers en France (5). Nous ne retiendrons de cette étude

(1) *Etudes sociologiques sur les couches salariées,* p. 202.

(2) *Etudes sociologiques sur les couches salariées,* p. 101.

(3) Jean Fourastie, « La répartition de la main-d'œuvre au niveau national » dans le *Traité de Sociologie du Travail* (Tome 1, p. 211 sq.) publié sous la direction de Georges Friedmann et Pierre Naville (Armand Colin, 1965).

(4) « Tableau comparatif (Etats-Unis, Allemagne, France, Italie, Belgique) » publié par M. Fourastié dans le *Traité de Sociologie du Travail,* (Tome 1, p. 219). On trouvera dans cet article de M. Fourastié un tabelau sur la structure de la population active française en 1957 (p.213) et un tableau comparatif des structures de la population active française en 1906 et en 1954 (p.215) dont les chiffres confirment ceux que nous venons de donner et d'analyser sommairement.

(5) Jean-Paul Trystram « Groupe ethnique et nationalité » dans le *Traité de Sociologie du Travail* (Tome 1, p. 251 sq.) publié sous la direction de Georges Friedmann et Pierre Naville (Armand Colin, 1965).

que ce qui intéresse directement notre sujet, c'est-à-dire la répartition de la population active en France selon les catégories socio-professionnelles. Bien que se fondant sur des chiffres déjà anciens (1954), cette étude nous donne une image intéressante de la catégorie des salariés qui ne se confond pas, loin de là, avec celle des ouvriers (1). Les chiffres recueillis par cette étude montrent l'importance relative des trois catégories de salariés qui nous intéressent, par rapport à la population active, et surtout entre elles (ouvriers : 63% ; - employés : 23% ; - cadres : 12%), ce qui nous confirme bien que l'équation salarié = ouvrier est inexacte (2).

Mais cette constatation ne doit pas nous faire perdre de vue une réalité plus large qui est le développement du tertiaire et l'importance croissante prise par certains groupes sociaux, tels les employés et les fonctionnaires ou para-fonctionnaires. Une telle mutation ne pouvait pas rester sans incidence sur la nature et les attitudes du mouvement syndical. C'est ce qu'avait souligné Georges Friedmann, pour qui le déclin relatif de la classe ouvrière entraîne une nécessaire adaptation de celle-ci, et explique en partie les difficultés rencontrées de nos jours en occident par les partis ouvriers et les organisations syndicales (3).

Un second élément de réflexion réside dans la constatation des mutations subies par la classe ouvrière, et qui sont très profondes. L'ouvrier n'est plus celui qui était apte à exercer un métier, mais simplement celui qui est apte à exercer une tâche déterminée. Son champ d'activité s'est restreint, mais dès qu''il a atteint un certain niveau, celui du professionnel (O.P.), la compétence technique est devenue indispensable, la science a pris le pas sur l'expérience. L'ouvrier professionnel tend à se rapprocher du technicien dont il adopte le langage. L'OP se sépare de l'OS, créant ainsi un clivage au sein de la classe ouvrière, qui s'accentue par le fait que de nombreux ouvriers quittent les tâches de fabrication pour celles d'entretien dont l'importance croît sans cesse (4).

Conséquence de l'évolution technique et économique, cette transformation de la classe ouvrière ne favorise pas sont unité (5), bien qu'elle ait tendance à réduire la part des OS et d'augmenter

(1) Traité de Sociologie du Travail (Tome 1, p.255).

(2) Ces chiffres sont proches de ceux auxquels Alain Touraine fait référence dans ce même *Traité* (Tome 1, p. 416) et d'après lesquels les travailleurs non manuels représenteraient 16,3% de l'ensemble des salariés, soit 7,5% pour les cadres supérieurs et moyens, et 8,8% pour les employés (« Les salariés dans l'industrie et le commerce en 1954 », *Etudes statistiques,* juillet-septembre 1956), et les cadres et employés représenteraient 19% du personnel dans les entreprises de plus de 10 salariés (Direction Statistique du Ministère du Travail pour 1952).

(3) Georges Friedmann, « Tendances d'aujourd'hui, perspectives de demain » dans *Traité de Sociologie du Travail* publié sous la direction de Georges Friedmann et Pierre Naville (Tome 2, p.375)..

(4) Alain Touraine, « L'organisation professsionnelle de l'entreprise » dans le *Traité de Sociologie du Travail* (Tome 1, p.387 sq.) publié sous la direction de Georges Friedmann et Pierre Naville (Armand Colin, 1975).

(5) Sur l'homogénéité de la classe ouvrière : Alain Touraine, « Qualification, salaire et homogénéité du groupe ouvrier (*Revue Economique,* septembre 1957, p.841 sq.) ; - Jean Marchal et Jacques Lecaillon, *La répartition du revenu national,* Tome 1, les salariés (Génin, 1958).

celle des OP dans l'ensemble des travailleurs manuels. La technicité des tâches confiées aux ouvriers est devenue telle qu'ils ne peuvent plus changer d'activité aussi facilement qu'auparavant (1).

Ces études sont déjà anciennes et leurs conclusions sont parfois, au moins partiellement, contredites par des enquêtes plus récentes. C'est pourquoi nous évoquerons maintenant les résultats du recensement effectué par l'INSEE en 1975 (2).

Ce recensement révèle un profond remodelage de la population française et des catégories socio-professionnelles. On note en particulier par rapport à 1968 un accroissement de la catégorie des salariés avec comme particularités une rapide croissance des cadres (moyens + 31,20%, supérieurs + 38,65%), une croissance modérée des employés (+ 26,75%) une relative stabilité des ouvriers (+ 7,02%).

Cette évolution, si elle est sensible, ne transforme cependant pas radicalement la physionomie de la population active française dont les ouvriers constituent toujours un peu plus de la moitié de la population active (50,17% en 1975, 54,80% en 1968) les employés et le personnel de service près du quart (25,68% en 1975, 23,22% en 1968) les cadres supérieurs un peu plus d'un vingtième (6,08% en 1975, 5,66% en 1968). L'analyse liminaire des résultats du recensement insiste sur le fait que la modification essentielle concerne l'entrée en masse des femmes dans le salariat.

2) Conséquences du phénomène

Expression et défenseur d'une catégorie sociale hétérogène, le syndicalisme n'a pas uniquement pour but de défendre les ouvriers contre les capitalistes, mais plus largement tous les salariés (ouvriers, employés, agents de maîtrise, cadres) contre leurs employeurs qui ne sont plus seulement les capitalistes, ceux qui possèdent, mais également les *managers*, ceux qui dirigent sans posséder, car ils ont la compétence technique. Un des problèmes qui se pose aux syndicalistes est précisément d'adapter leur stratégie au nouveau visage de l'employeur, et d'agir sur ceux qui auront barre sur les *managers* que la technicité de leurs fonctions fait parfois échapper au contrôle des capitalistes, et qui perdent souvent de vue qu'ils ne sont pourtant que des salariés, pour se prendre au jeu de la gestion (3). Cette diversité des éléments constitutifs du monde du travail recèle précisément en elle-même un germe de division.

(1) Alain Touraine, « L'organisation professionnelle de l'entreprise », dans *Traité de Sociologie du Travail* (Tome 1, p.396).

(2) Collections de l'INSEE, D 52/77. On pourra consulter plus particulièrement le tableau de la population active, p121.

(3) Serge Mallet, la nouvelle classe ouvrière, p.263 ; - Alain Touraine a étudié dans un chapitre intitulé « Pouvoir et décision dans l'entreprise » du Traité de Sociologie du Travail (Tome 2, p.3 sq.) publié sous la direction de MM. Georges Friedmann et Pierre Naville, ce qu'il appelle la *Révolution Directoriale* (p.29) en rappelant que « le développement technique et administratif, en accroissant l'importance des techniciens, crée des conflits entre ceux-ci et les dirigeants financiers » et que pour certains « le pouvoir appartient de plus en plus dans les sociétés industrielles aux dirigeants techniques, aux directeurs ».

B.– *Les divergences d'intérêts entre les différentes catégories de salariés*

La cohabitation au sein d'une même catégorie sociale d'éléments divers que la seule condition de salarié rapproche, mais que tout tend autrement à diviser (nature du travail, statut social, niveau culturel) ne peut pas être sans conséquences fâcheuses pour l'unité du mouvement ouvrier. Ce phénomène est d'autant plus sensible que la société ne reste pas figée dans l'état qui était le sien à un moment donné de son histoire, mais que bien au contraire elle évolue et se transforme à tous les niveaux (1).

La conséquence de cette évolution est de donner à chaque catégorie sociale et à chaque groupe le sentiment que sa position actuelle n'est pas appelée à durer, mais au contraire à se modifier dans le sens qu'il aura choisi (2). C'est cette certitude qui explique l'acharnement respectif de ceux qui représentent les forces du passé à se maintenir à leur place (3), et de ceux qui représentent les forces de l'avenir à conquérir celle qui leur revient. Entre ces forces, qui commencent leur mouvement descendant ou achèvent leur mouvement ascendant, se trouvent celles qui ont atteint leur point d'équilibre et qui cherchent à se maintenir le plus longtemps possible en s'appuyant sur les uns ou sur les autres, en menant une politique de division de ses adversaires.

C'est ce que la bourgeoisie est accusée de faire avec la classe ouvrière, en accordant des avantages à certains de ses membres afin de se les attacher et d'affaiblir son adversaire de classe. Ce sont ces transfuges du prolétariat qui fourniraient le gros des troupes réformistes (4).

(1) Certains auteurs privilégient le niveau de la production, réduisant par là, exagérément à notre avis, les dimensions de l'histoire sociale. C'est le cas de Serge Mallet (« La nouvelle classe ouvrière »' p. 29).

(2) Masses et Militants, avertissement au lecteur publié en tête de l'ouvrage de Michel Crozier, *Usines et Syndicats d'Amérique*.

(3) Une telle attitude nous paraît refléter à la foi l'égoïsme et l'absence de confiance en l'avenir de ces catégories sociales. En effet, si l'avenir doit être d'abondance et de bonheur, seul l'égoïsme peut expliquer la réticence des classes les plus favorisées à partager leur situation avec les autres. Cette attitude rappelle celle, décrite par M. Carbonnier (Flexible Droit, p.121), des vieillard attachés à leurs droits subjectifs dont ils redoutent l'amenuisement comparée à celle des jeunes générations dont les espoirs sont tournés vers l'avenir et qui attendent de la collectivité ce que les individus des générations précédentes attendaient d'eux seuls : « (...) l'inquiétude est alimentée par une conception abusivement statique, conservatrice du droit. L'attachement avare aux droits acquis est lié à une économie de rareté ; l'abondance le dilue. Si le vieillard défend plus jalousement les siens que l'adulte au début de la course, c'est parce qu'il sait douloureusement qu'il n'en pourrait acquérir d'autres. Et puis, il y a une sécurité communautaire, qui rend la sécurité individualiste moins indispensable. Droits subjectifs incertains ? La belle affaire, si nous avons la certitude d'une aide sociale illimitée. De ce point de vue, la justice, une justice égalitaire, peut sembler la véritable sécurité. Nous ne nous inquiéterons plus de n'avoir que des droits fugitifs, si nous sentons la possibilité toujours présente de travailler ensemble à en gagner de nouveaux et de plus riches.»

(4) Françoisȷ Billoux, *France Nouvelle* (février 1960), cité dans Serge Mallet, « La nouvelle classe ouvrière », p.67.

Une telle opération de récupération serait facilitée par le fait qu'après avoir perdu sa prépondérance et son unité, la classe ouvrière aurait également perdu, au moins en partie, la conscience de son caractère spécifique et de l'opposition entre le travail manuel et le travail non manuel (1).

Georges Ripert a analysé cette situation dans son ouvrage sur « Les Forces créatrices du droit » (2) où il explique que le prolétariat en raison même de son caractère hétérogène ne peut être uni, et que certains de ses éléments sont liés au système et ne peuvent le renverser sans courir un risque mortel pour eux-mêmes (3), L'auteur complète son analyse par un parallèle entre la division des salariés et celle des possédants où il note que « la force du prolétariat par le nombre et l'union des prolétaires serait prépondérante s'il y avait unité de vue et d'action. Mais il n'en est rien, et les chefs ont beau recommander aux prolétaires de s'unir, les salariés ne sont pas aussi unis que les possédants. Ils le sont même beaucoup moins. Dans les classes possédantes existe au-dessus des oppositions d'intérêts un esprit commun de conservation et de résistance. Le droit en vigueur est la forteresse dans laquelle elles s'abritent. Dans les classes non possédantes, l'esprit commun de conquête ne saurait revêtir une formulation précise, car chaque groupe se préoccupe uniquement des résultats de la conquête pour ses intérêts (4). D'autre part, les prolétaires sont eux-mêmes liés au droit existant par les avantages qu'ils en retirent. Ils savent qu'ils pourraient être gravement blessés dans la chute des situations établies. (...) Malgré l'existence des grandes fédérations, il existe entre les syndicats des divergences d'intérêts. Les réclamations des uns laissent les autres indifférents (4)».

L'hétérogénéité du salariat, les divergences d'intérêts qu'il connaît suffisent déjà à eux seuls pour expliquer la division syndicale. L'apparition d'évènements fortuits et conjoncturels, va aggraver cette division et provoquer des scissions du mouvement syndical dont nous avons étudié le processus.

(1) Georges Friedmann, « Tendances d'aujourd'hui, perspectives de demain », dans *Traité de Sociologie du Travail* publié sous la direction de Georges Friedmann et Pierre Naville (Tome 2, p. 382).

(2) Georges Ripert, *Les forces créatrices du droit* (LGDJ, 1955).

(3) Pierre Lebrun et André Barjonet dans leur article sur le syndicalisme (Encyclopédie Française, Tome 9 ; - cité par Serge Mallet, « La nouvelle classe ouvrière », p.44) écrivaient : « Pour violente qu'elle soit, la lutte des classes ne saurait, sans se nier, aboutir à une explosion qui avec les classes détruirait la société tout entière (...). Dans ces conditions, le dialogue est aussi nécessaire que le conflit ».

(4) Georges Ripert, Les forces créatrices du droit, p.262. La même critique pourrait être faite à l'égard des possédants dont chaque groupe se préoccupe, lui aussi, de préserver d'abord ses propres intérêts et est indifférent au sort du voisin.

SECTION II

SYNDICALISME ET POLITIQUE

Pierre Le Brun écrivait que « c'est parce que rien de ce qui est humain ne leur échappe que les syndicats ont tous une longue tradition de combats politiques au sens le plus élevé de ce terme (1) », mais en même temps la majorité des français estime que les syndicats doivent se limiter à la défense des salariés, sans se préoccuper de transformer la société (2). Ces deux affirmations nous montrent déjà la difficulté du problème que nous abordons et qui est une des causes principales des scissions syndicales françaises et de l'impossibilité où se trouve le syndicalisme français à réaliser son unité.

Ce problème des rapports du syndicalisme et de la politique se pose à deux niveaux, celui des rapports des syndicats avec les partis politiques et celui de leurs rapports avec l'Etat. La tradition française veut que les syndicats *ne fassent pas de politique* et se contentent de défendre les intérêts professionnels des travailleurs. La finalité même du syndicalisme, les impératifs d'une défense efficace des intérêts de leurs mandants, ont rendu inévitable un assouplissement des principes traditionnels, sans que pour autant les syndicats acceptent une quelconque atteinte à leur liberté d'action.

§ 1.– LA TRADITION FRANCAISE : LA CHARTE D'AMIENS

La tradition française est exprimée par la Charte d'Amiens de 1906 qui fut proposée au Congrès de la CGT par Victor Griffuelhes, un des leaders de la tendance révolutionnaire (3).

Depuis le jour où elle a été votée, cette *Charte* a été exploitée par les uns et par les autres. Tronquée, défigurée, elle a servi de justification aussi bien aux partisans du corporatisme qu'à ceux du « syndicalisme courroie de transmission » du Parti Communiste (4). Une telle destinée justifie que nous cherchions à déterminer la portée exacte de ce texte. C'est ce que nous ferons en voyant d'abord dans quelles circonstances elle a été votée, puis en analysant ses termes.

(1) Pierre Le Brun : Syndicalisme et Politique (Témoignage Chrétien, 25 février 1965).

(2) Le Figaro, 28 avril 1970 : Compte-rendu d'un sondage organisé par la SOFRES où il était demandé aux personnes interrogées « estimez-vous que le rôle des syndicats doit se limiter à la défense des salariés, ou bien qu'ils doivent également se préoccuper de la transformation de la société ? » 45% des personnes interrogées avaient répondu que le syndicalisme doit se limiter à la défense des salariés, sans se préoccuper de transformer la société, et seulement 11% avaient dit être sans opinion.

(3) cette motion fut adoptée par 830 voix pour, 8 contre et une abstention : Notes et Etudes Documentaires, L'évolution intérieure de la CGT p. 6 et 7.

(4) La paternité de cette expression est généralement attribuée au dirigeant bolchevick Nicolas Chvernik.

A.– *Le congrès d'Amiens d'octobre 1906*

La CGT tient, du 8 au 16 octobre 1906, son 9ème congrès à Amiens. C'est une organisation jeune et pleine de vitalité (1) qui réunit ses militants pour leur soumettre un certain nombre de questions intéressant la vie de la centrale, en tête desquelles figurent les relations avec le Parti Socialiste et l'antimilitarisme. La motion sur ce dernier point sera votée presque sans débat, mais les difficultés apparurent lorsqu'il s'agit de prendre une décision concernant les rapports de la CGT avec le Parti Socialiste.

La CGT de 1906 était divisée en de nombreuses tendances qui s'opposaient violemment. Sous l'apparente unité de la centrale subsistaient des divisions profondes entre courants difficilement conciliables. Dans la même centrale cohabitaient donc syndicalistes révolutionnaires et réformistes, anarcho-syndicalistes, disciples de Pelloutier et de Jules Guesde. Il y avait une opposition fondamentale, pour ne pas dire irréductible, en particulier entre ces deux dernières tendances. Pelloutier avait toujours insisté, non seulement sur la distinction des partis politiques et des syndicats, mais surtout sur leur antagonisme. Il oppose les hommes politiques « ignorants et routiniers » aux militants ouvriers « hommes d'intuition » et revient sans cesse sur l'opposition des partis et des syndicats (2). Cette opposition se révéla dans le débat sur la neutralité politique du syndicalisme. Pour Guesde, le syndicat doit agir en liaison avec le parti et lui être subordonné. Ce qui compte, c'est la conquête du pouvoir politique, alors que pour Pelloutier il faut remplacer l'Etat par l'association des producteurs.

C'est dans ce contexte idéologique que Victor Renard, guesdiste et secrétaire de la Fédération du Textile, proposa au congrès une motion invitant le Comité Confédéral à s'entendre, toutes les fois que les circonstances l'exigeront, avec le Conseil National du Parti Socialiste, pour faire triompher plus facilement les réformes préconisées par la classe ouvrière (3). La plupart des réformistes, les révolutionnaires et les anarchistes, se sont opposés vigoureusement à cette motion et ont soutenu le texte qui devait devenir la célèbre « charte », qui avait été rédigée sur un coin de table au buffet de la gare d'Amiens. Griffuelhes, secrétaire général de la CGT, à qui Léon Jouhaux succèdera en 1909, en fut le principal rédacteur avec Pouget, Delesalle, Merrheim et Niel, qui mêlent ensemble les sources révolutionnaires et anarchistes de la pensée syndicale.

Pourquoi la motion guesdiste proposée par Renard a-t-elle été repoussée, alors qu'il pouvait paraître raisonnable de préconiser une conjugaison des efforts de la CGT et du Parti Socialiste pour obtenir

(1) La CGT avait 420 000 adhérents à la naissance onze ans plus tôt et ses effectifs ne cessaient de s'accroître.

(2) Fernand Pelloutier : Histoire des Bourses du Travail, p. 54.

(3) Note et Etudes Documentaires, L'évolution intérieure de la CGT, p.6.

aussi rapidement que possible une amélioration du sort de la classe ouvrière ? Cela ne peut être compris que si l'on considère l'histoire du mouvement ouvrier français en le comparant avec celui des pays voisins.

L'année 1864 vit la naissance de l'Association Internationale des Travailleurs (1) dont le comité se réunit pour la première fois à Londres le 5 octobre 1864. Il comprenait vingt et un membres, parmi lesquels on trouvait en majorité des trade-unionistes anglais, des français et Karl Marx. A la fin de l'année, le texte du Pacte Fondamental de l'association était imprimé et diffusé dans le public. Des difficultés apparurent, le texte anglais ayant été rédigé d'après des notes prises par Karl Marx au cours du congrès, alors que les français publièrent un texte qui proclamait bien que « l'émancipation des travailleurs doit être l'œuvre des travailleurs eux-mêmes » mais ajoutant que « l'émancipation économique des travailleurs est le grand but auquel doit être subordonné tout mouvement politique » sans les mots « comme un moyen » qui auraient figuré dans le texte anglais rédigé d'après les notes de Karl Marx (2). Le Conseil Général de l'association réuni à Londres en 1870, adopta un texte définitif des Statuts et Règlements reprenant la lettre du texte anglais de 1864 et précisant que « l'émancipation économique de la classe ouvrière est le grand but auquel tout mouvement politique doit être subordonné comme un moyen (3). » Le conflit qui naquit autour de ce membre de phrase, différemment rédigé et interprété, était beaucoup plus qu'une simple querelle de mots : Il oppose la lutte politique et la lutte sociale, et affirme la primauté de la seconde sur la première, du social sur le politique dont la seule fin est de servir celui-ci. Cette opposition entre la lutte politique et la lutte sociale s'est traduite par la querelle entre marxistes et bakouninistes, entre blanquistes et proudhoniens, et elle domine l'histoire du mouvement ouvrier français qui, depuis son origine, est marqué par le clivage entre l'action politique d'une part, l'action économique et sociale d'autre part.

Le mouvement ouvrier français s'est d'abord organisé sur le plan syndical, puis sur le plan politique. L'unité politique ne s'est faite qu'au début du siècle. Elle était récente et encore fragile au moment

(1) *La Première Internationale,* Recueil de documents publiés sous la direction de Jacques Freymond, Publications de l'Institut Universitaire des Hautes Etudes Internationales, Genève (Librairie Droz, 1962) ; - La Première Internationale :L'institution, l'implantation et le rayonnement, Paris 16-18 novembre 1964, colloques internationaux du CNRS-Sciences Humaines (Editions CNRS, 1968) ; - *Encyclopaedia Universalis,* « Socialisme » (Les internationales).

(2) Nous n'avons pas réussi à trouver le texte anglais, et en sommes réduits à nous fier aux études qui ont été faites sur ce sujet, en particulier à l'ouvrage sur la Première Internationale publié sous la direction de M. Jacques Freymond, qui cite (Tome 1, p.10) le texte parisien de 1864 du Préambule et des Statuts Provisoires de l'Association Internationale des Travailleurs, que nous appelons aujourd'hui la Première Internationale, dont nous citons ici le membre de phrase litigieux : « L'émancipation économique des travailleurs est le grand but auquel doit être subordonné tout mouvement politique ».

(3) Jacques Freymond et autres, *La Première Internationale* (Tome 2, p. 245).

où le mouvement syndical achevait de se constituer et de s'unifier (1). La méfiance d'une partie des syndicalistes français envers les partis politiques se comprend lorsqu'on se replace dans le climat du début du siècle où l'action parlementaire, toute récente, n'avait abouti qu'à des lois, jugées insuffisantes par la classe ouvrière, concernant la protection de la femme et de l'enfant, ou l'obligation d'assurance contre les accidents du travail (2). Des questions comme l'allocation chômage et l'assurance maladie, qui faisaient partie du programme syndical, étaient considérées comme impossible à résoudre par la majorité parlementaire de l'époque. C'est cette inefficacité relative de l'action parlementaire, l'impossibilité de parvenir rapidement par cette voie à l'objectif qu'ils se sont fixé, qui expliquent la méfiance des syndicats français à l'égard des partis politiques.

Cette défiance des syndicats à l'égard des partis politiques est un phénomène typiquement français qu'on ne rencontre pas à l'étranger. En Grande-Bretagne, ce sont les syndicats qui sont à l'origine de la constitution du Parti Travailliste dont ils font organiquement partie. Les syndiqués, quant à eux, sont libres d'adhérer au syndicat et au parti, ou au syndicat seulement. L'osmose entre les syndicats et le Parti Travailliste est telle que lorsque celui-ci est au pouvoir certains chefs syndicalistes accèdent, ès-qualités, à des responsabilités gouvernementales. C'est ainsi que M. Frank Cousins, secrétaire général du TUC, fut ministre de M. Harold Wilson. Aux Etats-Unis, les syndicats ont des comités politiques et ils interviennent dans les campagnes électorales, notamment dans les campagnes présidentielles, et dans la vie politique du pays. Cette intervention est récente. L'AFL est intervenue pour la première fois dans la vie politique en 1924 lorsqu'elle soutint la candidature à la présidence du sénateur Robert La Follette. En 1936, après la scission de 1935, le CIO soutint Franklin Roosevelt et aida à sa réélection. Le CIO créa un comité d'action politique en 1943 et l'AFL fonda en 1947 une ligue du Travail pour l'Education Politique. Depuis la réunification des deux centrales en 1955, ces deux organismes ont été réunis en un Comité d'Education Politique dont le rôle est de faire connaître aux syndiqués les programmes des partis et des candidats aux élections. Il consiste également à prendre

(1) La SFIO est née en 1905 de la fusion de divers partis socialistes (guesdistes, blanquistes, broussistes, jauressistes et allemanistes). La SFIO, Section Française de l'Internationale Ouvrière, était un parti non un syndicat, ce qui peut paraître curieux lorsqu'on sait le rôle important joué par les militants ouvriers français dans la naissance de la Première Internationale. Certains auteurs, tel Pierre Waline (cinquante ans de rapports entre patrons et ouvriers en Allemagne, Tome 1, p.28), estiment que le mouvement ouvrier français, s'est d'abord organisé sur le plan politique, puis sur le plan syndical.

(2) La loi du 9 avril 1898 (JO, 10 avril 1898) « concernant les responsabilités des accidents dont les ouvriers sont victimes dans leur travail », créait en réalité une responsabilité de plein droit à la charge de l'employeur, l'obligation d'assurance n'étant qu'une conséquence voulue et organisée par la loi de cette responsabilité de plein droit.

position en faveur du candidat dont le programme est le plus proche des préoccupations de la centrale (1). Les syndicats américains ne sont pas neutres, ils sont engagés dans la lutte politique, mais ils ne sont liés à aucun parti, bien qu'ils soutiennent en général les démocrates contre les républicains (2).

En Allemagne, le mouvement syndical était divisé, à la fin du siècle dernier, en trois courants principaux, lassallien, libéral-progressiste et marxiste. En 1868, fut fondé le DGB (Deutscher Gewerkschafsbund) de tendance Lassalle (3). De leur côté, les libéraux fondèrent une Fédération Allemande des Unions de Métiers (Verband der deutschen Gewerksvereine). En 1875, au congrès de Gotha, les partis marxiste et lassallien fusionnent, entraînant une fusion des syndicats de même obédience : Le politique l'emportait sur le syndical (4) qu'il avait d'ailleurs précédé dans le combat (5). Actuellement, le DGB compte dans ses rangs des adhérents appartenant aux deux grandes familles politiques allemandes, la social-démocratie et la démocratie-chrétienne. Cette situation lui interdit de se lier ouvertement avec un parti, mais ne l'empêche pas d'avoir plus d'affinités avec le SPD qu'avec la CDU. En Allemagne aussi, indépendance ne signifie pas neutralité politique. Mais la Charte d'Amiens signifie-t-elle vraiment que le syndicalisme doit être politiquement neutre?

B.– *Le sens de la Charte d'Amiens*

Une fois décidé et reconnu le principe de la lutte des classes, la charte en définit le but et les moyens d'action. Le but de la lutte des classes, c'est la disparition du salariat et du patronat. Le seul moyen d'action reconnu, c'est la grève générale, les militants syndicaux étant libres de participer, outre le combat syndical, à toute forme de lutte correspondant à leurs conceptions philisophiques ou politiques, étant entendu qu'ils ne devront pas introduire dans le syndicat les opinions qu'ils professent au dehors.

(1) Michel Crozier (*Usines et syndicats d'Amérique,* pp. 172 sq.) explique que les comités électoraux des syndicats (à l'époque, 1951, la fusion AFL-CIO n'était pas réalisée) « n'ont rien de commun avec le Labour Representation Committee qui précéda le Labour Party anglais. Ils ne se proposent pas de faire élire au congrès des représentants ouvriers, mais de faire voter les électeurs ouvriers pour des candidats libéraux ».

(2) Il s'agit là d'une attitude générale du syndicalisme américain, mais il ne faut pas en déduire qu'il soutient par principe toujours, les démocrates. Le pragmatisme anglo-saxon se fait sentir dans ce domaine. Les syndicalistes américains accordent leur soutien aux candidats dont le programme est le plus proche de leurs préoccupations, à ceux que Michel Crozier appelle les candidats libéraux.

(3) Lassalle avait fondé l'Association Générale des Ouvriers Allemands en 1863.

(4) Léon Blum, « L'autonomie syndicale », (*Le Populaire,* 7 août 1946).

(5) Pierre Waline, *Cinquante ans de rapports entre patrons et ouvriers en Allemagne* (Tome 1, p.28).

La neutralité politique préconisée par la Charte d'Amiens doit être interprétée dans un sens large. Elle n'exclut pas l'action politique. D'ailleurs, la situation faite aux syndicats dès 1914 ne pouvait pas les inciter à rester en dehors de l'action politique. A une époque où le Droit du Travail se transformait grâce à l'action des pouvoirs publics, à une époque où les fonctionnaires, de plus en plus nombreux, étaient syndiqués où l'Etat devenait *patron*, le syndicalisme ne pouvait pas ignorer les rapports nécessaires avec la politique.

Cette résolution signifie que les syndicalistes n'ont pas à recevoir de directives d'un parti politique, même ouvrier, étant entendu que syndicats et partis ouvriers poursuivent le même but, c'est-à-dire la transformation de la société capitaliste et bourgeoise en société socialiste ou communiste. Pour réaliser cette transformation, les syndicats ne peuvent pas ignorer la politique. Mais, tenir compte du fait politique n'interdit pas aux syndicats de rester indépendants à l'égard des partis politiques. C'est cette indépendance que consacre la Charte d'Amiens : Indépendance vis-à-vis du Parti Socialiste, et également vis-à-vis des anarchistes (1).

La Charte d'Amiens n'est pas apolitique, elle ne prône pas la neutralité politique, c'est au contraire un document essentiellement politique qui, en affirmant l'indépendance politique du syndicalisme, fait déjà œuvre politique. Le rôle politique du syndicalisme, son indépendance nécessaire à l'égard des partis politiques, transparaissent à chaque ligne du texte et c'est en partie sur cette question de l'indépendance politique du syndicalisme que se sont cristallisés les conflits internes de la CGT, que celle-ci a connu les scissions que nous étudions et que les périodes de réunification ont été marquées par des rivalités de tendances et par l'action souterraine des factions.

Les difficultés rencontrées dans l'application des principes posés par la Charte d'Amiens tiennent essentiellement au fait que c'est un document qui réalise un compromis entre les diverses tendances qui se partageaient la CGT en 1906. C'est son caractère de compromis qui explique qu'elle a été votée à une très forte majorité (2), sans trop de difficultés.

Par delà les idéologies politiques, elle tente de préciser les aspirations du syndicalisme révolutionnaire qui va désormais dominer la CGT. Pour ce faire, elle va tenter de concilier les tendances divergentes des anarcho-syndicalistes, des marxistes et des réformistes. Anarcho-syndicalistes et syndicalistes révolutionnaires se retrouvaient dans leur méfiance commune vis-à-vis du pouvoir étatique, et donc dans le refus d'un réformisme qui se définit par une action politique sur le pouvoir. Comme il fallait se concilier les réformistes, la Charte admet que le militant syndical complète son combat par une lutte politique au sein d'un parti dont les objectifs sont proches de ceux du syndicat, à condition de bien distinguer ses deux activités militantes. La Charte comprend également des emprunts au marxisme :

(1) « Les partis et les sectes » dans le texte de la Charte.
(2) 830 voix pour, 8 contre, 1 absention.

Elle reconnaît la lutte des classes et donne la priorité à l'action économique, au risque de s'aliéner les anarcho-syndicalistes qui, de leur côté, prônent l'action individuelle et donnent la priorité au combat des idées.

La Charte d'Amiens, document de circonstance, est un peu comme l'auberge espagnole : Chacun y trouve ce qu'il veut bien y apporter. Cela explique qu'elle ait pu être appropriée par tant de tendances fondamentalement opposées qui n'ont voulu en retenir que ce qui leur convenait.

§ 2.– ASSOUPLISSEMENT DES PRINCIPES TRADITIONNELS

En fait, la Charte d'Amien n'a pas été appliquée dans toute sa rigueur. Si les syndicalistes ont maintenu farouchement le principe de l'indépendance politique du mouvement syndical, ils ont, pour des raisons d'efficacité, accepté de participer à la vie du pays, sans pour autant consentir à une quelconque atteinte à leur indépendance. Une telle évolution a permis à certains de se demander s'il ne faudrait pas réviser cette fameuse Charte d'Amiens.

A.– *Pourquoi cet assouplissement des principes traditionnels ?*

Les syndicats ont accepté de ne pas ignorer les partis et l'Etat, et de participer à la vie politique, car ils se sont rendu compte qu'il est illusoire de vouloir transformer la société en ignorant le phénomène politique, alors que l'économique, le politique et le social sont intimement liés et que l'action syndicale ne peut se suffire à elle seule.

1) L'économique, le politique et le social sont intimement liés

La Charte d'Amiens a été élaborée dans les derniers temps de la « période héroïque » du syndicalisme, pendant laquelle les chefs syndicalistes, soucieux de ne pas sortir de la lutte ouvrière, gardèrent leurs distances à l'égard des partis politiques. Au fur et à mesure de l'évolution économique, alors que, de nos jours et dès l'entre-deux guerres, le capitalisme monopolistique a remplacé le capitalisme de petites unités d'autrefois, obligeant le syndicalisme lui-même à se concentrer et à se structurer, à une époque où l'Etat est plus puissant que jamais et intervient de plus en plus dans la vie économique et sociale, l'économique, le politique et le social sont intimement liés et ne peuvent être séparés l'un de l'autre. Par la force des choses, l'action syndicale a trois dimensions, économique, politique et sociale.

Comme l'a très justement souligné André Jeanson, en raison même de l'évolution économique, le « vieux problème du syndicalisme et de la politique se pose », de nos jours, « dans des termes très différents du passé », car « les problèmes économiques et sociaux, domaine spécifique de l'action syndicale, sont de plus en plus intégrés dans la politique tout court, parce qu'ils trouvent plus ou moins totalement leur solution dans une décision du pouvoir politique, et il y a là une évolution irréversible quelles que soient la nature ou l'idéologie de ce pouvoir politique (1) ».

Les syndicalistes ne peuvent pas prétendre transformer la société en ignorant l'Etat. Certes, il ne s'agit pas pour le syndicalisme de s'intégrer dans l'Etat, mais simplement de tenir compte de son existence, en raison même des pouvoirs qu'il détient dans le système économique actuel (2), et de ce qu'il est souvent lui-même patron (secteur public et nationalisé).

C'est donc pour agir efficacement en vue de la réalisation de l'objectif qu'ils se sont fixé que les syndicats ont décidé, compte tenu de l'interpénétration de l'économique, du politique et du social, d'entrer dans la lutte politique, tout en veillant à préserver leur indépendance. C'est dans cet esprit que la CGT a lancé son opération de débats-consultations dans les entreprises sur la fidélité au Programme Commun (3) et que la CGT et la CFDT rencontrent les partis de gauche, en particulier le PS et le PCF (4).

Les juristes eux-mêmes reconnaissent d'ailleurs pour la plupart qu'il n'est pas possible de distinguer d'une manière rigide (5) l'action syndicale de l'action politique, car elles sont intimement liées. C'est ce qu'explique, par exemple, Georges Ripert après avoir souligné que dès qu'on a reconnu au mouvement syndical le droit de s'organiser, il était inéluctable qu'il prenne en main la défense « globale » de la classe ouvrière (6).

2) *L'action syndicale ne se suffit pas à elle-même*

Cet assouplissement des principes traditionnels a été facilité lorsque les syndicalistes, ayant réalisé qu'ils constituent une force, ont compris que le syndicalisme n'a pas de réponse à tout et qu'il ne peut pas atteindre seul ses objectifs. Grâce à leur nombre, à l'efficacité de leurs mouvements revendicatifs et aux conquêtes qu'ils ont réussi à arracher, les syndicalistes ont pris conscience de ce que le syndicalisme constitue une force avec laquelle l'Etat et les patrons doivent compter, et qu'ils sont décidés à utiliser au mieux des intérêts de la classe ouvrière (7).

(1) *Le Figaro,* 7 novembre 1969.
(2) Henri Krasucki, cité dans *Le Figaro,* 6 octobre 1969.
(3) *Le Figaro,* 19 octobre 1977 ; - *Le Monde,* 20 octobre 1977.
(4) *Le Figaro,* 24 octobre 1977 ; - *Le Monde,* 25 et 26 octobre 1977 ; - J'informe, 26 octobre 1977. - Sur la position de la CFDT, voir Document établi en 1974-1975 pour les étudiants du CELSA : rapport général du 37ème congrès (Annecy, mai 1976), p.19 et 57.
(5) On trouvera un exemple de la distinction rigide classique entre syndicalisme et politique dans le Rapport National Suisse (p.13) présenté par Robert Laissue au 5ème congrès international de Droit du Travail et de la Sécurité Sociale, (Lyon, 18-22 septembre 1963).
(6) Georges Ripert, *Les forces créatrices du droit* (p.259).
(7) *Le Monde,* 20 octobre 1962 : Rapport présenté par Jean Maire, secrétaire général au congrès de la Fédération CFTC de la Métallurgie.

Une telle attitude est non seulement nécessaire, pour préserver la place du syndicalisme dans notre société, elle constitue même un devoir pour ceux qui participent au mouvement syndical car « le syndicat manquerait à son rôle s'il ne donnait pas des éléments de formation politique, à partir des intérêts dont il a la charge. L'éducation politique donnée par le syndicat doit aider à dépasser le point de vue syndical (1) », car le syndicalisme n'a pas à lui seul réponse à tout.

S'il constitue une force avec laquelle les pouvoirs publics et le patronat doivent compter, le syndicalisme ne peut apporter à lui seul une réponse à tous les problèmes qui se posent dans notre société. Il a une mission bien précise, qui est de défendre les intérêts de ses mandants et d'aider à la transformation de la socité. Mais, pour réaliser cet objectif, il doit compter sur l'appui des partis politiques dont les finalités sont proches des siennes, et, dans cet esprit, il est souhaitable que les militants syndicalistes soient également des militants politiques afin de compléter la lutte syndicale par la lutte politique, ces deux luttes étant complémentaires et tendant au même but, sans se situer au même niveau (2).

Eugène Descamps conseillait aux militants syndicalistes de militer également dans les partis de gauche rendant aux partis politiques le plus bel hommage qu'un militant syndicaliste puisse leur rendre, et donnant de l'indépendance du mouvement syndical une interprétation identique à celle formulée par Léon Jouhaux lorsqu'il expliquait le sens et la portée de la Charte d'Amiens (3).

Cette prise de conscience par le syndicalisme de la nécessité de replacer la lutte syndicale dans la société globale a été analysée et décrite par Alain Touraine et Bernard Mottez dans une étude qu'ils ont consacrée à la présentation des rapports entre la classe ouvrière et la société globale, et où ils montraient que « le travail mécanisé, le niveau et la forme des salaires, les méthodes d'organisation et de gestion des entreprises définissent une situation de travail et permettent d'analyser les attitudes et l'action ouvrières. Mais celles-ci ne s'expliquent pas seulement par les conditions de travail, d'emploi, de rémunération ou de commandement, elles dépendent aussi des caractères de la société considérée dans son ensemble et de la place qu'y occupe la classe ouvrière, de ses rapports avec d'autres catégories sociales, de son degré de participation au pouvoir politique (4). »

(1) Alain Heckel, « Les syndicats et la politique » (*Revue d'action populaire,* 1959, p.27 sq.).

(2) Interview donnée par Eugène Descamps à Syndicalisme (avril 1971) ; également rapportée dans *Le Monde,* 1er avril 1971.

(3) « Elle a situé le mouvement syndical en face des partis politiques, elle ne l'a pas dressé contre ces partis, mais elle a signifié à ceux-ci que s'ils ont une besogne de transformation à réaliser, ils l'ont sur un plan particulier qui n'est pas le plan des organisations syndicales », Intervention de Léon Jouhaux au congrès de Lille, p. 281.

(4) Alain Touraine et Bernard Mottez, « Classe ouvrière et société globale » dans *Le Traité de Sociologie du Travail* (Tome 2, p.235) publié sous la direction de Georges Friedmann et Pierre Naville (Armand Colin, 1965).

Ayant pris conscience de la spécificité de sa mission et de son impuissance à réaliser seul ses objectifs, le syndicalisme a tout naturellement fait appel aux partis politiques pour réaliser avec eux la transformation de la société.

Quant une centrale syndicale, au nom des intérêts des travailleurs tels qu'elle les conçoit, oppose aux pouvoirs en place des perspectives d'une société nouvelle arrachée aux impératifs de l'argent, du profit et de la rentabilité, construite sur une organisation de l'économie qui donne la priorité à la satisfaction des besoins collectifs et à ceux des plus défavorisés, ce qui est un objectif purement syndical, elle jette en même temps les bases d'une politique globale qui exige, pour être réalisée l'intervention des pouvoirs publics et rend donc nécessaire la conquête du pouvoir politique par les forces politiques dont l'objectif est identique à celui du syndicat (1). Partis et syndicats ont chacun une mission particulière à remplir. Ces missions sont complémentaires, mais aucune ne peut se substituer à l'autre (2).

B.– *Les syndicats participent à la vie du pays*

En acceptant l'union sacrée, en acceptant de soutenir l'effort de guerre contre l'Allemagne, la CGT a abandonné dès 1914 une partie importante des principes du syndicalisme révolutionnaire dont certains ont repris le flambeau, qui tiendront la conférence de Zimmerwald dont nous aurons l'occasion de reparler. Cette atteinte aux principes posés par la Charte d'Amiens a été consacrée par le préambule des nouveaux statuts de la CGT adoptés au congrès d'unification de Toulouse et se manifeste par une participation de plus en plus grande aux activités de l'Etat.

1) Le congrès d'unification de Toulouse

La CGT et la CGTU se rapprochèrent à l'occasion du Front Populaire et décidèrent de tenir un congrès d'unification à Toulouse en 1936. Au cours de ce congrès une motion unanime fut adoptée marquant, par delà les divergences de vue, une volonté commune d'entente (2).

Le congrès de Toulouse réaffirme l'indépendance du syndicalisme telle qu'elle avait été formulée à Amiens en 1906, mais il ajoute deux idées nouvelles quant à la conception des rapports des syndicats avec les partis politiques et d'autres groupements extérieurs, qui sont autant d'atteintes aux principes de la Charte d'Amiens :

(1) Allocution d'André Jeanson au 34ème congrès de la CFDT tenu en novembre 1967.

(2) *Notes et Etudes Documentaires,* « L'évolution intérieure de la CGT » (p.15 et 16).

D'une part, la possibilité pour les syndicats de répondre à un appel que ces partis ou groupements leur lanceraient en vue d'une action déterminée, d'autre part, celle de prendre l'initiative d'un tel rapprochement pour une collaboration momentanée. On retrouve dans cette dernière possibilité l'idée consacrée par la Charte d'Amiens, pour qui le syndicat devait jouer un rôle moteur dans la lutte pour l'émancipation de la classe ouvrière et la transformation de la société.

Le congrès de Toulouse reprend la condamnation des fractions, que les communistes acceptèrent au nom de l'unité. Il reprend également dans l'article 10 des statuts la prohibition du cumul des mandats syndicaux et politiques (1). Mais Benoît Frachon, Gaston Monmousseau et Julien Racamond ne s'inclinent qu'en apparence. Ils conservent officieusement leur poste au Bureau Politique du PC. On ne tarda pas à le savoir, de telle sorte qu'au congrès tenu à Paris en 1945, Robert Bothereau, futur successeur de Léon Jouhaux à la tête de la tendance réformiste, demandera la suppression de cette règle non respectée (2).

2) Modalités de la participation syndicale

La participation syndicale à la vie politique se fait selon des modalités diverses qui vont du soutien à la politique d'union nationale pendant la première guerre à la constitution d'un Front Populaire ou à la participation à des organismes consultatifs officiels.

Dès 1921, la CGT, débarrassée des éléments unitaires, renonça à tenir pour négligeable l'action parlementaire et, ayant opté pour une politique de présence, décida de prendre contact avec les députés susceptibles de soutenir et de faire voter de nouvelles lois sociales. En mars 1924, quelques mois avant les élections législatives qui donneront la victoire au Cartel des Gauches, elle présente un Programme Minimum qui contient en particulier la demande de création des assurances sociales, la nationalisation des monopoles et l'institution d'un Conseil Economique du Travail, pour lequel elle demande « un pouvoir véritable de délibération et une part aux décisions sur tous les grands problèmes de politique économique qui dominent et conditionnent la vie de la Nation ».

Après sa réunification, la CGT va constituer un Front Populaire avec la SFIO, le Parti Communiste, le Parti Radical, la Ligue des Droits de l'Homme et un certain nombre d'autres organisations

(1) Article 10 des statuts de 1936 : « Les membres du Bureau Confédéral ne pourront faire acte de candidature à une fonction politique, ni appartenir aux organismes directeurs d'un parti politique. Leur acte de candidature aux fonctions définies ci-dessus, même non rétribuées, entraînera ipso facto leur démission du bureau confédéral ».

(2) Article 10 des statuts de 1945 : « Les incompatibilités des mandants syndicaux et politiques ne portent plus que sur les mandats politiques proprement dits, à l'exclusion de l'appartenance au comité directeur d'un parti politique ».

de gauche. Elle ne participe pas officiellement à la campagne électorale de mai 1936, mais ses militants soutiennent activement les candidats du Front Populaire qui, de leur côté, défendent le *plan* de la CGT, qui deviendra pour partie le programme du gouvernement de Léon Blum. Cette méthode a permis d'obtenir des résultats spectaculaires, mais au prix d'une trahison de la Charte d'Amiens, en acceptant de soumettre l'action syndicale à l'action parlementaire et de ne pas aller jusqu'au bout dans la voie révolutionnaire (1). L'idée d'un Front Populaire rénové n'est pas absente des tentatives faites par certains syndicalistes et hommes politiques actuels de créer une structure centralisée des *forces de gauche* en France, sur le plan politique et sur le plan syndical. Le résultat escompté n'a pas encore été obtenu, mais l'objectif n'est pas perdu de vue.

Les syndicats participent à la vie publique du pays par leur présence au sein de nombreux organismes consultatifs, comme le Conseil Economique et Social mais ils ne participent pas à des organismes de prise de décision. Le projet de réforme du Sénat soumis à référendum en avril 1969 a rencontré l'hostilité des syndicats qui refusaient, au nom de l'indépendance du syndicalisme et de son rôle spécifique de défense des intérêts des salariés, de participer à un organe de l'Etat. Ce projet prévoyait en effet la fusion dans un Sénat *rénové* de l'ancien Sénat et du Conseil Economique et Social au sein duquel les organisations syndicales représentatives sont représentées (2). Les syndicats voyaient difficilement comment ils pourraient concilier les inconciliables, c'est-à-dire la revendication et la contestation d'une part, la participation active et directe à l'action législative d'autre part.

C.– *L'indépendance du syndicalisme est un impératif primordial*

Les syndicalistes n'ont accepté de *se commettre avec la politique* qu'à la condition expresse de préserver leur indépendance à l'égard des partis et de l'Etat, afin de rester ainsi fidèles à la mission particulière du syndicalisme.

1) *Indépendance du syndicalisme à l'égard des partis et de l'Etat*

La Charte d'Amiens comprenait en filigrane la prohibition du cumul par les dirigeants syndicaux de mandats politiques. Elle donnait la primauté à l'action syndicale sur l'action politique, et ne considérait la lutte politique que comme un complément utile mais non indispensable de la lutte syndicale, et dont les activités ne devaient en aucune manière interférer avec celles du syndicat. La pro-

(1) Armand Capocci (« L'avenir du syndicalisme », p.124) rappelle la fameuse déclaration de Maurice Thorez : « Il faut savoir terminer une grève, dès lors que les revendications essentielles ont été satisfaites ».

(2) Des syndicalistes ont même présidé le Conseil Economique et Social, ainsi Léon Jouhaux en 1947 et Gabriel Ventejol qui a succédé à Emile Roche.

hibition du cumul fut expressément inscrite dans la Charte d'unité de 1936, mais elle fut partiellement abandonnée par la CGT en 1945, à la demande de Robert Bothereau, afin de tenir compte de ce qu'en réalité de nombreux dirigeants de la CGT étaient membres du Bureau Politique du Parti Communiste, et de mettre ainsi le droit en harmonie avec les faits (1). Cette réforme statutaire de 1945 montre combien les textes n'ont aucune efficacité contre la volonté déterminée de quelques-uns puisque, faute de faire respecter un principe on préfère l'abandonner (2). Ce n'est pas le droit qui modèle la réalité, mais c'est la réalité qui modèle le droit qui n'est plus que le reflet de ce qui est au lieu d'indiquer ce qui doit être.

Alors que la CGT encore unie renonçait pour partie à l'interdiction du cumul des mandats politiques et syndicaux, le Comité National de la CFTC votait en février 1946 une *Résolution sur Syndicalisme et Politique* interdisant le cumul des mandats politiques et syndicaux, où la volonté de préserver l'indépendance du syndicalisme apparaît comme une idée directrice (3). Cette interdiction était très large, trop large même pour certains, puisqu'elle allait jusqu'à interdire aux dirigeants confédéraux, tout mandat politique même local, à le déconseiller vigoureusement pour les autres et à décider que tout candidat aux élections prochaines devra se démettre de ses mandats syndicaux dès l'ouverture de la campagne électorale. Une position aussi intransigeante provoqua quelques remous.

Le XXIIème congrès de la CFTC réuni en juin 1946 trancha la question en adoptant, par 4006 mandats contre 1255, une motion interdisant le cumul à l'échelon confédéral (4), mais laissant, par souci d'autonomie, les organismes confédérés (fédérations, unions, syndicats) prendre, chacun en ce qui les concerne, les décisions qu'ils jugeraient utiles pour garantir l'indépendance du syndicalisme.

Quelle était la signification de cette décision du congrès de la CFTC ? Dans deux articles parus dans Syndicalisme, Jacques Tessier a très clairement expliqué que cette motion ne marquait aucune défiance de la CFTC à l'égard d'un quelconque parti politique, mais seulement la volonté d'assurer l'indépendance totale du mouvement syndical, à seule fin de lui permettre de remplir efficacement la mission qui est la sienne (5).

(1) En Italie, l'incompatibilité entre les fonctions syndicales et politiques a été décidée par la CGIL en 1969 (Les syndicats italiens, Notes et Etudes Documentaires, 1974, p. 20).

(2) Cette attitude fut celle des constituants de 1946 qui n'instaurèrent qu'un semblant de contrôle de la constitutionnalité des lois, le comité constitutionnel ayant seulement pour mission, lorsqu'une loi était incompatible avec la constitution, de constater la nécessité de réviser celle-ci.

(3) Gérard Adam, *La CFTC* (Thèse 3ème cycle, FNSP, 1964).

(4) L'interdiction portait sur les mandats de député ou de conseiller général, et sur les fonctions de direction, à l'échelon national ou départemental, dans un parti politique.

(5) *Syndicalisme,* 11 et 18 septembre 1946 : Syndicalisme et politique d'inspiration chrétienne.

La justification qui est ainsi donnée de l'interdiction du cumul des mandats politiques et syndicaux a une certaine force de conviction et une logique indiscutable, bien qu'elle exprime une conception, dissociant l'intérêt de la classe ouvrière de l'intérêt général, qui peut paraître curieuse sous la plume d'un syndicaliste ouvrier, si l'on oublie qu'il s'agit d'un syndicaliste chrétien qui fera partie plus tard des partisans irréductibles du maintien de la référence chrétienne dans le titre et les statuts de la CFTC. Un dirigeant de la CGT, de la CGT-FO ou de la CFDT n'aurait certainement pas mis au nombre des arguments à l'appui de l'interdiction du cumul des mandats le fait que les partis politiques doivent, pour assurer la défense de l'intérêt général, concilier les intérêts divergents de la classe ouvrière et des autres catégories sociales, parmi lesquelles la *bourgeoisie* (1), alors que les syndicats défendent les intérêts des seuls ouvriers, qui ne se confondent pas avec l'intérêt général.

Malgré cette différence fondamentale, les syndicalistes modérés sont d'accord avec leurs camarades pour dire qu'il faut éviter l'existence de liens entre les syndicats et les partis qui puissent faire croire à un noyautage réciproque des uns par les autres. C'est la raison pour laquelle, par exemple, en 1947, Oreste Capocci, secrétaire général de la Fédération CGT des Employés, a décidé de démissionner du Comité Directeur du Parti Socialiste, afin d'éviter que sa présence simultanée à Force Ouvrière et à la SFIO puisse être interprêtée par les communistes comme une tentative de noyautage politique de cette tendance par le Parti Socialiste. C'est également la raison pour laquelle Eugène Descamps a attendu d'avoir quitté son poste de secrétaire général de la CFDT pour annoncer son intention, tout en restant militant syndicaliste, d'adhérer au Parti Socialiste.

Mais, cette distinction rigoureuse entre l'activité syndicale et l'activité politique résiste-t-elle aux impératifs de la vie quotidienne ? Est-il possible et même souhaitable, à l'heure actuelle, de distinguer aussi rigoureusement les activités syndicales et les activités politiques ? Il est permis de se demander si ce n'est pas là une hypocrisie et si la simple honnêteté ne commande pas d'abandonner une règle qui ne résiste pas aux réalités. C'est ce qu'a très bien expliqué, à l'occasion du départ d'Eugène Descamps du secrétariat général de la CFDT et de l'annonce par celui-ci qu'il comptait dorénavant militer au Parti Socialiste, Hervé Le Toquin, secrétaire général du syndicat CFDT de la Caisse des Dépôts et membre du secrétariat de la Fédération de Seine-Saint-Denis du PSU, pour qui il est hypocrite de vouloir séparer syndicalisme et politique (2).

(1) Le terme bourgeoisie, qui a eu un sens précis au Moyen Age et sous l'Ancien Régime, nous parait avoir perdu en grande partie sa signification, pour ne conserver qu'une valeur affective et polémique qui explique, sans la justifier, sa bonne ou mauvaise fortune actuelle.

(2) *Le Monde,* 29 septembre 1971.

Il semble en effet que sont bien utopistes (hypocrites ?) ceux qui veulent à tout prix séparer nettement l'action politique et l'action syndicale, et qui croient qu'il suffit, pour préserver ce principe, d'interdire le cumul des mandats politiques et des mandats syndicaux. C'est là une illusion dont s'était rendu compte Robert Bothereau lorsqu'il demanda en 1945 de supprimer des statuts de la CGT cette incompatibilité, en ce qui concerne l'appartenance aux organes directeurs d'un parti politique, afin de tenir justement compte du fait que les dirigeants de la tendance unitaire appartenaient tous au Bureau Politique du Parti Communiste, et qu'il n'était pas possible de les en empêcher.

Si l'interdiction du cumul des mandats politiques et syndicaux paraît en définitive un moyen bien illusoire de préserver l'indépendance du syndicalisme, lequel peut sans trop de dommage y renoncer, il reste certain que le mouvement syndical ne peut en aucune manière et sous quelque forme que ce soit participer aux organes de décision de l'Etat. C'est ce refus qui explique l'hostilité unanime du mouvement syndical français au projet de fusion du Sénat et du Conseil Economique et Social dans un Sénat rénové que le Général de Gaulle soumit au référendum en avril 1969.

La CGT-FO, qui est celle des confédérations françaises qui fait sans doute le plus souvent appel à la Charte d'Amiens, s'est vigoureusement opposée à ce projet et a refusé que les syndicalistes siègent dans une assemblée mixte, mi-politique mi-syndicale, où ils feraient difficilement entendre leur voix, et qui, bien qu'elle ne soit en fait qu'une chambre de réflexion sans pouvoir réel, risquerait de les intégrer à l'Etat et de faire perdre au syndicalisme sa raison d'être.

André Bergeron, secrétaire général de la CGT-FO, a exposé au Xème congrès de cette confédération pourquoi, à ses yeux, les syndicalistes ne pouvaient pas accepter la réforme qui leur était proposée (1). L'exposé d'André Bergeron est dans la droite ligne de la doctrine de la CGT-FO qui croit pouvoir distinguer l'économique du politique, le syndicaliste du citoyen, alors que nous avons vu combien une telle distinction est illusoire. Il n'empêche que malgré un certain irréalisme utopique qui doit être souligné, cet exposé est fidèle à l'orthodoxie syndicale, ce qui explique que le congrès ait décidé de voter une motion dans le sens indiqué par M. Bergeron, alors que la CGT-FO est divisée en nombreuses tendances opposées, des réformistes modérés aux authentiques révolutionnaires (2).

Il s'agit en définitive pour le syndicalisme de savoir *jusqu'où il peut aller trop loin* et de bien délimiter la participation qui n'aliène pas sa liberté et celle qui risque de lui faire perdre sa raison d'être (3). En définitive, le rôle du syndicat dans notre type de société se-

(1) *Le Monde,* 17 mars 1969.
(2) *Le Figaro,* 22-23 mars 1969.
(3) André Bergeron « Responsabilité syndicale et responsabilité du citoyen » (*Le Populaire,* 14 mai 1969).

rait un peu comparable à celui de l'avocat dans notre organisation judicaire. Comme l'avocat, le syndicat défend ses *clients* devant ceux qui possèdent le pouvoir de décision, que ce soit l'Etat, le patron ou le Tribunal. Pour que le syndiqué ait confiance en son syndicat, pour que le client ait confiance en son avocat, il faut qu'ils aient la certitude de son indépendance, qu'il ne puisse pas y avoir de confusion entre ceux qui défendent et ceux qui décident. Ils ont une mission spécifique à remplir qui doit être respectée.

2) Respect de la mission spécifique du syndicalisme

Comment respecter le caractère spécifique que chacun se plaît à reconnaître à l'action syndicale ? En lui reconnaissant le droit d'agir politiquement, puisque cela est nécessaire dans le monde actuel, mais à condition qu'il ne perde pas son rôle de contestation et de revendication pour s'intégrer au système et en devenir un simple rouage dépourvu d'indépendance et d'autorité. Les syndicalistes ont pris conscience de l'aspect politique de l'action syndicale, et aujourd'hui la nécessité de l'action politique du syndicalisme est reconnue (1).

C'est la constatation d'une situation de fait dans notre société industrielle : Les revendications et les prises de position syndicales ont une portée politique indiscutable. Dans une économie complexe et fragile comme la nôtre, toute grève, tout mouvement social un tant soit peu important, a immédiatement une résonance dans l'opinion publique et une répercussion sur l'équilibre économique, qui obligent les pouvoirs publics à prendre position. Un conflit apparemment purement économique ou social prend rapidement une dimension politique. Au siècle dernier, l'affaire LIP, les difficultés des entreprises de chaussures de Romans, des Tanneries d'Annonay et de Titan-Coder, de Dubigeon-Normandie et Montefibre-France, auraient pu passer pour de simples conflits du travail, mais de nos jours, par la volonté de certains, par l'audience de ces mouvements dans une opinion publique sensible aux problèmes de l'emploi, en raison de l'intervention des pouvoirs publics, ces conflits ont pris un aspect politique qu'ils n'auraient pas eu dans un autre contexte historique. De même, lorsqu'un syndicat déclenche une grève dans le secteur public ou dans une entreprise nationalisée, il fait œuvre politique, et volontairement. Il sait que le secteur dans lequel il déclenche son mouvement de revendication est un secteur test et que les conquêtes qui seront faites seront étendues progressivement, par voie de conventions collectives, puis par voie législative, à l'ensemble des salariés du pays. C'est ainsi que les accords Renault sur les congés payés ont joué un rôle considérable dans ce domaine.

(1) Eugène Descamps, « Le rôle politique due syndicalisme » (*Tribune Socialiste,* 19 octobre 1967). Appel de la CGT en faveur du Programme Commun (*Le Figaro,* 19 octobre 1977 ; *Le Monde,* 20 octobre 1977). - Action de la CFDT en faveur de l'Union de la Gauche (*Le Figaro,* 25 octobre 1977 ; *Le Monde,* 25 et 26 octobre 1977 ; *J'informe,* 26 octobre 1977).

Afin de réaliser leur idéal et de permettre l'avènement de la société socialiste qu'ils espèrent, les syndicats doivent donc agir politiquement et conjuguer leurs efforts avec les partis politiques dont les perspectives sont proches des leurs, c'est-à-dire avec les partis dits de gauche. C'est tout particulièrement la position de la CFDT pour qui « Il appartient au mouvement syndical d'ouvrir avec les partis politiques se réclamant du socialisme, un débat dont pourra sortir un constat de convergence capable de rassembler et de mobiliser l'ensemble des forces populaires sur des objectifs de transformation conduisant au socialisme (1) ».

Comment définir la place qui doit être celle du syndicalisme dans notre société ? Un essai de définition a été fait en novembre 1940 par le Comité d'Etudes Economiques et Syndicales (2) qui publia un manifeste éloquent à cet égard (3). Le syndicalisme a un rôle de contestation qui lui interdit de se substituer aux partis politiques et de se laisser absorber par eux, mais qui lui fait un devoir d'éclairer et d'informer ses militants pour qu'ils ne risquent pas de prendre sur le plan politique des options en contradiction avec leurs intérêts et avec le combat syndical qu'ils mènent dans leur vie professionnelle. En définitive, la place du syndicalisme est celle d'un groupe de pression.

Le rôle de contestation du syndicalisme a été souligné avec beaucoup de netteté par des hommes aux orientations aussi différentes que Gilbert Declercq et Roger Louët. Pour Gilbert Declercq « la vocation d'un syndicat, c'est de porter la revendication et non de prendre le pouvoir. La vocation d'un parti, c'est essentiellement de participer à la direction des affaires publiques. Le vrai problème syndicats-partis, n'est pas celui qu'auront dans leur parti ou leur syndicat les militants ouvriers, le vrai problème est celui de l'autonomie de la lutte syndicale (4) ». Pour Roger Louët « dans toute démocratie, quelles que soient les formations politiques au pouvoir, le syndicalisme doit conserver intacts son droit et sa liberté de contestation et de revendication. Défenseur des travailleurs, il ne saurait, sans risque grave (y compris celui de voir naître un nouveau syndicalisme pour s'opposer à lui) se substituer aux groupements politiques qui représentent les citoyens dans leur ensemble. Ceci n'exclut pas, bien sûr, que nous ayons des sympathies plus marquées pour telle ou telle formation politique, mais notre indépendance demeure (5) ».

(1) *Le Monde,* 29 janvier 1974 : Résolution du Conseil National de la CFDT.

(2) Ce comité, clandestin, comprenait 12 membres : 9 CGT (Capocci, Chevalière, Gazier, Jaccoud, Lacoste, Neumeyer, Pineau, Saillant et Vandeputte) et 3 CFTC (Tessier, Zirnheld et Bouladoux).

(3) La Documentation Française, (Notes et Etudes Documentaires, 2 décembre 1949, n° 1239 : L'évolution intérieure de la CGT p. 19).

(4) Syndicalisme et Politique (*Témoignage Chrétien,* 27 novembre 1969).

(5) *Combat,* 18 juin 1964 : Tribune libre sur Syndicalisme et Politique.

Si chaque centrale a légitimement des affinités plus grandes avec certaines formations politiques, elle ne doit pas, en cas de carence de celle-ci, se laisser tenter de se substituer à elle. La question s'était posée il y a quelques années à certains syndicalistes qui estimaient que la gauche française avait laissé un vide que les syndicats devaient remplir. Georges Séguy, dont le parti *frère* n'avait pas laissé de vide et ne risquait pas d'en laisser, a rappelé ses confrères à l'orthodoxie en rappelant qu'il « y a quelque chose de malsain dans la tentative qui est faite de présenter le mouvement syndical comme force de l'opposition décisive se substituant au parti politique. Malsain aussi bien pour le mouvement syndical lui-même que pour les partis politiques de l'opposition, alors que le mouvement syndical doit rester dans les limites qui sont les siennes de par sa vocation : Défendre les intérêts des travailleurs et s'en tenir aux problèmes professionnels, économiques et sociaux (1).»

Ne pas se substituer aux partis, ni tenter de les dominer, c'est une chose, mais le syndicalisme doit également veiller à ne pas se laisser noyauter par un parti politique qui voudrait le transformer en « courroie de transmission » et lui faire le sort que certains accusent le Parti Communiste d'avoir fait à la CGT. Cette question a présenté une acuité toute particulière dans le conflit qui a opposé en 1969 la CFDT au PSU qui était accusé par cette centrale de vouloir la noyauter. Cette crainte de la centrale syndicale était née alors que le Comité National du PSU examinait une motion d'orientation préconisant que les militants de ce parti militent également dans des organisations de masse et en deviennent les animateurs. Cette polémique a donné lieu à un échange de correspondance entre Michel Rocard et les dirigeants syndicaux, en particulier Edmond Maire et Georges Seguy.

« Nous assistons - écrivait Edmond Maire - à une volonté du PSU et de ses militants d'imposer les mots d'ordre du parti aux organisations de masse (les syndicats). Dans quelques entreprises, il s'agit d'un véritable noyautage. Ces pratiques sont inacceptables, car contraires à une conception saine de la nécessaire autonomie de pensée et d'action du syndicalisme. L'avancée du socialisme en France ne peut se faire que s'il existe dans le même temps un syndicalisme de masse ayant sa propre stratégie lui permettant de ne pas tomber dans le corporatisme et le catégoriel, et des forces politiques socialistes qui acceptent, en théorie et en pratique, l'autonomie des organisations de masse (2) ».

« Il nous semble - répondait Michel Rocard - (...) nécessaire de reconnaître la légitimité de l'engagement des militants politiques dans le mouvement syndical et leur droit d'y mener le débat au nom des idées qui leur paraissent justes, sans mettre en cause l'exercice de la démocratie syndicale, mais sans non plus taire le fait qu'il y a convergence inévitable de la lutte syndicale et de la lutte

(1) *Le Monde*, 19 janvier 1970.
(2) *La Croix*, 31 octobre 1969.

politique. Nous rejetons toute idée de surbordination du syndicat au parti par des manœuvres politiques subreptices et nous souhaitons que naisse dans l'ensemble du mouvement ouvrier, et notamment dans ses organisations syndicales, la discussion entre les différentes orientations dont peuvent se recommander les militants d'une même centrale syndicale (1). »

En définitive, pour Michel Rocard, les militants politiques ont bien le droit de s'intéresser au syndicalisme au nom de cette même interpénétration de l'économique, du politique et du social qui justifie les prises de positions syndicales sur les problèmes politiques. Benoît Frachon avait déjà saisi l'occasion de souligner ce point peu de temps auparavant (2).

Pour conclure, nous pouvons dire que le syndicalisme est un groupe de pression qui, en tant que tel, n'a pas à chercher à prendre le pouvoir, mais seulement à agir sur lui dans l'intérêt de ses mandants et en toute indépendance. Une telle situation est le fruit de « l'évolution même des sociétés industrielles » et de « la place croissante qu'y occupent les salariés » qui ont entraîné « la transformation d'un mouvement de protestation sociale en une institution de contrôle, de gestion ou de cogestion de l'ensemble ou d'une partie de la vie économique et sociale, qui reste partagée entre le maintien de son rôle revendicatif et le désir d'assumer des responsabilités de plus en plus étendues (3). « Cette ambiguité du rôle du syndicalisme dans notre société est précisément une des sources du conflit qui déchire le mouvement syndical (4).

3) faut-il réviser la Charte d'Amiens ?

Une telle évolution a conduit certains à se demander s'il ne serait pas nécessaire de réviser la Charte d'Amiens, afin d'en mettre le texte en harmonie avec la réalité (5). Les liens étroits entre le syndicalisme et la politique ne sont pas une particularité française,

(1) *Le Monde,* 14 novembre 1969.

(2) Benoît Frachon ; « Discours prononcé lors de l'inauguration de la Bourse du Travail de Vierzon » (*Combat,* 21 novembre 1966).

(3) Alain Touraine et Bernard Mottez, « Classe ouvrière et société globale » dans *Le Traité de Sociologie du Travail* (Tome 2 : p.235)publié sous la direction de Georges Fridmann et Pierre Naville (Armand Colin, 1965).

(4) Cette transformation du rôle du syndicalisme dans notre société n'a pas laissé indifférents les juristes, qui souhaitent et redoutent à la fois un accroissement de la puissance des syndicats. Paul Durand nous semble présenter un bon exemple d'une telle attitude, lui qui écrivait :
1) «Nous avons tous dit les méfaits de l'individualisme, loué le XIX ème siècle finissant d'avoir compris le rôle fécond des groupements dans la vie sociale. Nous reconnaissons aujourd'hui ce qu'il y avait de sage dans la tradition de l'Ancien Régime et de la Révolution Française : Tout groupement tend, par nature, à se poser en rival de l'Etat » (La dissolution de l'Etat, Droit Social, 1948, p.1).
2) « La période libérale est révolue, voici venu le temps des nécessaires contraintes. Puisse ne pas poindre un jour l'ère des tyrannies » (Pouvoir syndical et puissance publique, D. 1947 chronique p.41).

(3) Gérard Delfau et Jean-Paul Bachy, Faut-il réviser la Charte d'Amiens ? (*Le Monde,* 30 janvier 1974).

mais bien au contraire un phénomène commun à nos sociétés occidentales. Cela tient au fait que syndicats et partis ont une mission différente à remplir, mais qu'en même temps l'action de l'un complète celle de l'autre. Dans ces conditions, syndicats et partis de gauche doivent lutter ensemble pour transformer la société, mais sans oublier de respecter un impératif fondamental qui est de préserver l'indépendance respective des syndicats et des partis, afin justement de leur permettre de remplir chacun la mission qui est la leur.

CHAPITRE II

LES CAUSES IMMEDIATES

Les conflits de tendances que nous venons d'évoquer étaient latents dans chaque confédération depuis des années, et n'auraient sans doute pas été à l'origine d'une scission en l'absence de certains évènements purement conjoncturels qui ont joué le rôle de révélateurs de conflits plus profonds et ont servi de prétexte à la rupture de l'unité du groupement syndical considéré.

Avant d'aborder l'analyse détaillée de ces deux ordres de causes, nous tenons à souligner dès à présent qu'elles ont essentiellement un caractère politique et extra-syndical. Nous soulignerons également que les auteurs et les syndicalistes qui se sont penchés sur la question des scissions syndicales et ont tenté d'en dégager les causes, sont en désaccord sur celles-ci.

Pour ne prendre qu'un exemple, le plus marquant sans doute : Quelle est la cause de la scission CGT/CGTU ? Est-ce la Première Guerre Mondiale ? Est-ce la Révolution Bolchevique ? Une réponse tranchée nous semble difficile à donner, mais cela n'a pas empêché des auteurs et des syndicalistes sérieux et bien informés d'affirmer que cette scission a son origine exclusive dans la Première Guerre Mondiale (1) ou dans la Révolution Bolchevique (2) et dans ses répercussions sur la vie politique française (3).

(1) Dans son ouvrage « Trois scissions syndicales » (Editions Ouvrières 1959) Pierre Monatte estime (pp.5 à 8) que la scission de 1921 est la conséquence de la guerre de 1914-1918 et que la scission de 1949 est la conséquence à la fois de la Deuxième Guerre Mondiale et des grèves qu'il appelle Molotov contre le Plan Marshall. Il voit l'origine de ce que nous appelons la pseudo-scission de 1938, qu'il considère comme une véritable scission, dans la signature du Pacte germano-soviétique.

(2) Maurice Labi, (*La grande division des travailleurs*, Editions Ouvrières, p. 229 sq) assure que « les évènements de Russie, notamment, ont eu une résonance profonde et des conséquences importantes sur la vie politique et l'évolution du mouvement ouvrier d'un grand nombre de Nations » (p.232).

(3) Pour M. Goetz-Girey (*La pensée syndicale Française, Militants et théoriciens*, Armand Colin, 1948), l'unité et la division syndicale sont liées à l'évolution politique (p.121).

Les scissions du mouvement syndical français ont donc leur origine dans des évènements étrangers au syndicalisme proprement dit, certaines de ces causes résidant dans des évènements d'ordre international, d'autres dans des évènements d'ordre interne.

SECTION I

LES CAUSES D'ORDRE INTERNATIONAL

Les causes d'ordre international concernent uniquement les scissions CGT/CGTU et CGT/CGT-FO. Elles sont au nombre de trois, les deux premières intéressant la scission de 1918, la troisième celle de 1947.

§ 1.– LE SYNDICALISME ET LA PREMIERE GUERRE MONDIALE

L'éclatement de la Première Guerre Mondiale a eu des conséquences très graves pour l'avenir des deux piliers du mouvement ouvrier, les partis socialistes et les syndicats. Elle a entraîné l'éclatement de la deuxième internationale et la scission dans la plupart des partis socialistes. Les syndicats n'ont pas échappé à ce phénomène et ont connu les mêmes déchirements.

A.– *La position de principe : Le syndicalisme contre la guerre*

L'idéologie syndicale ne prêtait à aucune équivoque : Les ouvriers ne doivent pas faire la guerre des bourgeois, ils sont frères par delà les frontières nationales. La seule vraie lutte est la lutte des classes, la guerre étrangère n'est qu'un stratagème imaginé par la bourgeoisie pour détourner l'ardeur révolutionnaire des masses et l'utiliser à son profit.

Ce principe a été proclamé maintes fois. Depuis l'Internationale (« Prolétaires de tous les pays, unissez-vous ! ») jusqu'aux motions de la Première Internationale (« Les travailleurs n'ont pas de Patrie ») et à celles de la CGT et de ses organes constitutifs. C'est ainsi que la conférence extraordinaire des Bourses et Fédérations définit, le 1er octobre 1911, la position de la CGT en ces termes : « A toute déclaration de guerre les travailleurs doivent, sans délai, répondre par la grève générale révolutionnaire ». En novembre 1912, un congrès extraordinaire vote une résolution particulièrement nette où la CGT rappelle que « si par folie ou par calcul, le pays au sein duquel nous sommes placés se lançait dans une aventure guerrière, au mépris de notre opposition et de nos avertissements le devoir de tout travailleur est de ne pas répondre à l'ordre d'appel et de rejoindre son organisation de classe pour y mener la lutte contre ses seuls adversaires : Les capitalistes. Désertant l'usine, l'atelier, la mine, le chantier, les champs, les prolétaires devront se réunir dans les groupements de leur localité, de leur région pour y prendre toutes mesures dictées par les circonstances et le milieu, avec comme objectif la conquête de leur émancipation, et comme moyen la grève générale révolutionnaire ».

Cette doctrine, fixée d'une manière très nette et de longue date, était diffusée jusqu'à la base par des brochures, des articles et des discours affirmant que la guerre « n'est qu'un attentat contre la classe ouvrière, un moyen sanglant et terrible de diversion à ses revendications ». C'est dans ce climat qu'éclate la Première Guerre Mondiale et Léon Jouhaux, Secrétaire Général de la CGT, qui, le 26 juillet 1914, intitulait son article dans la Bataille Syndicaliste « A bas la guerre ! » prononce aux obsèques de Jean Jaurès un discours où il accepte l'Union Sacrée.

B.– *Les deux tendances opposées de la CGT*

La CGT est alors coupée en deux, la majorité suit Jouhaux et participe à l'effort de guerre, la minorité reste fidèle à l'idéal syndical et refuse de trahir les principes de l'internationalisme ouvrier.

Sous l'impulsion de Léon Jouhaux la CGT participe activement à l'effort de guerre et joue le jeu de l'Union Sacrée. Léon Jouhaux adhère même au Secours National à côté de Charles Maurras et de l'ancien Préfet de Police, Louis Lépine. Pourquoi Léon Jouhaux et la majorité de la CGT ont-ils décidé d'accepter la guerre bourgeoise et l'Union Sacrée ? Il est difficile de sonder les consciences, mais deux déclarations nous paraissent significatives du fait que chez ces révolutionnaires d'alors l'esprit national n'était pas encore mort :

Le 26 septembre 1914, Léon Jouhaux écrivait dans la Bataille Syndicaliste : « Nous étions en présence d'un pays (l'Allemagne) qui prenait la responsabilité de la guerre. Nous devions donc, et nous l'avons fait, accepter le combat imposé. Et c'est avec la certitude de lutter pour la civilisation et pour le progrès que nous avons agi (1). « Au début de la guerre, le CCN votait une motion déclarant : « La besogne utile et impérieuse à l'heure actuelle, c'est l'organisation de la solidarité (2). Des misères vont être à soulager, des femmes, des enfants à secourir. C'est le devoir des organisations syndicales de leur venir en aide (1) ».

(1) Colette Chambelland, *Le syndicalisme ouvrier français,* (Editions Ouvrières, 1956, pp.48 et 50).

(2) Ces mots montrent bien combien les syndicalistes français étaient encore loin d'être pleinement acquis à la notion d'internationalisme, puisqu'ils arrêtent leur devoir de solidarité aux frontières nationales. Ils bénéficiaient, il est vrai, d'une excuse de poids, puisque la classe ouvrière allemande avait répondu à l'ordre d'appel des autorités impériales qui cueillaient ici les fruits de la politique intelligente de Bismarck en matière sociale, grâce à laquelle l'Allemagne avait en ce domaine plusieurs décennies d'avance sur ses voisins.

Mais le vieil idéal internationaliste n'était pas mort. Une minorité de syndicalistes, parmi lesquels Monatte, Rosner, Martinet et Merrheim, cherchent à préserver, au milieu de la tourmente, les principes de l'internationalisme. Grâce à leur action (1) ces hommes ont sauvé les principes du syndicalisme révolutionnaire. Cette minorité se rassembla en 1915 autour de la « Vie Ouvrière » et groupait les responsables des Fédérations de la Métallurgie, des Cuirs et Peaux, de la Chapellerie, de l'Enseignement et de cinq Unions Départementales. Elle adopta une attitude d'opposition formelle à la guerre et envoya des délégués à la conférence organisée en septembre 1915 à Zimmerwald, en Suisse, par des organistations socialistes et syndicalistes opposées à la guerre, à laquelle participait notamment Lénine, et que nous allons évoquer.

Hors de France, d'autres hommes poursuivaient en effet le même combat et mettaient tout en œuvre pour préserver les principes du syndicalisme révolutionnaire et de l'internationalisme. Le premier signe tangible de cette action fut la réunion, du 5 au 8 septembre 1915, à Zimmerwald d'une conférence internationale à laquelle participent Bourderon, Guilbeaux, Merrheim et Monatte pour la France, Hoffmann et Ledebour pour l'Allemagne, Lénine et Trotsky pour la Russie. Cette réunion, modeste par le nombre de ses participants et que Trotsky a décrite avec humour (2), marque le premier pas de la reconstitution de l'internationale ouvrière et constitue la première étape vers une prochaine scission du mouvement ouvrier.

§ 2.– LES CONSEQUENCES DE LA REVOLUTION D'OCTOBRE

La révolution bolchévique, installant pour la première fois au monde un gouvernement ouvrier, marque une étape nouvelle dans l'histoire, comme l'aurait fait la Commune si elle avait triomphé. Les partis ouvriers et les syndicats avaient les regards tournés vers l'ancien empire des Tsars où le socialisme entrait dans les faits avec la constitution du nouveau gouvernement.

La Révolution d'Octobre a fait naître un grand espoir dans les masses ouvrières du monde entier, en particulier en France. Elle apparait comme l'amorce d'une vie nouvelle où les prolétaires pourront enfin prendre en mains leur destinée et ne plus être le jouet des puissants de ce monde. Pour les syndicalistes révolutionnaires français les derniers mois de la guerre sont devenus des mois d'espoir : espoir de voir naître une nouvelle internationale ouvrière et de voir la révolution européenne jaillir de la crise d'après guerre. Ces espoirs seront déçus puisque la création de la nouvelle internationale se fera au prix d'une scission du mouvement ouvrier.

(1) Articles dans le journal de la Fédération des Métaux (l'Union des Métaux) ; - Diffusion de l'ouvrage de Romain Rolland, Au-dessus de la mêlée ; Fondation du Comité pour la reprise des relations internationales.

(2) « Les délégués eux-mêmes plaisantaient, disant qu'un demi siècle après la fondation de la Première Internationale, il était possible de transporter tous les internationalistes dans quatre voitures. Mais il n'y avait aucun septicisme dans ce badinage. Le fil de l'histoire casse souvent. Il faut faire un nouveau nœud. C'est ce que nous allions faire à Zimmerwald ». Léon Trotsky, « Ma Vie », Colette Chambelland, « Le Syndicalisme Ouvrier Français ».

La Troisième Internationale créée sous l'impulsion des Bolchéviks impose des conditions qui, pour de nombreux syndicalistes, semblent inconciliables avec les principes d'indépendance définis par la charte d'Amiens en 1906. Parmi les fameuses *vingt et une conditions* les neuvième et dixième imposaient aux syndicats le rôle de « courroie de transmission » du parti communiste. Les partisans de l'adhésion à l'Internationale Syndicale Rouge, Section Syndicale de l'Internationale Communiste, constituèrent en France des Comités Syndicalistes Révolutionnaires. Leur exclusion de la CGT pour « action fractionnelle » entraîna la scission.

Les minoritaires créèrent alors face à la vieille CGT une nouvelle centrale, la CGTU, et les deux centrales rivales engagèrent bientôt l'une contre l'autre une lutte acharnée qui se terminera en 1947 par la victoire des ex-unitaires devenus majoritaires qui contraindront les anciens confédérés à quitter la CGT pour fonder la CGT-FO. Auparavant le mouvement syndical aura tenté de se réunifier en 1936 et se sera à nouveau divisé à l'aube de la guerre, la CGT décidant d'exclure en 1939 les ex-unitaires à la suite de la signature du pacte germano-soviétique. Il connaîtra enfin la clandestinité pendant la seconde Guerre Mondiale.

§ 3.– LES DEBUTS DE LA GUERRE FROIDE

L'évènement de politique étrangère qui figure parmi les causes immédiates de la scission CGT/CGT-FO de 1947 est celui de la position que devait adopter la CGT à l'égard de l'aide proposée par les Etats-Unis pour la reconstruction de l'Europe et connue sous le nom de Plan Marshall. L'Union Soviétique avait ressucité le Komintern sous la dénomination nouvelle de Kominform et interdit aux gouvernements des pays satellites d'accepter le Plan Marshall (1). Fidèles aux directives de Moscou les majoritaires de la CGT s'opposaient par tous les moyens à la réalisation du Plan Marshall, alors que les minoritaires y étaient favorables dans l'intérêt même des salariés.

A.– *Les majoritaires hostiles au Plan Marshall*

Les majoritaires se sont montrés dès l'origine hostiles au Plan Marshall en qui ils voient un « plan d'asservissement des peuples de l'Europe par le capital américain (2) ». Benoît Frachon a manifesté cette opposition au cours du CCN réuni en novembre 1947 où le problème de l'aide américaine fût longuement évoqué. Le Comité National vota finalement, par 857 voix, une résolution condamnant le Plan Marshall, alors que seulement 127 voix se comptaient sur une motion Bothereau qui « estimait utile » l'aide américaine, à

(1) C'est ainsi que le Gouvernement Tchécoslovaque dût, sous la pression soviétique, renoncer à l'aide américaine qu'il avait acceptée dans un premier temps.
(2) *Troud,* 13 décembre 1947 : Jouhaux jette le masque.

l'exclusion de toute atteinte à la souveraineté nationale de la France et de toute immixtion de l'étranger dans la politique française (1).

La CGT poursuivra, après la scission, inlassablement sa lutte contre le Plan Marshall dont Benoît Frachon disait à la Tribune du 27ème Congrès de la CGT qu'il « asphyxie l'économie française » pour laquelle il est un « fardeau écrasant » et dont l'application est « néfaste à la classe ouvrière et à l'ensemble de la Nation ». Le secrétaire général de la CGT terminait le passage de son rapport moral consacré à l'aide américaine en affirmant qu'il fallait travailler à la réalisation d'un programme national de redressement dont le plan Monnet contient les bases essentielles (2). Le texte de la résolution qui fût votée à une écrasante majorité par le congrès confédéral de la CGT se fait l'écho de ce jugement sévère et certainement en grande partie injuste porté sur le Plan Marshall (3).

Cette motion manifeste la crainte légitime des majoritaires de voir notre économie devenir par l'effet du Plan Marshall, de plus en plus dépendante de celle des Etats-Unis, mais elle est également le signe d'un certain manque de réalisme. Sans nous attarder sur le grief fait aux Etats-Unis de vouloir provoquer une Troisième Guerre Mondiale, qui semble moins manifester la conviction des majoritaires qu'avoir pour but de frapper les esprits, notons que les majoritaires voulaient croire que la France pourrait se relever seule, par ses propres forces, et présentaient le Plan Monnet comme la solution à la reconstruction du Pays. Ils oubliaient simplement le cadre dans lequel ce Plan était conçu et pouvait donc seul se développer : celui du Plan Marshall et de la construction européennne à laquelle la CGT et le Parti Communiste se sont toujours montrés hostiles.

B.– *Les minoritaires favorables au Plan Marshall*

De leur côté les minoritaires se montrèrent immédiatement favorables à l'aide américaine, comprenant que sans le Plan Marshall il n'était pas possible de remettre sur pied l'économie française. Cette acceptation ne fût pas donnée aveuglément et sans limites comme le montrent les propos tenus par Robert Bothereau et Léon Jouhaux à l'occasion du CCN de la CGT réuni en novembre 1947, et insistant sur le fait que cette aide ne devait pas entraîner une aliénation de la liberté de la France.

A l'occasion de ce comité national, certains syndicalistes, tous membres du groupe central de Force Ouvrière, ont tenu des réunions de travail préparatoires à l'issue desquelles ils ont adopté une résolution dénonçant la « politisation » de la CGT et réclamant la remise en pratique « des règles de la démocratie et de la tolérance ». Dans une interwiew donnée au journal Combat, Robert Bothereau,

(1) *Le Peuple,* 16 novembre 1947 ; Documentation Française, *Notes et Etudes Documentaires,* décembre 1949.
(2) *Combat,* 12 octobre 1948.
(3) *Notes et Etudes Documentaires,* « L'évolution intérieure de la CGT » (p.24).

secrétaire de la CGT, a donné des précisions sur cette motion, en insistant sur le fait que la CGT doit faire preuve d'indépendance et défendre ses mandants en tenant compte des seuls intérêts des travailleurs et non en fonction de la politique intérieure ou internationale préconisée par tel ou tel parti politique. Donnant en exemple le problème posé devant l'opinion française, de l'aide américaine pour la construction de l'Europe M. Bothereau précise que « nous avons besoin de cette aide économique » et que « bien entendu, elle ne doit pas servir de prétexte à une aliénation de l'indépendance nationale (1) ».

C'est dans cet esprit que, le 13 novembre 1947, Léon Jouhaux, en sa qualité de secrétaire général de la CGT présenta la partie de son rapport sur les relations internationales consacrée à l'aide américaine. Après avoir analysé la situation économique de la France, notamment en ce qui concerne les besoins du pays en matières premières, Léon Jouhaux s'est déclaré en faveur de l'aide américaine, pensant que « force nous est bien de considérer que nous avons besoin d'un certain nombre de matériaux que nous ne pouvons trouver en grande partie qu'aux Etats-Unis. Si nous sommes obligés de rechercher pour notre indépendance économique une balance de nos comptes, il convient que nous trouvions les crédits indispensables pour payer ces matériaux, ou bien alors nous serons obligés de les prendre sur nos ressources, ce qui ne nous est pas possible. Il faudrait exporter notre beurre, notre lait, et diminuer ainsi le niveau de vie déjà insuffisant, de notre population (2).»

C'est en considération de ces circonstances particulières que Léon Jouhaux, après avoir rappelé que le CIO s'est prononcé en faveur de l'aide à l'Europe, concluait : « Tout en m'insurgeant contre des conditions qui pourraient porter atteinte à l'indépendance nationale de la France, je me trouve dans l'obligation d'accepter les concours qui me sont offerts et de les accepter publiquement. Ce que l'on a appelé le Plan Marshall a dressé contre lui la quasi totalité de la réaction américaine, parce qu'il surbordonne l'aide à l'Europe à des accords d'Etat à Etat et non par le truchement d'organismes privés comme les banques (2) ».

Malgré cet exposé, la résolution sur la situation internationale présentée par Bothereau au nom de la minorité ne recueillit que 127 voix, contre 857 à la motion présentée par Lunet au nom de la majorité. Cette résolution minoritaire reprenait les thèmes chers au mouvement Force Ouvrière pour qui accepter l'aide américaine ne signifiait en aucune manière accepter d'aliéner une parcelle de l'indépendance du mouvement syndical. Le texte de cette motion ne laissait aucun doute à ce sujet (2).

(1) *Combat,* 11 décembre 1947.

(2) *Le Populaire,* 14 novembre 1947 ; - *Notes et Etudes Documentaires,* L'évolution intérieure de la CGT.

SECTION II

LES CAUSES D'ORDRE INTERNE

Nous rangerons parmi ces causes dites d'ordre interne les répercussions dans le monde syndical de la scission intervenue au Congrès de Tours dans le Parti Socialiste, et celles consécutives au départ des communistes du Gouvernement en 1947. Il s'agit là encore, de causes qui n'ont rien de proprement syndical et qui sont elles-mêmes la conséquence et le reflet d'évènements internationaux: création de la Troisième Internationale, éclatement de la *guerre froide*. Une troisième cause, plus spécifiquement syndicale et française sera la volonté des majoritaires de l'ancienne CFTC de détacher leur centrale syndicale de toute attache confessionnelle.

§ 1.– SCISSION DU PARTI SOCIALISTE ET CREATION DU PARI COMMUNISTE

A la suite de la Révolution Bolchévique est créée une Troisième Internationale d'obédience communiste, à laquelle une partie des militants SFIO décide d'adhérer à l'issue du Congrès de Tours en 1921. C'est ainsi que sera créé le Parti Communiste Français, Section Française de l'Internationale Communiste. Parallèlement à cette scission sur le plan politique, qui n'est elle-même que le reflet en politique intérieure d'une scission réalisée sur le plan international, va se réaliser une scission sur le plan syndical. En 1920 éclatent de grandes grèves (celle des cheminots est particulièrement importante) à l'occasion desquelles les tendances se heurtent avec violence à l'intérieur de la CGT, opposant l'ancienne direction ralliée au réformisme à une minorité révolutionnaire dont l'influence ne cesse de croître. Les révolutionnaires demandent l'adhésion de la CGT à l'Internationale Syndicale Rouge, Section Syndicale de l'Internationale Communiste, et constituent en France des Comités Syndicalistes Révolutionnaires qui seront exclus de la CGT pour « action fractionnelle » en 1921. L'année suivante la scission était définitivement consommée par la création de la CGTU par les minoritaires.

§ 2.– L'ECLATEMENT DE LA « GUERRE FROIDE »

Depuis la Libération, la CGT avait mené sous l'impulsion des ex-unitaires une politique de soutien inconditionnel au Gouvernement, se heurtant même aux critiques des ex-confédérés qui estimaient qu'une telle action n'était pas conforme aux traditions du syndicalisme et à l'intérêt des salariés.

A.– *Les majoritaires soutiennent inconditionnellement le Gouvernement*

Le soutien apporté par les majoritaires au Gouvernement issu de la Libération était fortement discutable et purement circonstanciel. Le Parti Communiste étant représenté dans le Gouvernement, les unitaires apportent à celui-ci un soutien inconditionnel et font mener à la CGT, conjointement avec le Parti Communiste, une campagne de productivité intensive, mettant au second plan les revendications (1).

Pour les minoritaires, cette attitude de soutien inconditionnel au Gouvernement, uniquement justifié par la participation communiste à celui-ci, est non seulement critiquable mais même dangereuse car elle tend à faire perdre au syndicalisme son rôle de critique et de contestation et, en l'intégrant à l'Etat, à lui faire perdre sa raison d'être (2). Le soutien communiste à l'action du Gouvernement au sein duquel il avait des ministres, était tellement absolu, que le Parti envoyait des commandos contre les grévistes. En mars 1947, les ouvriers du livre déclenchent une grève qui prive Paris de journaux pendant un mois. Les ouvriers de l'imprimerie de l'Humanité se heurtent aux commandos communistes et unitaires qu'ils doivent repousser à l'aide de lances d'incendie. Le mois suivant, une grève éclate aux usines Renault de Billancourt et là encore les commandos de *briseurs de grève* sont repoussés par les grévistes.

La situation politique évolue brusquement au cours de l'année 1947, provoquant un revirement complet de tactique de la part des unitaires. Les relations entre les Etats-Unis et l'URSS se détériorent, la guerre froide commence. Les communistes dénoncent le Plan Marshall comme une tentative de mainmise de l'impérialisme américain, et votent à l'Assemblée Nationale contre le gouvernement Ramadier dont ils font partie. Leurs ministres sont démis de leurs fonctions et aussitôt la CGT change de tactique : Elle s'oppose inconditionnellement au Gouvernement dont les communistes ne font plus partie.

B.– *Les majoritaires s'opposent inconditionnellement au Gouvernement*

Etant passés dans l'opposition, communistes et majoritaires contiennent les grévistes de chez Renault qu'ils combattaient la veille, puis ils déclenchent une série de grèves de plus en plus violentes. Ces grèves générales groupèrent de 2 à 3 millions de salariés et prirent parfois un caractère insurrectionnel.

Une forte résistance à ce mouvement, qui n'a de syndical que le nom, se manifeste au sein de la classe ouvrière, que ce soit chez les

(1) « Nous devons dire à nos camarades que le devoir de l'heure présente est de travailler d'abord et de revendiquer ensuite ...».- Intervention d'Henri Raynaud à la conférence nationale de la CGT (*Libération*, 15 décembre 1944).

(2) Léon Jouhaux, Réflexions (*Le Peuple*, 21 juillet 1947).

cégétistes, les chrétiens ou les inorganisés. Ces hommes s'inquiètent en effet devant la duplicité des communistes qui *tournent leur veste* du jour au lendemain et risquent, par leur action, d'entraîner la classe ouvrière dans une aventure dont l'issue inéluctable leur paraît être l'instauration d'une dictature stalinienne.

Des discussions profondes se réveillent entre socialistes et communistes et se répercutent au sein de la CGT entre ex-confédérés et ex-unitaires. Le réveil de ces querelles fait craquer la centrale de toutes parts. Des syndicats autonomes se créent chez les fonctionnaires. Une Fédération Syndicaliste des cheminots se constitue. C'est le *drame confédéral* que décrit dans une brochure un des secrétaires de la CGT, Robert Bothereau, de la tendance Force Ouvrière.

§ 3.– LA DECONFESSIONNALISATION DE LA CFTC

Dès son origine la CFTC a occupé une place à part dans le mouvement syndical français en raison de son caractère confessionnel. Elle représentait en effet une forme de syndicalisme différente du syndicalisme traditionnel dont la CGT, sous ses diverses formes, était l'expression. Au départ la CFTC recrutait essentiellement parmi les employés et dans les milieux catholiques (1). En raison de son caractère chrétien elle s'est heurtée à la méfiance d'une partie importante de la classe ouvrière, pour qui l'Eglise avait toujours soutenu les riches, et en raison de son caractère syndical elle s'est heurtée à l'hostilité du patronat qui préférait le paternalisme et l'esprit de patronage à l'esprit syndical, même chrétien.

Cependant la CFTC a réussi à surmonter peu à peu son handicap et à devenir une centrale puissante, certes moins importante que la CGT, mais avec laquelle il fallait compter. Ce résultat a été obtenu par l'ouverture à tous les chrétiens, même non catholiques, puis à tous ceux qui souscrivaient aux valeurs morales chrétiennes sans considération de religion. Elle a également recruté largement en milieu ouvrier, notamment parmi ceux que leurs convictions personnelles empêchaient d'adhérer à la CGT, à la CGTU ou à la CGT-FO selon l'époque considérée.

Afin de faciliter les adhésions et de vaincre les réticences, il importait de lever la dernière équivoque et de supprimer toute référence chrétienne explicite de nature à effaroucher certains. Cette révision avait de plus le mérite de mettre les textes en harmonie avec la réalité en donnant à la centrale son vrai visage. Elle permettait également dans l'esprit de ses promoteurs, de faciliter les relations avec la CGT et la CGT-FO, qui n'ont jamais caché leurs réticences à l'égard du syndicalisme chrétien, et de franchir ainsi un pas dans la voie de l'unité syndicale.

(1) le 5 juin 1929, une lettre de la Congrégation du Concile proclamait que la place des Travailleurs Chrétiens est dans les Syndicats Chrétiens.

A.– *Un syndicat étroitement lié à l'Eglise Catholique*

Bien que ses dirigeants se soient constamment défendus d'être les mandataires dans le monde syndical de l'Eglise Catholique, la CFTC a toujours passé pour telle. Les termes mêmes de ses statuts permettaient cette assimilation puisqu'en 1919 ils faisaient expressément référence à l'Encyclique Rerum Novarum et en 1947 à la morale sociale chrétienne.

L'attitude de certains membres de la hiérarchie catholique et de certains dirigeants de la CFTC permettaient également cette assimilation. Ces *imprudences* reprochées aux *confessionnels* par leurs adversaires dénotent la volonté profonde de nombreux syndicalistes de combattre sous la bannière chrétienne.

1) *Les imprudences reprochées aux confessionnels*

Le journal Combat fit paraître en novembre 1950 une série d'articles sur le thème « L'Eglise et le Monde Moderne ». Dans l'un de ces articles (1) Gaston Tessier, Président de la CFTC, présentait sa centrale en répondant à la question *qu'est-ce que le syndicalisme chrétien* ? Tout l'exposé de Gaston Tessier tend à justifier le caractère chrétien de la CFTC et à la situer par rapport à l'Eglise Catholique en insistant sur son indépendance vis à vis de celle-ci. Il espère rassurer, mais ses propos même inquiètent car ils montrent les liens très étroits, trop étroits diront certains, qui lient le syndicalisme chrétien à l'Eglise Catholique.

Deux passages de cet article sont particulièrement éloquents et significatifs de la position de Gaston Tessier et des majoritaires de la CFTC de l'époque. Il affirme d'abord l'ouverture du syndicalisme chrétien à tous ceux, même non chrétiens, qui admettent les valeurs fondamentales du christianisme et le spiritualisme de ce mouvement et insiste ensuite sur l'accord de la hiérarchie catholique (1).

Le syndicat des employés du commerce et de l'industrie de la région parisienne, affilié à la CFTC, participait à une cérémonie religieuse organisée pour son soixante-dixième anniversaire. Cette cérémonie consistait en une messe célébrée au Sacré-Cœur au cours de laquelle le Cardinal Feltin a prononcé une allocution dont il avait été rendu compte dans la presse (2). Craignant que l'on puisse croire que cette cérémonie avait été organisée par la CFTC, laissant ainsi apparaître un caractère essentiellement catholique et des liens étroits avec la hiérarchie catholique, qu'elle récuse, Maurice Bouladoux, Président de la CFTC, après avoir souligné que seul le syndicat dont c'était l'anniversaire de la fondation assistait à cette messe, a tenu

(1) *Combat,* 10 novembre 1950.
(2) *Le Monde,* 1er ocotbre 1957.

à publier une mise au point montrant que la CFTC et ses groupements adhérents sont totalement indépendants de l'Eglise Catholique (1).

2) Le sentiment profond de nombreux syndicalistes

Cette volonté ainsi manifestée de conduire la lutte syndicale sous la bannière du christianisme correspondait à la volonté profonde de nombreux syndicalistes qui voulaient donner à la lutte syndicale une dimension qu'à leur avis seule la morale chrétienne pouvait leur donner. Ils se démarquaient ainsi par rapport aux matérialisme de la CGT ou de la CGT-FO qui leur semblaient réduire l'homme au rôle d'un simple facteur de production. Pour ces hommes seule la morale chrétienne pouvait offrir une alternative à la doctrine communiste qui en son absence envelopperait tout le mouvement syndical.

A une certaine époque la hiérarchie catholique française était sensible à ce danger et apporta son soutien à la CFTC, par l'intermédiaire de quelques Prélats, qui partageaient les soucis des partisans du maintien de la référence chrétienne. C'est ainsi que les minoritaires écrivirent à l'Archevêque de Cambrai, Mgr Guerry, Président de l'Assemblée des Cardinaux et Archevêques de France pour lui faire part de leur inquiétude (2). Le Prélat leur apporta un soutien et une réponse que quelques années plus tard ils ne purent avoir, l'Eglise Catholique restant dans l'expectative et ne voulant pas risquer de réduire son audience et de perdre la confiance d'une classe ouvrière où elle veut s'implanter (2).

A cette époque, l'effort de rapprochement et de compréhension mutuelle entre une Eglise qui veut vivre l'Evangile et une gauche qui ne voit plus en elle l'alliée nécessaire des possédants, n'avait pas encore été entrepris (3). Une étape importante a donc été franchie depuis le début des années soixante où l'Eglise s'inquiétait de voir la CFTC s'orienter vers l'abandon de la référence chrétienne et où la hiérarchie catholique craignait que cet abandon entraîne une renonciation à la mystique qui avait jusque là fait la force de la CFTC ! C'est ce souci qui sera partagé par les partisans inconditionnels du maintien de la référence chrétienne et qui justifiera à leurs yeux la scission de 1964.

B.– *La référence chrétienne, source de difficultés de recrutement*

Malgré les efforts constants faits par les dirigeants de la CFTC pour affirmer l'indépendance de leur confédération à l'égard de

(1) *Le Monde*, 6-7 octobre 1957.
(2) *Etudes Sociales et Syndicales*, n°64, novembre 1960.
(3) Cet effort est manifeste à tous les niveaux et s'extériorise par des actions qui ont valeur de symbole, telle la présence au congrès de la JOC en 1974 du Cardinal Marty, Archevêque de Paris, et de Georges Marchais, Secrétaire Général du Parti Communiste Français.

l'Eglise Catholique, ils n'ont pas réussi à vaincre de nombreuses réticences, provoquant ainsi de sérieuses difficultés de recrutement dénoncées par certains militants et pour partie sans doute justifiées.

Nombreux sont les militants qui, dès la libération, ont dénoncé les difficultés de recrutement rencontrées par la CFTC en raison de son caractère confessionnel. Ce handicap était d'autant plus fortement ressenti qu'avant la scission CGT/CGT-FO les salariés n'avaient le choix qu'entre deux centrales, la CGT et la CFTC. Force était aux dirigeants de cette centrale de constater, ce que leur faisaient remarquer de nombreux militants de base, que beaucoup parmi ceux qui refusaient d'adhérer à la CGT en raison de ses liens étroits avec le Parti Communiste, n'adhéraient pas à la CFTC, car ils étaient « arrêtés par l'étiquette et par certaines références confessionnelles inscrites dans les statuts (1) », et ceci bien que la CFTC soit ouverte à tous et que son recrutement ne soit pas confessionnel. Il est certain que les militants CFTC savaient que « le syndicalisme chrétien est ouvert à tous ceux qui, croyants de toutes confessions ou incroyants, pensent que la société peut être réorganisée sur les bases de la morale chrétienne (1) », mais ils constataient que ce « caractère accueillant et indépendant de la CFTC n'est pas une évidence (1) » et ils en tiraient les conséquences. Si la référence chrétienne mettait à l'aise les chrétiens qui se retrouvaient entre eux dans un syndicat dont l'idéologie était conforme à leurs convictions, elle était un *repoussoir* pour certains et risquait de transformer la CFTC en *ghetto chrétien* et de tarir son recrutement (2).

Le problème du recrutement a présenté la même acuité, peut-être même une acuité plus grande, après la naissance de la CGT-FO qui offrait aux salariés un syndicat non confessionnel et non inféodé au Parti Communiste. La question se posait alors à la CFTC de savoir si son étiquette confessionnelle la condamnait à n'être que le syndicat des chrétiens et de ceux que la référence chrétienne n'effarouchait pas. Eugène Descamps, à l'époque Secrétaire Général de la Fédération CFTC de la Métallurgie, fit part à l'hebdomadaire Témoignage Chrétien des difficultés rencontrées par les syndicats CFTC, non seulement pour recruter des adhérents, mais également pour maintenir des positions difficilement acquises. Il faisait remarquer que « c'est d'abord la valeur des militants *sur le tas* qui appelle la confiance de l'adhésion », mais qu'il « n'en reste pas moins vrai qu'à maintes reprises des camarades m'ont confié avoir des difficultés d'adhésion dans certaines régions ou usines, du fait de notre appellation chrétienne ». Il terminait son examen de cette question en rappelant que « ceci est particulièrement sensible lorsque des militants CFTC de valeur quittent cette entreprise. Souvent alors la CFTC tend à être oubliée, alors que la CGT peut se maintenir, même avec des militants moyens (3).

(1) *Temps Présent,* 16 août 1946 : « La CFTC est-elle une organisation confessionnelle ? ».

(2) René Bonety ; « Le Monde du Travail a besoin d'une centrale syndicale largement ouverte », (*Témoignage Chrétien,* 23 avril 1964).

(3) *Témoignage Chrétien,* 24 mai 1957.

Malgré les propos rassurants tenus par de nombreux dirigeants de la CFTC, la volonté de ceux-ci d'ouvrir de plus en plus leurs syndicats à tous ceux qui voulaient militer à leurs côtés, malgré le fait que cette ouverture était acquise et fortement réalisée, les craintes de ceux qui hésitaient ou renonçaient à adhérer à la CFTC étaient au moins partiellement justifiées par les maladresses de certains, par les termes des statuts de la confédération et par certaines déclarations malheureuses de nature à accréditer dans le public l'idée que la CFTC ne serait en définitive qu'un mouvement d'action catholique (1). Sous peine de périr, la confédération se devait de réagir.

C'est ce qu'elle fit à plusieurs reprises en publiant de nombreux communiqués et mises au point, en particulier sous la plume de ses dirigeants confédéraux qui insistent constamment sur son caractère non confessionnel. C'est en particulier ce que fit Maurice Bouladoux (2) dont la déclaration présente un double intérêt. Elle réaffirme la volonté de nombreux dirigeants de la CFTC de conduire leur action syndicale en toute indépendance et d'autre part elle constitue un désaveu implicite de la motion dont le vote est à l'origine de la démission, qui venait de se produire, des minoritaires du bureau confédéral, et qui mandatait le Président et le Secrétaire Général pour prendre des contacts avec les autorités religieuses pour le recrutement et la formation des militants.

Ces mises au point, aussi régulières et vigoureuses qu'elles soient, ne pouvaient suffire à dissiper le malaise dont souffrait la confédération. Il fallait trancher dans le vif et donner enfin à la CFTC son vrai visage.

C.– *Donner à la CFTC son vrai visage*

La transformation de la centrale préconisée par Reconstruction devait redonner à la CFTC son vrai visage, celui d'une centrale ouvrière dont les militants ont apporté leur adhésion d'abord et avant tout en raison de leur appartenance à la classe ouvrière et de leur conception de la lutte syndicale qui ne pouvait se satisfaire des méthodes de la CGT ou de Force Ouvrière (3).

Pour les partisans de la déconfessionnalisation la réforme des statuts qu'ils préconisaient était ainsi justifiée par une volonté d'efficacité et d'honnêteté : Il ne fallait plus caher le vrai visage de leur confédération sous un masque trompeur (4).

Une telle vision des choses était inconciliable avec celle des partisans irréductibles du maintien de la référence chrétienne pour qui

(1) *Syndicalisme,* 1er juin 1946 : « Les travailleurs catholiques dans les syndicats chrétiens.

(2) Maurice Bouladoux, « La CFTC, organisation majeure, détermine son action en toute indépendance » (*Syndicalisme,* 20 octobre 1952).

(3) Eugène Descamps, Rapport d'activité présenté au 32ème congrès confédéral de la CFTC (*Combat,* 13 juin 1963).

(4) Georges Montaron, « Les trois étapes historiques de la CFTC vont dans le même sens » (*Témoignage Chrétien,* 12 mars 1964).

« le ressort même du dynamisme, du rayonnement et de l'influence de notre mouvement serait irrémédiablement brisé (1) ». Si les projets de Reconstruction devaient avoir une suite, une opposition aussi tranchée rendait la scission inévitable.

D.– *Un pas sur la voie de l'unité syndicale ?*

La déconfessionnalisation de la CFTC a également eu pour but de dédouaner cette centrale au regard des autres confédérations (CGT et CGT-FO), qui ont toujours vu avec suspicion le syndicalisme chrétien, et de faciliter ainsi, à longue échéance, l'unité du mouvement syndical, et à court terme l'unité d'action des grandes confédérations. Pour les militants CGT et CGT-FO l'expression même de syndicalisme chrétien comprend une contradiction interne irréductible. Pour eux, chrétien veut surtout dire catholique, Eglise Catholique et catholicisme, qui ont toujours apporté leur soutien aux riches et aux puissants contre les pauvres et les opprimés. Ce point de vue a été fréquemment exprimé par de nombreux syndicalistes CGT qui jugent sévèrement le syndicalisme chrétien. A leurs yeux, « il est clair pour tout homme de bonne foi que la CFTC se place sur le terrain idéologique de la bourgeoisie, des capitalistes, qu'elle prêche et entretient la division sous le nom de pluralisme et qu'elle a été absente dans leur phase première et difficile des combats les plus décisifs de la classe ouvrière (2) ». C'est pourquoi ces syndicalistes estiment que « l'existence d'un mouvement syndical chrétien séparé aboutit à introduire un élément de scission et d'affaiblissement dans les rangs des travailleurs, à faire de ce mouvement une pièce du jeu contre-révolutionnaire (3) ».

On aurait pu croire que dans ces conditions la déconfessionnalisation de la CFTC aurait été bien accueillie par la CGT et la CGT-FO. Il n'en fut rien, bien au contraire. La CGT-FO se montre méfiante et la CGT hostile à la CFTC rajeunie et rénovée en CFDT. Il est vrai que la CGT avait de bonnes raisons de manifester une telle hostilité. Eugène Descamps ayant critiqué l'emprise du Parti Communiste sur cette centrale et cette mutation de la centrale chrétienne s'étant soldée par une scission qui aggravait ainsi la division syndicale au lieu de la réduire. Dans une interwiew qu'il a donné au journal l'Humanité, Benoît Frachon s'est fait l'interprète de la mauvaise humeur de sa centrale, reprochant à Eugène Descamps d'avoir repris « à l'encontre de la CGT tous les vieux slogans inspirés par

(1) Bulletin des Equipes Syndicales Chrétiennes animées par Jacques Tessier (Cité *dans le Monde,* 13 juin 1963).;

(2) Pierre Delon, *Le syndicalisme chrétien en France,* (Editions Sociales, 1965) p.125.;

(3) Georges Cogniot, Préface de l'ouvrage de Pierre Delon, *Le syndicalisme chrétien en France.*

l'anti-communisme le plus éculé, en y rajoutant des propos désobligeants à l'égard de la moitié des membres du Bureau de la CGT qui ne sont pas communistes » et de prétendre que ceux-ci « entretiennent par leur présence l'illusion d'une pluralité d'opinion qui n'existe pas et maintiennent ainsi la confusion (1).

Il est sans doute une raison, plus profonde, à cette mauvaise humeur. Déconfessionnalisée, la CFDT devient un concurrent en puissance, sans doute plus redoutable que la CGT-FO. La jeune CFDT a en définitive le tort de troubler un ordre établi dans lequel la CGT trouvait peut-être son compte (2). Toujours est-il que la naissance de la CFDT fut bien accueillie par d'autres et en particulier par les socialistes (3).

(1) Benoît Frachon, Le Congrès de la CFTC n'a pas été utile à l'unité ouvrière,(*L'Humanité,* 19 novembre 1964 ; - Compte-rendu dans *Combat* et *Le Monde,* 11 novembre 1964).

(2) Un psychanalyste nous permettrait peut-être de comprendre le sentiment profond de Benoît Frachon lorsqu'il dit que la CFTC transformée dans son titre n'inquiète pas la CGT, car sa résistance « à tous les assauts qu'on a dirigés contre elle vient du plus profond des masses ouvrières » et lance un appel au renforcement des effectifs de la CGT. Dire qu'on est pas inquiets ne signifie-t-il pas qu'on l'est précisément mais qu'on ne veut pas le montrer pour ne pas inquiéter les militants ? Une telle interprétation semblerait confirmée par l'appel au renforcement des effectifs.

(3) Claude Fuzier, Une initiative qui trouble l'ordre établi (*Le Populaire,* 10 novembre 1964 ; - Compte-rendu dans *Le Monde,* 11 novembre 1964).

QUATRIEME PARTIE

PERSPECTIVES D'AVENIR ET REMEDES A LA SCISSION SYNDICALE

Nous abordons maintenant des questions qui n'intéressent pas directement le juriste, à qui il suffit de connaître les causes et surtout le processus de la scission syndicale, mais dont l'examen est indispensable à quiconque veut avoir une vision complète de ce phénomène et chercher à entrevoir l'avenir du mouvement syndical.

Après chaque scission, les syndicalistes ont nourri l'espoir de voir régénérer le mouvement syndical et de réaliser à plus ou moins long terme sa réunification. Ces espoirs ont été déçus. Aucune des solutions proposées n'a résisté aux oppositions irréductibles de tendances qui divisent le mouvement syndical français.

CHAPITRE I

PERSPECTIVES D'AVENIR ET RESULTATS

Chaque scission marque un temps fort de l'histoire du syndicalisme français et demande par là même à l'observateur, après avoir contemplé le passé, de tenter de dégager les grandes lignes du futur qui va s'accomplir. Mais, alors que, depuis le début du siècle il n'est pas d'année où il n'ai été souligné à plusieurs reprises que le mouvement syndical doit être uni, celui-ci apparaît au fil des années et des scissions de plus en plus divisé.

Aucune des grandes tendances du syndicalisme français n'a réussi à cristalliser autour d'elle un mouvement qui conduise à sa réunification. Cependant, deux centrales révolutionnaires réussissent à émerger loin devant les autres, sans que l'on puisse pour autant entrevoir aveccertitude, à défaut de réunification, la constitution d'une grande centrale qui regroupe la presque totalité des syndiqués.

SECTION I

LES PERSPECTIVES D'AVENIR : RECONSTITUER L'UNITE SYNDICALE

Aussi paradoxal que cela puisse paraître, on n'a sans doute jamais tant parlé d'unité du syndicalisme qu'à l'époque où se sont produites les trois grandes scissions du mouvement syndical français. Il n'y a peut-être là qu'un paradoxe apparent car on peut dégager une constante de ces trois scissions. Il s'agissait de créer une centrale syndicale puissante qui deviendrait la première du pays et qui pourrait réaliser autour d'elle l'unité du mouvement syndical afin de remédier aux inconvénients de sa division.

§ 1.– POURQUOI REALISER L'UNITE SYNDICALE ?

Après avoir réalisé, par la scission, une opération chirurgicale qui leur paraissait indispensable au maintien de l'orthodoxie syndicale, les deux tendances opposées tentent presque immédiatement de réaliser, chacune en ce qui la concerne, l'unité syndicale autour d'elles. Il ne s'agit pas, bien entendu, de réaliser une unité absolue, qui n'existe que dans les démocraties populaires, mais seulement un syndicalisme à vocation majoritaire comme c'est le cas en Grande Bretagne, en Allemagne Fédérale ou dans les pays scandinaves. Ce désir d'unité est justifié par la nécessité de donner au mouvement syndical un maximum d'efficacité. Il est en effet certain que « la coexistence (...) d'organisations syndicales distinctes et parfois concurrentes affaiblit, en les divisant, les forces ouvrières (1) » et que « (...) l'unité (...) seule peut donner à un monde ouvrier encore mal organisé la force nécessaire aux luttes et aux négociations efficaces (2) ».

La division syndicale est un élément de faiblesse du mouvement ouvrier, d'autant plus préjudiciable à l'efficacité de son action que, de son côté, le patronat est uni et représenté dans les négociations collectives par une seule organisation, le CNPF. Il est vrai que le patronat français n'est pas monolithique et qu'il existe en son sein des tendances opposées. Mais ces divisions intérieures ne sont pas plus nuisibles à l'efficacité de son action que celles qui agitaient la CGT au début du siècle. La confrontation d'opinions divergentes au sein d'un mouvement uni est bénéfique et ne nuit en rien à son efficacité, alors qu'au contraire l'existence d'organisations rivales qui ne parviennent pas à s'entendre et se livrent à une guerilla permanente est un facteur de faiblesse et d'inefficacité. C'est précisément parce qu'ils ont pris conscience de ce fait que les syndicalistes recherchent le moyen de reconstituer l'unité du mouvement syndical français.

§ 2.– COMMENT REALISER L'UNITE SYNDICALE ?

La tentative de reconstitution de l'unité syndicale va se faire en deux étapes. Une tendance va d'abord tenter de créer une centrale puissante qui deviendra la première du pays, puis elle tentera de reconstituer l'unité autour de cette centrale.

A.– *Une centrale syndicale puissante qui deviendra la première du pays*

Dans les scissions syndicales, comme dans les schismes religieux, chacun prétend être détenteur de l'orthodoxie et pouvoir rassembler finalement autour de lui l'ensemble des fidèles. L'enseignement de l'histoire nous montre que jusque là cet espoir est resté vain. Il n'en reste pas moins qu'il est vivace au cœur des hommes qui ont mis dans le syndicalisme leur espoir. Mais il en est aussi qui, plutôt que de rassembler le plus grand nombre, cherchent à créer un mouvement où ils seront entre militants partageant à fond le même idéal. Qu'il s'agisse de la CGT de l'entre-deux-guerres ou de la CGT

(1) Lettre de la CGT à la CFTC, 19 septembre 1944 (*Archives contemporaines de documentation internationale,* n° 3, novembre 1944) ; - Gérard Adam, la CFTC, Thèse 3ème cycle.

(2) Extrait d'un article de M.Gilbert Grandval publié dans l'hebdomadaire Notre République (*Combat,* 18 mars 1966).

d'aujourd'hui, de la CGTU, de la CGT-FO ou de la CFDT, les dirigeants de ces centrales ont un point commun. Ils veulent faire de leur syndicat la première centrale du pays et ils pensent qu'ils atteindront ce but, car ils ont la conviction de présenter au monde du travail une image du syndicalisme tel qu'il le souhaite.

Dès que les communistes eurent pris le contrôle de la CGTU, cette centrale devait devenir, conformément aux instructions de la Troisième Internationale, l'organisation de masse du Parti Communiste, alors que de son côté la CGT prétendait toujours rester le grand syndicat capable de réunir la plupart des salariés qu'elle estimait hostiles à l'idéologie communiste et unitaire. Ces deux tendances opposées cherchaient ainsi à regrouper le plus grand nombre d'adhérents autour d'idéologies irrémédiablement opposées les unes aux autres quant aux moyens à utiliser pour atteindre le but commun, la disparition du salariat et du patronat. En 1947, la CGT-FO prétendait reprendre le flambeau de la CGT et continuer cette centrale qu'elle avait du quitter en raison du coup de force communiste. Les dirigeants de Force Ouvrière comptaient bien, comme ceux de la CGT, faire de leur centrale le grand syndicat ouvrier à vocation majoritaire, au détriment de leurs alliés d'hier.

En 1964, la situation ne s'est pas présentée exactement dans les mêmes termes. Alors que les dirigeants de la CFDT voulaient ouvrir tout grand les portes de leur centrale, afin de recruter le plus grand nombre possible de militants et de pouvoir concurrencer la CGT, les partisans du maintien de la référence chrétienne souhaitaient avant tout continuer une forme de syndicalisme dans laquelle pourraient se retrouver tous ceux qui partagent la conception chrétienne de l'homme et de la société, sans pour autant souscrire, bien entendu, aux dogmes des Eglises. Les partisans de la déconfessionnalisation ne partageaient pas ce point de vue. Pour eux, il fallait recruter, surtout parmi les travailleurs inorganisés. Dès le début de leur action, les partisans de la déconfessionnalisation ont insisté sur leur volonté d'élargir au maximum leur base de recrutement afin de pouvoir concurrencer la CGT (1). Pour arriver à constituer le « grand syndicalisme démocratique » voulu par Eugène Descamps et ses camarades, il faut justement abandonner la référence chrétienne, afin de pouvoir réaliser dans la centrale rénovée une convergence de toutes les valeurs qui animent le mouvement ouvrier (2). On ne peut être plus clair. La CFDT, et avant elle le groupe Reconstruction avant et après sa prise de contrôle de la CFTC, n'ont jamais caché leur volonté de concurrencer la CGT afin de devenir la première centrale du pays, et ils n'ont pas manqué de l'affirmer en de nombreuses circonstances. Rivaliser avec la CGT afin de la dépasser et de devenir la première centrale syndicale française, cela n'implique pas la vo-

(1) Eugène Descamps, Intervention au congrès de la Fédération Générale de l'Agriculture CFTC (*Combat,* 17 février 1964).

(2) Eugène Descamps, Rapport présenté au congrès extraordinaire de novembre 1964.

lonté de lui « chiper » ses adhérents, mais seulement celle de recruter parmi les travailleurs inorganisés, parmi ceux qui n'ont jusqu'ici pas trouvé un syndicat dans lequel ils estiment pouvoir militer (1).

En face de ces syndicalistes, les plus nombreux, qui sont prêts à faire des sacrifices pour élargir leur base de recrutement et parvenir à réaliser l'unité syndicale, nous en trouvons quelques uns pour qui le pluralisme est une nécessité et qui préfèrent sacrifier l'unité à leur conception de l'homme et de la société. Cette attitude a été celle des partisans irréductibles du maintien de la référence chrétienne de la CFTC, pour qui l'abandon envisagé par les majoritaires équivalait à remettre la centrale aux mains des marxistes, aucune idéologie autre que la morale sociale chrétienne ne pouvant, à leurs yeux, être opposée efficacement au marxisme.

B.– *Une centrale qui réalisera autour d'elle l'unité syndicale*

Plusieurs tentatives ont été faites depuis la Libération pour reconstituer au niveau confédéral l'unité syndicale. Nous en retiendrons deux qui nous paraissent particulièrement significatives, car elles ont été faites chacune dans un esprit différent. La première a été faite dans l'euphorie de la libération et s'est révélée être une tentative d'étouffement du syndicalisme chrétien par la CGT tombée entre les mains des communistes, alors que la seconde tire les conséquences de l'inefficacité de l'action d'un syndicalisme divisé.

1) Les offres de fusion de la CGT à la CFTC

Pendant la Résistance, communistes, socialistes et chrétiens avaient combattu côte à côte et su s'apprécier mutuellement. Les communistes et les socialistes avaient en particulier pris conscience de la puissance et de l'ardeur du syndicalisme chrétien, qui était devenu de plus en plus fort au fil des années depuis la constitution de la CFTC en 1919. Profitant du climat de la Libération et des habitudes prises dans la lutte clandestine, les dirigeants de la CGT tentèrent, fin 1944, de reconstituer l'unité syndicale en proposant une fusion à la CFTC (2). Celle-ci n'accepta pas l'offre qui lui était faite, pour des raisons de circonstance et de doctrine, et dut même faire face à une tentative de « torpillage » de la CGT.

La CFTC réunit son bureau confédéral pour préparer la réponse qu'elle devait donner à l'offre de fusion qui avait été faite par la CGT le 19 septembre 1944. Elle explique qu'elle doit attendre le retour en France de ses militants prisonniers de guerre ou déportés (3). Il est certain que cette raison de circonstance a été la bienvenue

(1) Eugène Descamps, Intervention au congrès extraordinaire de la CFTC réuni en novembre 1964 (*La Croix*, 8 et 9 novembre 1964 ; - *La Vie Française*, 13 novembre 1964).

(2) Archives contemporaines de documentation internationale (novembre 1944) et publications syndicales de l'époque.

(3) Réponse de la CFTC à la CGT, 26 septembre 1944 (*Notes et Etudes Documentaires*, L'évolution intérieure de la CGT).

pour la majorité CFTC de l'époque qui appréhendait les conséquences de l'offre que la CGT venait de lui faire. Elle renforçait les arguments de doctrine qu'elle pouvait opposer à la fusion et lui permettait de résister plus efficacement à certains minoritaires d'alors que cette offre séduisait.

Deux courants se dessinaient à l'intérieur de la CFTC. La majorité était hostile à l'offre de fusion faite par la CGT, alors qu'une minorité, composée d'éléments issus de la JOC et soucieux de faire pénétrer le christianisme dans la classe ouvrière, y était favorable. Cette minorité comprenait essentiellement des représentants de la Savoie et de la Haute-Savoie qui avaient pratiquement réalisé l'unité avec la CGT dans leurs départements. En raison de la confusion totale entre résistance et syndicalisme, les savoyards vivaient en effet en 1944 une expérience d'unité organique avec la CGT qui se révélait favorable au syndicalisme chrétien en raison des fortes positions acquises dans la Résistance par les militants CFTC et des oppositions entre communistes et socialistes (1). Bien qu'ils fussent la plupart du temps minoritaires, les chrétiens de ces départements souhaitaient voir étendre à tout le pays une expérience qui leur permettait d'arbitrer entre les tendances divisant la CGT et de jouer ainsi un rôle prépondérant dans la vie syndicale locale (2). Pour cette minorité, le militant chrétien, bien formé dans les écoles de formation et se rappelant constamment les sources de la doctrine qui doit animer son action, ne doit pas craindre de combattre aux côtés des militants CGT. Il remplira ainsi un rôle de missionnaire et de croisé des temps modernes (2).

Malgré le plaidoyer fait par la minorité en faveur de l'offre de fusion, la CFTC a refusé de suivre la CGT dans la voie qui lui était proposée en raison de l'emprise du Parti Communiste sur cette centrale et des oppositions irréductibles existant entre la doctrine marxiste qui inspire la CGT et la morale sociale chrétienne qui inspire la CFTC. La lutte syndicale ne pouvait être réduite à une activité purement technique, ces oppositions fondamentales devaient obligatoirement revenir à la surface et les syndicalistes chrétiens ne pouvaient accepter de servir d'otages aux communistes et, par leur présence, leur apporter leur caution (3). La majorité croit aux vertus du pluralisme syndical et à la nécessité de proposer aux militants ouvriers un choix entre plusieurs modèles de sociétés. La fusion

(1) La fusion était réalisée par l'intermédiaire de Comités d'Unité d'Action, qui étaient les seuls organismes de représentation du syndicalisme auprès du patronat et des pouvoirs publics. Chaque comité était administré par un Bureau dans lequel chaque syndicat était représenté proportionnellement à son importance, sans que le nombre de sièges réservés au syndicat minoritaire puisse être inférieur au tiers du total. Deux secrétaires généraux, choisis chacun dans une des tendances, étaient à la tête du bureau.

(2) Intervention de M. Rose, secrétaire général de l'Union Départementale de Savoie au Comité National de décembre 1944.

(3) Paul Vignaux, Lettre ouverte aux néophytes de l'unité syndicale.

risquerait de provoquer l'étouffement de ceux qui proposent le modèle chrétien. C'est pourquoi la CFTC ne peut pas l'accepter (1).

Devant le refus de la CGT de reconnaître la conception de l'homme et de la société qui a toujours été la sienne, la CFTC maintiendra son refus et la CGT devra se résoudre à une unité d'action au coup par coup sur des points bien précis. La position de la CFTC est simple. Concertation, oui. Démission, non. Les chrétiens craignaient d'être les victimes d'une tentative d'étouffement de leur confédération par les communistes. C'était d'ailleurs vraisemblablement le but recherché par ceux-ci, qui complétaient ainsi leur action de noyautage de la CGT par l'intérieur. Le but poursuivi était clair. Assurer la mainmise du Parti Communiste sur le mouvement syndical en éliminant toutes les oppositions à l'intérieur et à l'extérieur de la CGT.

Ayant échoué dans sa tentative d'étouffement de la CFTC à l'échelon confédéral, la CGT va, sous la direction de ses éléments communistes, tenter de « torpiller » sa rivale à la base. La tentative de fusion « spontanée » par la base opérée dans le département de la Loire est un exemple de cette nouvelle tactique. Le 22 février 1946, l'Humanité publie en première page une information d'après laquelle « A saint Etienne, des militants de la CFTC lancent un appel à l'unité : Syndiqués chrétiens, rejoignez la CGT (2) ».

Le 9 mars 1946, l'hebdomadaire CFTC-Syndicalisme rétablit la vérité. Ce pseudo-appel n'avait pas été rédigé par des syndicalistes chrétiens, mais par le bureau CGT de la Loire, entièrement communiste. Tiré à plusieurs centaines d'exemplaires, cet appel n'avait reçu qu'une cinquantaine de signatures dont la plupart émanaient de gens ne cotisant plus ou n'ayant jamais cotisé à la CFTC. Devant la duplicité des communistes, la CFTC ne pouvait que se montrer très réservée à l'égard des offres qui, à l'instar de ce qui s'était passé en 1944, lui étaient à nouveau faites par la CGT. Elle devait tout faire pour préserver sa personnalité et son indépendance (3).

2) Le Mouvement pour un Syndicalisme Uni et Démocratique

Le 15 juin 1957, trois dirigeants syndicalistes, Denis Forestier, secrétaire général du Syndicat National des Instituteurs, Roger Lapeyre secrétaire de la Fédération CGT-FO des Transports et des Tra-

(1) Réponse de la CFTC à la CGT, 26 septembre 1944 (*Notes et Etudes Documentaires,* L'évolution intérieure de la CGT).

(2) « Il faut convenir que notre organisation n'a obtenu aucun résultat satisfaisant. Les faits ont montré que la CFTC était frappée d'impuissance et que nous n'avons rien à espérer d'elle quant à la défense des intérêts des travailleurs (...). La division est une arme des trusts, nous ne devons pas l'entretenir, mais la briser.

(...) En adhérant à la CGT, nous n'avons pas aliéné notre idéal, nous y restons fidèlement attachés. La question spirituelle est une chose sacrée pour nous, mais la question du pain et du bifteck en est une autre qui est très importante pour les travailleurs, et c'est parce que la CGT défend mieux notre pain et notre bifteck que nous venons de donner notre adhésion à cette organisation ».

(3) Paul Vignaux, « Evolution et problèmes de la CFTC » (*Cahiers,* n°5 de la Nef, janvier 1954, p. 129).

vaux Publics, Aimé Pastre, secrétaire du syndicat CGT du personnel pénitentiaire, signèrent un manifeste dans lequel ils rappelaient que « pour avoir, dans certaines de ses parties, lié son sort à celui de formations politiques ou religieuses » le mouvement syndical français « se condamne de plus en plus à des actions désordonnées et sans lendemain, aliène chaque jour davantage sa personnalité et son efficacité propres, s'installe dans des divisions néfastes au moment où les conditions économiques et sociales, nationales et internationales, imposent une profonde révolution dans la vie des travailleurs ».

Pour les rédacteurs du manifeste, l'unité syndicale ne sera réalisée que par la libre confrontation des thèses en présence, la reconnaissance des diverses tendances avec la possibilité pour chacune d'entre elles de s'exprimer librement, le développement chez tous les travailleurs du sens des responsabilités « afin de les rendre attentifs à la pratique du noyautage », le vote à bulletin secret pour l'élection des responsables, l'interdiction effective du cumul des fonctions syndicales et politiques, la révocabilité des responsables syndicaux. Ce manifeste se termine par une analyse des causes de la division du mouvement syndical français, qui se ramènent en définitive à la liaison trop étroite existant dans notre pays entre les syndicats et les partis politiques (1).

Alors qu'en 1946 la CGT tentait en fait de réaliser l'unité syndicale en absorbant sa rivale, la CFTC, le MSUD proposait de réaliser l'unité en fédérant les organisations existantes et en affirmant la liberté du mouvement syndical à l'égard de tous les partis politiques.

Bien que ses promoteurs aient pu se prévaloir en un an de l'adhésion de dix-huit organisations syndicales réunissant 360 000 adhérents, le MSUD n'a pas obtenu les résultats espérés. Il n'en manifeste pas moins la volonté des syndicalistes français de reconstruire l'unité syndicale, à la réalisation de laquelle il contribuera peut-être en tant que précurseur.

Pour cela, il faudra bien sûr que disparaissent de nombreux obstacles qui s'opposent encore en France à l'unité du mouvement syndical, et en particulier que les syndicats assurent leur indépendance totale à l'égard des partis politiques, ou bien qu'un jour l'ensemble du monde du travail découvre qu'un des partis politiques qui se disputent sa clientèle est celui qui défend le mieux ses aspirations. Le syndicat majoritaire pourrait alors sans crainte entretenir des relations privilégiées avec ce parti, sans que pour autant il y ait surbordination de l'un par rapport à l'autre.

Quelques pas ont été faits au niveau des fédérations dans le sens d'une réunification du mouvement, mais sans qu'on puisse actuellement en tirer des conclusions définitives. Il n'y a en effet rien de

(1) « L'expérience de la vie syndicale française prouve que les tentatives de domination du mouvement syndical par un parti politique sont toujours à l'origine des scissions syndicales, puisqu'elles postulent l'attachement inconditionnel au parti et à la politique internationale d'un bloc d'Etats ».

commun entre la fusion des Fédérations des Industries Chimiques de la CFDT et de la CGT-FO, la nouvelle fédération adhérant à la CFDT, et l'adhésion de la Fédération CFT des Grands Magasins à la CGT-FO. Ces fusions ne suppriment d'ailleurs pas le pluralisme syndical, elles en diminuent seulement la portée dans la mesure où elles tendent à créer une fédération majoritaire en face de laquelle subsiste une fédération minoritaire regroupant les partisans irréductibles de la tendance qui a fait les frais de la fusion.

SECTION II

LES RESULTATS OBTENUS : LA DIVISION SYNDICALE SUBSISTE

Malgré le désir des syndicalistes de reconstituer l'unité perdue, la division syndicale subsiste. Certes, une tendance se dessine où nous voyons les deux centrales révolutionnaires, la CGT et la CFDT, émerger loin devant les autres, en particulier leurs concurrentes directes, la CGT-FO et la CFTC maintenue.

La CGT est actuellement la première centrale syndicale française et malgré ses efforts la CFDT n'a pas réussi à lui ravir sa place. On ne peut bien entendu prévoir ce que sera l'avenir du mouvement syndical en France, s'il réussira à retrouver l'unité perdue et comment il y parviendra. En observant la situation actuelle, il semble que si l'unité doit se faire ce serait autour de la CGT ou de la CFDT, la solution dépendant en définitive des 75% de salariés qui ne sont pas encore syndiqués. C'est ce qui explique l'offensive menée par toutes les centrales syndicales en direction des travailleurs inorganisés. C'est d'eux que dépend le visage futur du syndicalisme français.

Pour l'instant, nous pouvons dire que l'unité syndicale est une perspective encore lointaine en France. Chacun cherche à l'aborder dans les meilleures conditions, c'est-à-dire avec le plus grand nombre d'adhérents et de militants. Pour cela, les confédérations doivent souvent insister plus sur ce qui les sépare que sur ce qui les rapproche. Pourront-elles, le moment venu, l'oublier ? et le faire oublier ?

CHAPITRE II

LES REMEDES A LA DIVISION SYNDICALE

Nous avons vu que l'unité syndicale reste l'objectif des syndicalistes qui, pour la plupart, ne se résignent à la division que comme un pis-aller rendu inévitable par les circonstances.

Le meilleur remède à la division syndicale, c'est bien sûr l'unité organique au niveau confédéral, mais jusqu'ici les syndicalistes français n'ont réussi qu'à réaliser l'unité d'action sur certains points bien précis.

Certains obstacles de principe ou de circonstance limitent en effet sérieusement les tentatives d'unité syndicale.

SECTION I

LES MODALITES DE L'UNITE SYNDICALE

L'unité syndicale peut être réalisée de deux manières, par la fusion des organisations existantes, c'est l'unité organique, ou par l'application d'un programme commun d'action, c'est l'unité d'action.

§ 1.– L'UNITE ORGANIQUE

L'unité organique n'est pas seulement un remède à la division syndicale, c'est en fait la fin de la division et la reconstitution de l'unité si elle peut se réaliser durablement à l'échelon confédéral. Encore faut-il savoir entre qui l'unité organique pourra être réalisée.

L'échiquier syndical français est en effet tellement vaste qu'il paraît difficile de réaliser l'unité organique entre toutes les centrales existantes. Des regroupements s'imposent, mais comment les réaliser ?

A.– *Comment se posait le problème entre 1944 et 1964*

Juste après la Libération et avant la scission de la CGT en 1947, une possibilité de fusion entre la CGT et la CFTC avait été envisagée, l'unité organique avait même été réalisée dans certains départements (1). Cette tentative s'est soldée par un échec et le problème s'est à nouveau posé, en termes plus compliqués, après la scission de la CGT en 1947. Les tenants de la tendance Force Ouvrière et certains autonomes se sont regroupés pour fonder en 1948 la CGT-FO. Dès lors se posait la question de savoir si la CGT-FO réintègrerait un jour la CGT, qui fit à plusieurs reprises des offres dans ce sens, ou si elle fusionnerait, sinon avec la CFTC, du moins avec la tendance Reconstruction. Certains pensaient qu'une telle fusion permettrait de créer une centrale puissante, dynamique et attractive qui pourrait traiter d'égal à égal avec la CGT et offrir ainsi une alternative au monde du travail (2).

B.– *Comment se pose le problème depuis 1964*

Depuis la scission CFTC/CFDT de 1964, le problème se pose en termes encore nouveaux. Les quatre grandes centrales syndicales françaises comprennent deux centrales révolutionnaires, de loin les plus puissantes, et deux centrales réformistes, de moins grande importance. Comment pourront se faire les regroupements ?

De prime abord, il semblerait que les deux centrales réformistes auraient intérêt à s'unir, même à fusionner. Mais, la CGT-FO, laïque et peut-être même anticléricale, marxiste au moins dans son vocabulaire et dans son héritage, divisée en tendances parfois inconciliables (elle compte dans ses rangs jusqu'à des anarcho-syndicalistes) peut-elle vraiment fusionner avec la CFTC maintenue, confessionnelle bien qu'elle s'en défende, partisan de la collaboration des classes bien qu'elle se prétende révolutionnaire à sa manière.

La situation n'est pas plus simple du côté des révolutionnaires. Y-a-t-il vraiment une commune mesure entre la CGT communiste et totalitaire et la CFDT libertaire et autogestionnaire ? Les types de sociétés que ces deux centrales nous proposent sont totalement différents, au moins quant aux principes de départ. Une fusion entre la CGT et la CFDT paraîtrait le mariage des inconciliables, mais il est vrai que l'histoire nous a bien des fois montré que de tels mariages existent !

Alors, une fusion CFDT-CGT-FO ? Cette éventualité a été envisagée assez sérieusement en 1969, au lendemain des évènements de mai 1968. Des raisons profondes de rapprochement existaient, qui n'ont cependant pas pu venir à bout de divergences tout aussi profondes.

(1) Comités d'unité d'action en Savoie et en Haute-Savoie, voir p. 167.

(2) Alain Teste, « FO dix ans après la scission » (*France Observateur*, 8 mai 1958).

1) Les raisons d'un rapprochement

Un des dirigeants de la CGT-FO, Roger Lapeyre (1) écrivit en janvier 1969, une lettre à Eugène Descamps pour lui suggérer un regroupement de la CGT-FO et de la CFDT, les deux centrales lui semblant en fait très proches l'une de l'autre (2).

Il faut en effet avouer qu'en 1969 la CFDT et la CGT-FO semblaient présenter de nombreux points de rapprochement. Elles avaient la même allergie à l'égard du Parti Communiste, elles présentaient toutes les deux des demandes qualitatives (3) de nature à modifier irréversiblement la condition ouvrière, alors que la CGT limitait essentiellement ses demandes à l'augmentation des salaires. Elle s'était même acharnée contre la CFDT qui avait participé le 28 mai 1968 à la manifestation du Stade Charléty, et lui reprochait son « anticommunisme, son gauchisme, son aventurisme », de même qu'elle ne lui pardonnait pas son appel à Pierre Mendès-France, ni la solidarité exprimée avec Daniel Cohn-Bendit et Jacques Sauvageot. Contrastant avec l'attitude aggressive de la CGT, Force Ouvrière, tout en se gardant de prises de positions politiques, s'était montrée plus proche de la CFDT, notamment en ce qui concerne les étudiants.

Sur le plan de la stratégie syndicale, les deux centrales avaient constaté qu'elles étaient moins concurrentielles que complémentaires. Très influente dans la fonction publique et le secteur nationalisé, la CGT-FO est peu importante dans le secteur privé où elle ne conserve quelques positions que dans des activités traditionnelles et souvent en déclin (alimentation, hygiène, cuirs et peaux). La CFDT obtient au contraire de meilleurs résultats dans la grande industrie (métallurgie, construction électrique, chimie, textile). Sur le plan géographique, les fiefs des deux centrales se complétaient également (4) et à l'époque elles évitaient souvent de se concurrencer dans les petites et moyennes entreprises. Là où l'une était installée, l'autre laissait la clientèle non cégétiste rallier la première plutôt que la concurrencer (5).

2) Des divergences profondes subsistent

Malgré de tels éléments en faveur d'une unification de la CFDT et de la CGT-FO, des divergences profondes subsistent entre les

(1) Secrétaire général de la Fédération FO des Travaux Publics, Roger Lapeyre était un des signataires du manifeste du MSUD.

(2) Roger Lapeyre, Lettre à Eugène Descamps (*Revue de la Fédération FO des Travaux Publics,* janvier 1969).

(3) Droit syndical, effort en faveur des bas salaires et des catégories les plus défavorisées, emploi, réduction de la durée du travail, réformes de structure, etc...

(4) Fiefs CGT-FO : Picardie, Limousin, Sud-Ouest, Provence-Côte d'Azur ; - Fiefs CFDT : Franche-Comté, Alsace, Rhône-Alpes, Bourgogne, Loire, Auvergne, Bretagne.

(5) La Croix, 8 janvier 1969 (Analyse par M. Gérard Adam des résultats des életions aux comités d'entreprise en 1966) ; - Georges Valance, Vers une fusion CFDT-FO (*Combat,* 23 janvier 1969) ; - Les résultats de 1966 sont confirmés par ceux de 1969 (*Le Nouvel Observateur,* 27 avril 1970 : Un colosse écartelé, par Lucien Rioux).

deux centrales. A la CGT-FO, les laïcs sont encore méfiants à l'égard de la CFDT malgré sa déconfessionnalisation et la tiennent parfois pour irresponsable. A la CFDT au contraire, la CGT-FO passe pour trop conciliante à l'égard du patronat, qu'il s'agisse d'un employeur privé ou de l'Etat (1).

Les pesanteurs historiques et les méfiances traditionnelles l'ont emporté. La CFDT et la CGT-FO n'ont pas fusionné. Il semble pourtant que ces deux centrales sont quand même les plus proches malgré les apparences. Elles sont toutes les deux hostiles à une solution totalitaire, et la CGT-FO compte dans ses rangs de nombreux anarcho-syndicalistes que les options libertaires de la CFDT ne peuvent pas ne pas séduire.

3) La fusion des fédérations CFDT et CGT-FO de la Chimie

Les espoirs de fusion de la CFDT et de la CGT-FO ont donc été déçus. Pas complètement cependant, puisqu'en 1972 les Fédérations des Industries Chimiques des deux centrales ont décidé de fusionner. C'est là le résultat d'une action ancienne menée de part et d'autre avec une égale volonté d'aboutir.

Le 23 septembre 1963, le bureau de la Fédération FO des Produits Chimiques avait adopté à l'unanimité une résolution indiquant comment il envisageait l'unité syndicale dans la profession (2). La Fédération CGT des Industries Chimiques fut la première à répondre favorablement à cette offre (3), la CFTC apportant elle aussi une réponse favorable quelques jours plus tard, en insistant sur la nécessité de réaliser l'union à l'échelon confédéral et de refuser la conception marxiste-léniniste des rapports entre les syndicats, les partis et l'Etat (4). Ce sont là des thèses qui reviennent régulièrement dans la bouche et sous la plume des dirigeants de la CFDT pour qui il importe autant, et peut-être même plus, d'améliorer la situation morale des salariés que leur condition matérielle.

L'idée fit lentement son chemin et l'on parvint à la signature, le 23 janvier 1972, d'un protocole d'accord entre Maurice Labi (FO) et Jacques Moreau (CFDT) prévoyant la fusion de leurs deux fédérations pour le 1er mars et l'adhésion de la nouvelle fédération unie à la CFDT. Dans ce protocole, les deux fédérations se prononcent en faveur de l'édification de l'autogestion socialiste, que M. Labi avait proposée en vain au congrès de la CGT-FO. Cette fusion s'est cependant soldée par une nouvelle scission, les minoritaires de la Fédération FO refusant la décision prise par les majoritaires et décidant de rester au sein de la CGT-FO.

(1) Gérard Adam, « La fusion CFDT-FO - Une utopie ? » (*Témoignage Chrétien*, 23 janvier 1969).
(2) *Combat*, 24 septembre 1963.
(3) *Combat*, 2 octobre 1963 ; *Le Monde*, 3 octobre 1963.
(4) *Combat*, 8 octobre 1963.

§ 2.– L'UNITE D'ACTION

L'unité d'action est en fait le seul remède efficace qui ait pu être trouvé à la division du mouvement syndical français. Une fois admis le principe de l'unité d'action, il faut déterminer à quel niveau celle-ci sera réalisée, examiner ensuite la question des rapports des syndicats non CGT avec ceux-ci, et rechercher enfin si cette unité d'action sera globale ou seulement ponctuelle.

Il est souvent plus difficile de réaliser l'unité d'action à l'échelon confédéral, où les questions de doctrine et de politique syndicale ont une grande importance, qu'à celui des fédérations, des unions et des syndicats de base où les divergences de principe s'effacent plus facilement devant les nécessités de la lutte quotidienne. C'est pourquoi il a souvent été plus facile de réaliser l'unité d'action à la base, encore que depuis quelques temps elle se réalise de plus en plus souvent à l'échelon des centrales, en particulier entre la CGT et la CFDT.

Une autre question importante est celle des rapports entre les syndicats non affiliés à la CGT et ceux qui lui sont affiliés. La CGT est la centrale la plus puissante, puisqu'elle regroupe à elle seule près de la moitié des syndiqués, et ses concurrentes peuvent appréhender de réaliser l'unité d'action avec elle, de crainte d'être réduites au rôle de figurants sans prise sur les évènements. C'est pourquoi, pendant plusieurs années, les syndicats non CGT, craignant le tête à tête avec leur puissant rival, préconisaient une action commune à trois ou quatre, afin de réduire l'importance de la CGT dans cette coalition. Cependant, la CFDT ne semble plus craindre la puissance de la CGT et s'engage fréquemment dans une action commune à deux en de nombreuses circonstances (1). Pour la CFDT, l'unité d'action avec la CGT est devenue une nécessité et doit être le prélude à une réunification du mouvement syndical français (2).

Pour assurer à l'action syndicale un maximum d'efficacité, il est souhaitable que le mouvement syndical présente un front uni en toutes circonstances et que l'unité d'action soit globale. Une telle unité est difficile à réaliser, même entre la CGT et la CFDT, malgré leurs efforts réciproques. L'unité au coup par coup, l'unité ponctuelle sur des problèmes concrets, est par contre réalisable entre toutes les centrales. C'est ainsi que la CGC a elle-même admis le principe d'actions communes avec la CGT sur des points précis (3). Elle a d'ailleurs eu l'occasion de mettre ces principes en application, par exemple lors de la grève des cadres des usines Westing-

(1) En septembre 1971, la plate-forme revendicative de la CGT et de la CFDT portait essentiellement sur la défense du pouvoir d'achat, la durée du travail et le plein emploi. En octobre 1972, les deux centrales ont organisé une semaine commune d'action revendicative.

(2) Jean Maire, Intervention au congrès de la CFDT réuni en mai 1970 (*L'Humanité*, 11 mai 1970).

(3) Exposé de M. André Malterre à l'Agence France Presse (*Le Monde et le Figaro*, 31 octobre 1970).

house à Villeneuve-la-Garenne (1) ou lors du conflit de l'usine Montefibre-France à Saint Nabord (2).

Cette attitude nouvelle de certains cadres s'explique sans doute par le fait que le personnel d'encadrement est de plus en plus éloigné des centres de décision et participe de moins en moins à la possession du capital. L'ère des managers est aussi celle d'une certaine prolétarisation du personnel d'encadrement, qui se recrute de moins en moins dans la classe possédante. De là à dire que ses intérêts se confondront un jour avec ceux de la classe ouvrière, il y a un pas qu'il serait imprudent de franchir.

Ce qui est plus certain, c'est que la classe ouvrière, au sens étymologique, est caractéristique d'une époque aujourd'hui révolue et est en déclin dans nos sociétés où le tertiaire se développe de plus en plus. Parler de syndicalisme ouvrier pour désigner le mouvement syndical des salariés devient un abus de langage. Les ouvriers ne sont aujourd'hui qu'une partie, toujours décroissante, du monde du travail, dont le visage change rapidement (3). La solution au problème de la division syndicale réside peut-être là : Lorsque la catégorie socio-professionnelle des salariés sera devenue homogène, les divisions actuelles du mouvement syndical auront peut-être perdu leur raison d'être, rendant ainsi possible la réunification tant souhaitée.

SECTION II

LES LIMITES DE L'UNITE SYNDICALE

Dans l'état actuel du mouvement syndical, la recherche de l'unité se heurte à des obstacles de principe et de fait que nous avons déjà eu l'occasion d'examiner en étudiant les causes des scissions. Ce sont en effet les mêmes oppositions de principe et de circonstance qui sont à l'origine des scissions syndicales et qui s'opposent à la fois à la réunification et à l'unité d'action. Mais la limite essentielle à l'unité syndicale réside sans doute dans le fait qu'elle s'est trop souvent faite sur des motifs extra-syndicaux, et trop souvent contre quelque chose plutôt que sur un programme précis et constructif (4).

(1) *Les Informations*, n° 1417, 10 juillet 1972.
(2) *Le Monde*, 22 octobre 1977.
(3) sur cette question, voir pp. 115 sq.
(4) Il était par exemple difficile à la CGT de participer à un débrayage de solidarité décidé par la CFDT et la CGT-FO à l'occasion de l'occupation de la Tchécoslovaquie par les troupes soviétiques.

§ 1.– LES LIMITES DE PRINCIPE A L'UNITE SYNDICALE

« Incontestablement les travailleurs de toute appartenance syndicale et de toute idéologie ont conscience de la faiblesse que constitue pour la classe ouvrière en France, le pluralisme syndical. Ils souhaitent en sortir. Mais les camarades des autres organisations les plus favorablement disposés à cet égard craignent, étant donné le rapport actuel des forces des différents courants idéologiques dans la classe ouvrière, d'être annihilés et étouffés dans une centrale syndicale unique. Je suis convaincu que là est la difficulté de fond. C'est en abordant de front cette difficulté que nous avons été amenés, mes camarades et moi, à élaborer les thèses sur la liberté des tendances, que nous avons soumises au congrès de la CGT (1) ».

Cette déclaration de Pierre Le Brun résume parfaitement pourquoi l'unité syndicale est encore difficile à réaliser en France. Le principal obstacle à sa réalisation a longtemps résidé, et réside encore dans la méfiance des syndicalistes non CGT à l'égard de cette centrale. Ils craignent l'influence qu'y ont les éléments communistes et redoutent que pour la CGT la recherche de l'unité syndicale n'ait pour but que l'élimination de toutes les autres formes de syndicalisme.

A.– *Les relations entre la CGT et le Parti Communiste*

Eugène Descamps rappelait qu'il n'y a pas de chemin dégagé vers l'unité syndicale tant qu'il y aura une liaison aussi étroite entre la CGT et le PC (2). Cette affirmation résume parfaitement la question. Le principal obstacle à l'unité syndicale réside dans les liens étroits existant entre la CGT et le PC. Cette difficulté subsiste encore de nos jours, même dans les rapports de la CGT avec la CFDT, et malgré les nombreux points de convergence entre les deux centrales.

Ces craintes sont-elles justifiées ? A première vue, oui, puisque les minoritaires n'ont jamais vraiment réussi à faire prévaloir leur point de vue à l'intérieur de la CGT où ils semblent bien ne faire fonction que d'alibis. L'actualité récente semble par contre montrer la volonté de la CGT de se démarquer du PC (3). Cette volonté est-elle réelle ou s'agit-il d'une manœuvre tactique ? Il est difficile de répondre avec certitude à cette question. Une seule chose nous semble certaine, c'est que les liens privilégiés existant entre la CGT et le PC sont sans doute parfois aussi gênants pour cette centrale

(1) Pierre Le Brun, Entretien avec une équipe de l'Express à l'issue du congrès de la CGT de juin 1957 (*L'Express,* 28 juin 1957).

(2) Eugène Descamps, Intervention au congrès extraordinaire de la CFTC de novembre 1964 (*Le Figaro,* 7 novembre 1964).

(3) Attitude réservée dans le débat à l'intérieur de l'Union de la Gauche, tout en lançant une campagne de soutien au Programme Commun dans les entreprises (*Le Figaro,* 19 octobre 1977 ; - *Le Monde,* 20 octobre 1977). Affirmation de l'attachement de la confédération aux droits de l'homme dans les pays de l'Est et refus (?) par Georges Séguy d'une décoration soviétique (*Le Figaro,* 2o octobre 1977 ; - *Le Monde,* 21 octobre 1977).

que le fut autrefois pour la CFTC son caractère confessionnel. Cette gêne nous semble exister tant au niveau du recrutement, où prendre sa carte de la CGT est considéré par certains comme impliquant une adhésion à l'idéologie communiste, qu'au niveau des relations avec d'autres syndicats, notamment à l'échelon international (1).

1) Les craintes des autres centrales à l'égard de la CGT

Deux des grandes centrales syndicales françaises ont plus particulièrement manifesté leur inquiétude et leur réprobation devant les liens étroits existant entre la CGT et le PC. Ce sont la CFDT et la CGT-FO, pour qui s'est posé, se pose et se posera encore souvent la question de l'unité d'action, et même de l'unité organique, avec la CGT.

Dans des déclaration déjà anciennes, Georges Levard et Eugène Descamps ont résumé les inquiétudes de la CFDT devant l'unité d'action avec la CGT. Pour Georges Levard, « l'unité d'action (...) n'a jamais été et ne sera certainement possible que sur le plan strictement professionnel. Dès qu'il s'agit de mettre en cause les structures mêmes de la Nation, l'influence d'un parti politique la rend totalement impossible (2) ». Pour Eugène Descamps, « la stratégie syndicale a maintenant une dimension politique, mais le syndicalisme ne doit pas faire l'action d'un parti politique. La CFDT ne doit en aucun cas être la courroie de transmission d'un parti (3) ».

Ces inquiétudes ne sont aujourd'hui que partiellement dissipées, sans quoi rien ne s'opposerait à ce que l'unité d'action des deux centrales soit parachevée et couronnée par leur fusion. Si cette fusion n'est pas encore réalisée, c'est que les désaccords doctrinaux fondamentaux subsistent et interdisent de régulariser par un mariage une union déjà ancienne.

Du côté de la CGT-FO, les réticences sont plus fortes. Les dirigeants de cette centrale sont encore traumatisés par la scission de 1947. Ils ont la hantise du noyautage communiste, du débordement par la base, et redoutent plus qu'ils ne la souhaitent l'unité d'action. Instruits par une histoire encore proche et dont ils se souviennent parfaitement, les dirigeants de la CGT-FO ne perdent pas une occasion de rappeler la « nécessité d'assurer l'indépendance du syndicalisme à l'égard des partis et des gouvernements quels qu'ils soient (4) ». C'est parce qu'ils estiment que la CGT a bafoué cette règle d'or du syndicalisme, et qu'elle la bafouerait encore, si

(1) Il a fallu que le congrès américain assouplisse le régime des attributions de visas à des militants ou sympathisants communistes pour qu'une délégation de la Fédération des Travailleurs de la Métallurgie (CGT) puisse se rendre aux Etats-Unis sur l'invitation de l'Union des Electriciens (AFL-CIO) (*L'Express*, 17-23 octobre 1977).

(2) Georges Levard, Déclaration au Journal Combat (14 août 1959).

(3) Eugène Descamps, Déclaration devant le congrès des mineurs CFDT (*Le Figaro*, 10 novembre 1969).

(4) André Bergeron, Intervention devant le congrès départemental de l'Union des Syndicats Force Ouvrière du Puy-de-Dôme (*Le Monde*, 24 décembre 1974).

l'occasion s'en présentait, que les dirigeants de la CGT-FO sont extrêmement réticents à l'égard de toute forme de rapprochement avec la CGT (1).

Bien sûr, une minorité s'est dessinée il y a déjà quelques années, qui reproche à la centrale sa timidité et souhaite une lutte plus virulente pour l'instauration d'une société socialiste. Cette minorité confédérale s'exprimait notamment par l'intermédiaire de la Fédération de la Chimie dont elle avait pris le contrôle. A ce propos, il est remarquable que cette fédération ait décidé, en 1972, de fusionner avec la fédération correspondante de la CFDT et que, la CGT soit finalement restée à l'écart. Les réformistes et les anarcho-syndicalistes de la CGT-FO ne sont pas plus disposés, chacun pour des raisons qui leur sont propres, à s'allier avec la CGT dont ils redoutent l'emprise et avec laquelle ils sont en désaccord fondamental.

2) Impuissance de la minorité non communiste à la CGT

Les réticences des autres centrales à l'égard de la CGT trouvent une justification dans la situation qui est faite à la minorité non communiste à l'intérieur de la CGT. Un des représentants les plus connus de cette minorité fut Pierre Le Brun qui mena une action constante en faveur de l'unité syndicale et fit de nombreuses propositions dans le but de permettre au mouvement syndical de reconstituer son unité au sein de la CGT. Dans cet esprit, il proposa à la centrale d'adopter une stricte position de neutralité politique et de permettre aux tendances de s'y exprimer librement (2).

Si elles avaient été suivies, les propositions de Pierre Le Brun auraient permis de réaliser plus tôt et largement l'unité du mouvement syndical. Mais la CGT est restée sourde à ces suggestions et a fini par écarter leur auteur. Il est vrai que cette conception a peut-être vieilli depuis et que ce sont, au moins dans une certaine mesure, les options politiques qui semblent avoir facilité l'actuel rapprochement entre la CGT et la CFDT.

B.— *Les arrières-pensées de l'unité syndicale*

Il existe un autre obstacle à l'unité syndicale, qui est d'ailleurs la conséquence des liens étroits qui existent entre la CGT et le PC. Les syndicalistes non CGT prêtent à leurs partenaires les plus noirs desseins, et en particulier la CGT est soupçonnée de ne rechercher l'unité que pour mieux étouffer ses concurrentes. C'est pourquoi même ceux qui se montrent les plus favorables à la reconstitution de l'unité font un effort important de recrutement afin d'affronter dans les meilleures conditions possibles le processus final.

(1) André Bergeron, Intervention devant le congrès départemental de l'Union des Syndicats Force Ouvrière du Puy-de-Dôme (*Le Monde*, 24 décembre 1974).

(2) Pierre Le Brun, Entretien avec une équipe de l'Express à l'issue du congrès de la CGT de juin 1957 (*L'Express*, 26 juin 1957).

1) Les noirs desseins de la CGT

Il est de fait que ses rivales accusent la CGT de ne pas rechercher honnêtement la réunification syndicale et lui reprochent de n'œuvrer dans ce sens que pour assurer sa mainmise sur le mouvement syndical et mettre celui-ci à la disposition du Parti Communiste. Malgré les assurances données à de nombreuses reprises par la CGT, les inquiétudes et les soupçons subsitent.

La CGT a toujours affirmé qu'elle recherchait l'unité d'action dans le seul intérêt de la classe ouvrière et sans la moindre arrière pensée (1). Les prises de position en ce sens sont nombreuses, mais elles n'ont pas suffi à rassurer les syndicalistes non cégétistes, et en particulier les syndicalistes chrétiens.

Les rapports entre la CGT et la CFTC puis la CFDT ont toujours été, et restent encore, assombris par une méfiance réciproque. Pourtant, la CGT a toujours insisté sur sa détermination de jouer loyalement le jeu de l'unité d'action, même avec le syndicalisme chrétien (1). Les déclarations de principe n'y font rien, les réticences subsistent de part et d'autre.

La CGT craint que sa bonne volonté ne soit pas payée de retour. Elle redoute la concurrence de la CFDT qui est d'autant plus puissante et recrute d'autant plus facilement qu'elle a rompu le cordon ombilical qui la liait, au moins en apparence, à l'Eglise Catholique. La CGT craint aussi que, malgré le profond bouleversement de 1964, la CFTC devenue CFDT reste ce qu'elle a toujours été pour elle, un élément de division de la classe ouvrière, à la solde de la hiérarchie catholique et de la bourgeoisie, un adepte de la collaboration de classes (2).

Mais les inquiétudes sont aussi profondes du côté de la CFDT. Il n'y a encore pas si longtemps, certains de ses dirigeants manifestaient leurs soucis concernant les rapports de leur centrale avec la CGT et estimaient que, si l'unité d'action entre les deux confédérations est nécessaire, il ne faut pas aller trop loin dans ce sens, afin de ne pas faire le jeu de la CGT et du PC. C'était en particulier l'opinion de Georges Levard qui démissionna en mai 1967 de ses fonctions de président de la CFDT en raison de son désaccord avec la politique suivie par Eugène Descamps. Pour Georges Levard, l'assouplissement des positions de la CGT faisait courir de gros risques à ceux qui avaient la naïveté d'imaginer que les communistes ont vraiment changé et qu'on peut agir en toute confiance avec eux.

(1) Georges Cogniot, Préface à l'ouvrage de Pierre Delon (*Le syndicalisme chrétien en France*).

(2) Pierre Delon, *Le syndicalisme chrétien en France*, p. 125.

Malgré leur volonté tenace de réaliser l'unité d'action, les dirigeants de la CFDT devaient reconnaître quelques mois plus tard que les craintes de leur ancien président et de ses amis n'étaient pas des chimères (1). Il semble que maintenant les réticences ne sont plus aussi grandes et que les deux centrales préfèrent insister sur ce qui les rapproche plutôt que sur ce qui les sépare. Mais cela ne peut faire oublier qu'il existe une opposition fondamentale entre la CGT communiste et totalitaire et la CFDT libertaire et autogestionnaire, qui ne manque d'ailleurs pas une occasion de rappeler quelles sont les grandes lignes de la société qu'elle entend construire et les moyens qu'elle compte utiliser pour y parvenir (2).

Un tel programme peut à première vue paraître acceptable à une CGT soucieuse avant tout de réaliser l'unité d'action, mais il reste que les conceptions de la CFDT ne sont pas en harmonie avec celles de la CGT, surtout avec celles de ses dirigeants, membres importants du Parti Communiste pour la plupart, même si ceux-ci font en tant que syndicalistes des déclarations de nature à rassurer les plus méfiants. La lune de miel entre les deux centrales n'est d'ailleurs pas exempte de quelques heurts passagers, et la question reste posée de savoir si l'évolution des militants cégétistes qui appartiennent au Parti Communiste et celle des militants cédétistes est parvenue à un niveau où l'accord entre les deux confédérations peut dépasser le stade tactique et permettre d'espérer une unité plus profonde.

Mais nous abordons là le domaine des hypothèses et de la prospective que nous allons immédiatement abandonner pour retrouver les réalités quotidiennes. Et à ce niveau il faut reconnaître que malgré une volonté commune de transformer notre société, la méfiance reste grande entre les deux centrales qui se considèrent au moins autant, sinon davantage, comme rivales que comme alliées. Cette lutte plus ou moins larvée, cette concurrence, courtoise souvent et tenace toujours, expliquent l'attitude des centrales à l'égard des grands évènements de la vie du pays, et en particulier l'attitude de la CGT qui s'est jetée à fond dans la bataille pour les élections de mars 1973 (3) dans la bataille présidentielle de 1974 et qui lance maintenant une campagne de soutien au Programme Commun (4) avec le souci constant de conserver son rôle de leader.

Malgré tout ce qui les divise, la CGT et la CFDT sont condamnées à vivre ensemble. Elles sont un peu comme deux frères ennemis qui doivent se partager le même héritage dont chacun revendique la totalité (5).

(1) Rapport présenté par Eugène Descamps au congrès de la CFDT réuni en novembre 1967 (*Etudes Sociales et Syndicales,* n°146, décembre 1967, p.7).

(2) Allocution de Jean Maire devant les militants de la région Montbéliard (*Le Monde,* 16 octobre 1969).

(3) *Combat,* 8 septembre 1972 : La CGT joue la carte politique.

(4) *Le Figaro,* 19 octobre 1977 ; - *Le Monde,* 20 octobre 1977.

(5) Jean Boissonnat, La dispute CGT/CFDT (*La Croix,* 25 mars 1974).

De son côté, la CGT-FO se montre dans l'ensemble très réticente à l'unité d'action dont elle craint qu'il s'agisse d'une simple tactique adoptée par la CGT pour étouffer ses rivales. Pour elle, la CGT est aux ordres du PC et il n'y a rien de bon à attendre de sa part. Le jour où la CGT se sera libérée de l'emprise communiste, l'unité se refera d'elle-même (1). Pour Force Ouvrière, la CGT ne fait qu'exploiter à son profit le désir populaire de voir reconstituer l'unité syndicale et elle fait tout pour la réaliser à son profit exclusif, en tentant d'endormir la méfiance des dirigeants des autres centrales ou bien de saper leur autorité à la base. Les mésaventures de la CGT-FO dans le passé expliquent et justifient son attitude actuelle. Rien ne permet à ses dirigeants de penser que la CGT, qui est toujours sous l'influence du Parti Communiste, a changé de doctrine.

La CGT a-t-elle vraiment abandonné la volonté de liquider ses rivales, en particulier les scissionnistes de Force Ouvrière ? Cela n'est pas certain, et il faut se rappeler que, à une époque déjà lointaine il est vrai mais que les dirigeants actuels de la CGT-FO ont bien connue, il est arrivé à un secrétaire du Parti Communiste, également président de la Fédération CGT des Mineurs du Nord et du Pas-de-Calais, de tenir des propos de nature à justifier les inquiétudes de Force Ouvrière, en affirmant que « l'unité ne pourra se réaliser que sous la direction de la CGT et sur son programme » et que « pour liquider la scission, un mot d'ordre : Pour un seul syndicat, à bas la division (2) ! » De tels propos ne sont pas encore oubliés et tintent toujours aux oreilles de nombreux dirigeants de la CGT-FO, qui ne veulent plus être à nouveau les jouets des communistes comme ce fut le cas lorsqu'ils passèrent avec eux l'accord du Perreux, qui consacre la première étape du noyautage de la CGT par le PC et les ex-unitaires (3).

Pour les dirigeants de la CGT-FO, le danger est toujours aussi grand et il faut se garder de jouer le jeu de la CGT. Les adhérents à cette centrale qui ne croient pas à ce danger ne peuvent que s'incliner ou la quitter, comme l'a fait en 1972 la Fédération de la Chimie qui a rejoint les rangs de la CFDT.

2) L'effort de recrutement

Que les craintes que nous venons de rappeler soient ou non fondées, les différentes centrales syndicales françaises font un

(1) Robert Bothereau, Ce qu'est et ce que veut la CGT-FO (*L'économie*, n°471, 10 décembre 1954).

(2) Auguste Lecœur : Discours prononcé le 4 décembre 1952 à Nœux-les-Mines, critiquant le journal CGT « La Tribune des Mineurs » qui avait représenté l'unité d'action par trois ouvriers (CGT, CGT-FO, CFTC) se tenant par la main (*Le Monde*, 20 décembre 1952).

(3) Robert Bothereau : Editorial de Force Ouvrière évoquant, à propos de l'unité d'action, l'accord du Perreux conclu pendant l'Occupation (cité dans *Le Monde*, 25 mai 1963).

gros effort de recrutement, et plus particulièrement la CFDT qui ne cache pas son ambition de concurrencer son alliée la CGT et de devenir une centrale à vocation majoritaire. Cet effort de recrutement se fait en direction des non syndiqués, des jeunes, des femmes et des cadres (1).

Pour attirer à elle le maximum d'adhérents nouveaux, chaque centrale doit se démarquer par rapport à sa rivale et insister sur ce qui la différencie d'elle. Cela ne peut servir l'unité syndicale, mais il reste certain que si l'on veut que l'union recherchée ne soit pas l'absorption des plus faibles par les plus forts il faut que les partenaires soient de tailles comparables.

Cette campagne de recrutement est donc nécessaire, même s'il est certain que dans un premier temps elle ne sert pas la cause de l'unité syndicale. Il reste à savoir si, le moment venu, les centrales sauront oublier et faire oublier les divergences que, pour des raisons tactiques, elles ont du mettre en avant.

§ 2.– LES LIMITES DE CIRCONSTANCE A L'UNITE SYNDICALE

A côté des limites de principe à l'unité syndicale, les circonstances ne manquent pas à l'occasion desquelles le syndicalisme français a manifesté sa division et la volonté de chaque centrale de bien se distinguer de ses voisines et de préserver envers et contre tous son indépendance.

A.– *Les manifestations de la division syndicale*

En même temps qu'ils proclament leur volonté de réaliser l'unité syndicale, les syndicalistes français ne manquent pas de manifester leur division pour des motifs souvent secondaires ou pour des raisons de tactique qu'il n'est pas toujours aisé de comprendre.

1) L'attribution des locaux à la Bourse du Travail de Paris

Un conflit violent s'est élevé à la fin de 1968 pour l'attribution de nouveaux locaux dépendant de la Bourse du Travail de Paris. Pour les syndicats qui y sont admis, la Bourse du Travail et ses annexes représentent une aide directe non négligeable. Les locaux et leurs installations appartiennent à la Ville de Paris et sont mis à la disposition des syndicats à titre gratuit. Faute de place, tous les syndicats ne pouvaient encore accéder en 1968 à la Bourse du Travail. C'était en particulier le cas de la CFDT.

(1) Paul Meunier, Où va le syndicalisme français ? (*Combat,* 18 au 20 février 1970) ; - *Les Echos,* 20 mars 1974 (La CGT et les jeunes, une offensive de choc ou une entreprise de charme ?).

L'annexe Beauvallet, située rue Charlot, s'était agrandie de vingt et un bureaux qu'il fallait répartir. La commission administrative de la Bourse, sous contrôle CGT (1), décida d'affecter cinq bureaux à la CFDT, deux à la CGT-FO, et les quatorze restant à la CGT. Cette décision fut mal accueillie par la CFDT et la CGT-FO qui introduisit un recours devant la deuxième commission du Conseil de Paris. La CGT-FO faisait valoir que la commission administrative avait été convoquée dans des conditions trop hâtives et que la décision avait été prise irrégulièrement. La CGT-FO considérait que la CGT était déjà très favorisée, puisqu'elle disposait dans les anciens locaux de 276 bureaux, alors qu'elle même n'en avait que 35, la FEN seulement 6, et un syndicat indépendant un seul bureau. Elle souhaitait donc que les nouveaux locaux soient plus largement attribués à elle-même et aux autres syndicats.

En raison de ce désaccord, la Préfecture de Paris n'a pas autorisé l'installation des syndicats attributaires dans les nouveaux locaux, mettant ainsi le Conseil de Paris dans l'obligation d'arbitrer le conflit. L'union CGT des syndicats de Paris critiqua sévèrement la décision du préfet qu'elle dénonçait comme un « véritable coup de force contre une décision régulièrement prise par la commission administrative, dont un décret régit l'attribution et la charge de l'administration générale de la Bourse du Travail, laissant au préfet le soin de veiller à l'application de la décision de la commission administrative (2) ».

Afin d'éviter que les syndicats attributaires désignés par la décision contestée de la commission administrative prennent possession des locaux avant qu'une décision définitive intervienne, le préfet de Paris fit poser des serrures sur tous les bureaux afin que personne ne puisse y accéder. Cette mesure fut considérée comme une voie de fait par la commission administrative qui saisit le juge des référés et lui demanda d'ordonner au préfet de faire enlever les serrures.

La commission administrative faisait plaider que la décision préfectorale avait été prise en dehors de toutes les formes règlementaires, qu'elle n'avait pas été notifiée régulièrement et qu'elle s'apparentait à une mesure d'exécution forcée. De son côté, le préfet de Paris faisait plaider que les locaux litigieux, à la date de la mesure qui lui était reprochée, n'avaient pas encore été mis à la disposition de la Bourse du Travail et que la commission administrative avait donc réparti des locaux qui ne lui appartenaient pas encore. Pour le préfet, l'apposition des serrures ne pouvait pas s'apparenter à une

(1) Sur 15 membres, elle compte 10 représentants de la CGT, les autres appartenant à la CGT-FO et à la FEN.

(2) *Le Monde*, 7 novembre 1968.

voie de fait et les tribunaux judiciaires étaient incompétents pour juger ce différend. Il relevait d'autre part que la commission administrative aurait lancé son assignation sans réunir au préalable ses membres. Ce reproche était confirmé par l'union des syndicats FO de la région parisienne qui compte quatre membres à la commission et s'étonnait qu'ils n'aient pas été consultés sur l'éventualité de cette action en justice.

Le juge des référés rendit une ordonnance d'incompétence en se fondant sur l'article 6 du décret du 17 juillet 1900 qui dispose que le préfet de Paris est chargé de la conservation des immeubles, de la garde et de la surveillance générale de la Bourse du Travail et de ses annexes. Tirant les conséquences de ce texte, le juge estime que « l'acte d'administration contesté ne peut être considéré comme manifestement insusceptible de se rattacher à l'appréciation d'un texte législatif ou règlementaire (1) » et qu'il n'est pas compétent pour prendre la décision qui lui est demandée.

La deuxième commission du Conseil de Paris prit une décision répartissant plus largement les vingt et un bureaux litigieux (2). Cette décision fut critiquée à la fois par la CGT, qui y voyait « une véritable atteinte au droit syndical et à la gestion autonome de la Bourse du Travail (3) », et par la CFDT qui s'estimait encore lésée par cette décision et prétendait qu'au moins douze des nouveaux bureaux devaient lui revenir.

La CGT et la CFDT se rejoignaient pour affirmer que la décision prise par la deuxième commission du Conseil de Paris est illégale, dans la mesure où elles estiment qu'elle n'est pas habilitée à se substituer à la commission administrative de la Bourse du Travail qui, d'après les statuts, est seule compétente pour répartir les locaux entre les syndicats. Les deux confédérations faisaient également valoir que le Conseil de Paris lui-même ne peut pas décider d'attribuer des locaux à une organisation non adhérente à la Bourse du Travail, ce qui est pour elles le cas de la CFTC maintenue. Cette dernière réclamait l'arbitrage du Conseil de Paris et la CGT envisageait faire appel au Ministre des Affaires Sociales pour trancher le différend.

Pour régler le litige, le Ministère des Affaires Sociales fit préparer un décret réorganisant la Bourse du Travail de Paris et supprimant la prépondérance de la CGT (4). De son côté, le Conseil de Pa-

(1) *Le Monde,* 30 novembre 1968.

(2) La nouvelle répartition était la suivante : CFDT (8 bureaux), CGT-FO (6 bureaux), CFTC maintenue (3 bureaux), CGT (4 bureaux).

(3) *Le Monde,* 24 décembre 1968.

(4) Avant la réforme la commission comprenait 15 membres (10 CGT, 4 CGT-FO, 1 FEN). Le décret proposé par le ministère prévoyait une commission de 18 membres, 15 représentant les organisations syndicales représentatives à l'échelon national (5 CGT, 3 CGT-FO, 3 CFDT, 2 CFTC, 2 CGC) et 3 représentant des organisations syndicales représentatives sur le plan parisien.

ris promettait d'accélérer la construction d'une nouvelle Bourse du Travail qui pourrait accueillir décemment dans ses locaux tous les syndicats (1). Par leur action, les organisations syndicales ont donc obtenu certains avantages non négligeables et des promesses, qui n'ont pas été réalisées depuis, mais ils est douteux que l'unité d'action y ait gagné puisque ces résultats ont été obtenus à la suite d'un conflit opposant la CGT à ses rivales.

2) La participation aux actions et aux manifestations syndicales

Le caractère irréductible de la division syndicale se manifeste également lorsqu'il s'agit de mettre sur pied des actions ou des manifestations communes.

Le 1er mai, fête du travail, est l'occasion pour le mouvement syndical de montrer sa puissance et sa cohésion et de les manifester dans le traditionnel défilé. Or, une guerre des défilés a été conduite à plusieurs reprises par la CGT et la CFDT. C'est ainsi qu'en 1970, au cours du défilé commun CGT-CFDT, des cégétistes avaient crié « les casseurs ce n'est pas nous, ils sont derrière » en faisant allusion au deuxième cortège qui réunissait la CFDT et certains groupes révolutionnaires (2). Ces propos provoquèrent une échauffourée à la fin du défilé. Afin d'éviter le renouvellement de tels heurts, il y eut deux défilés distincts à Paris l'année suivante. La CGT et la CFDT ont réussi à faire taire leurs divergences mais cela ne peut pas faire oublier qu'elles existent et que d'autres centrales, plus faibles mais non négligeables, ne participent pas à cette unité.

La CGT et la CFDT se sont souvent heurtées sur l'opportunité de certaines semaines d'action ou journées d'action syndicale, laissant apparaître les divergences existant entre elles. Ainsi la CFDT s'est opposée aux journées nationales d'action proposées par la CGT en février 1969 et en avril 1970. Il est même arrivé que la CFDT rejoigne la CFTC et la CGT-FO pour refuser avec elles de s'associer à certains mots d'ordre lancés par la CGT, comme cela s'est passé pour la grève générale préconisée par celle-ci pour le 8 juin 1972 (3).

(1) Actuellement, les travaux ne sont toujours pas entrepris.

(2) *Le Monde*, 30 avril 1971.

(3) *L'humanité*, 2 juin 1972. *France-Soir*, 7 juin 1972. *Le Figaro*, 8 juin 1972. *France-Soir*, 9 juin 1972. Voir également *La Croix*, (14 juin 1972) qui explique l'échec relatif subi par la CGT en écrivant que « une des leçons de la grève de mercredi dernier est que ce n'est pas facile de faire arrêter massivement le travail par des salariés qui ne sont pas directement concernés par les objectifs de la grève ».

Sans aller jusqu'à se désolidariser aussi complètement l'une de l'autre, les deux centrales s'attaquent (1) et se congratulent (2) mutuellement, pratiquant une politique de la douche écossaise qui a de quoi déconcerter les observateurs (3). Mais il est des mots d'ordre qui facilitent l'union, telle la proposition faite en 1973 par la CGT de mener une lutte commune pour la défense du pouvoir d'achat (4), des salaires et de l'emploi (5). Il ne faut également pas oublier que ces deux centrales ont réussi à surmonter leurs rivalités pour mettre sur pied de nombreux plans communs (6) et de multiples journées d'action (7), malgré les difficultés à l'intérieur de l'Union de la Gauche mais sans toujours réussir à rassembler toutes les autres organisations autour d'elles (8).

Ces réticences des autres centrales devant les initiatives de la CGT s'expliquent par la crainte qu'elles ont que ces initiatives soient inopportunes, et surtout qu'elles servent de prétexte à la CGT pour se poser en leader du mouvement syndical français et en prendre le contrôle. C'est surtout, nous semble-t-il, le sentiment de la CGT-FO qui, même dans la fonction publique où elle est

(1) Le Monde, 9 septembre 1972 (Querelle CGT/CFDT sur les modalités de l'action revendicative, la CGT critiquant les conceptions de la CFDT qu'elle estime irréaliste, et sa volonté de se démarquer dont elle dit qu'elle confine au sectarisme). *Le Monde,* 28 septembre 1972 (Dans une déclaration à ce quotidien, Georges Séguy reproche à la CFDT de multiplier les obstacles à l'unité). Le Figaro, 28 mars 1973 (Georges Sésuy accuse Edmond Maire de fomenter des manœuvres de division). *Le Figaro,* 7 juin 1973 (Commentant le congrès de la CFDT, M. Séguy affirme que la CGT a été calomniée). Le Monde, 15 mars 1974 (Pour M. Berteloot, la CFDT est un frein à la généralisation de l'action).

(2) Le Monde, 17 novembre 1973 (Les cheminots CGT insistent sur la nécessité de l'unité avec les autres syndicats et se félicitent de l'action avec la CFDT). *Le Monde,* 26 novembre 1973 (Une délégation de la CFDT participe au congrès des métallurgistes de la CGT).

(3) *Combat* (22 mai 1973) et *Le Monde* (11 octobre 1973) expliquent la difficulté de concilier le socialisme centralisateur, bureaucratique et autoritaire de la CGT, tel que le ressent la CFDT avec le centralisme décentralisé et autogestionnaire prôné par celle-ci.

(4) *Le Monde,* 28 septembre 1973.

(5) *Le Monde,* 25 février 1974.

(6) Accord offensif CGT-CFDT pris au printemps 1974, qui a débouché à l'automne sur un plan commun d'action CGT-CFDT prévoyant des manifestations et des grèves diversifiées. Campagne commune CGT-CFDT d'information et de mobilisation décidée en février 1975. Plan d'action commune contre la politique économique et sociale du gouvernement de M. Raymond Barre : Grèves d'octobre et novembre 1976, de février et avril 1977.

(7) *Le Monde,* 15 avril 1974 : Rassemblement CGT, CFDT, et FEN à La Courneuve pour le 1er mai (cette année là, il n'y eut pas, en raison de la proximité des élections présidentielles, de défilé dans Paris, car il fallait rassurer le « marais »).

(8) Grève nationale organisée par la CGT, la CFDT et la FEN, pour le 1er décembre 1977, contre le plan Barre. La CGC a annoncé qu'elle ne participera pas à cette grève en raison des satisfactions obtenues avec les accords signés dans le secteur public et « de la prise en considération par le gouvernement des préoccupations spécifiques des cadres ». *Le Monde,* 11 novembre 1977.

particulièrement puissante, répugne à l'unité d'action avec la CGT (1).

B.– *Les nécessités conjoncturelles ne font pas oublier les positions fondamentales*

Quelles que soient les nécessités de la lutte syndicale du moment, aucune des centrales n'oublie quels sont ses grands principes directeurs et ne prend le risque de les trahir, de même qu'aucune n'accepte que l'unité d'action puisse porter atteinte à son influence.

Le désir commun de respecter les grandes options idéologiques propres à chaque centrale rend difficile la réalisation de l'unité syndicale et en réduit sensiblement les objectifs (2). Lorsqu'elle est réalisée, l'unité d'action n'est qu'une manœuvre tactique, un mariage de raison, dont l'avenir est compromis dès que son principe est décidé. Cela est surtout vrai dans les rapports de la CGT avec la CGT-FO et la CFTC d'avant la scission, et l'est peut-être encore aujourd'hui dans les rapports de la CGT avec la CFDT (3) qui ne sont pas toujours d'accord sur les formes de l'action commune à entreprendre, comme celà semble s'être passéchez Dubigeon-Normandie (4).

Cette résurgence des conflits idéologiques n'est pas un phénomène propre à la réalisation de l'unité au niveau fédéral ou confédéral, elle est également observée à la base (5). Mais c'est précisément à propos de l'unité de direction que les difficultés réapparaissent. Pour un des partenaires, accepter l'unité de direction, c'est en fait accepter la subordination de l'autre syndicat, c'est s'aliéner et risquer ainsi de perdre son influence.

Il arrive ainsi que l'unité d'action soit vue avec défaveur par les dirigeants syndicaux qui craignent que leur centrale perde de son influence par l'effet même de l'unité d'action et que leurs militants de base oublient de préserver la spécificité de leur syndicat et perdent de leur combativité. Une telle crainte a existé, et existe peut-être encore à la CGT elle-même (6).

(1) Semaine d'action du 24 au 29 octobre organisée par six des sept fédérations de la fonction publique (CGT, CFDT, FEN, CFTC, CGC, autonomes) pour protester contre l'insuffisance des propositions gouvernementales faites lors des négociations salariales rompues le 29 septembre. La Fédération Force Ouvrière de la Fonction Publique fait bande à part et décide, pour les mêmes raisons que les autres fédérations, une semaine d'action du 7 au 12 novembre (*Le Figaro,* 24 octobre 1977 ; *Le Monde,* 25 octobre 1977).

(2) *Combat,* 12 septembre 1968.

(3) Benoît Frachon, Discours au congrès de la CGT de juin 1961 (*Combat,* 3 juin 1961).

(4) *Le Monde,* 10 et 11 novembre 1977.

(5) Serge Mallet, *La nouvelle classe ouvrière,* p. 63.

(6) Léon Mauvais, Déclaration au CCN des 17 et 18 varil 1962 (*Le Monde,* 30 juin 1962).

CONCLUSION

Au terme de cette étude, nous pouvons affirmer que l'unité syndicale est loin de pouvoir être reconstituée en France, d'autant plus que toutes les fusions qui ont pu se réaliser jusqu'ici ont immanquablement entraîné une scission des minoritaires.

L'étude des scissions syndicales n'est donc pas encore près de ne plus présenter qu'un intérêt historique, à moins que la dynamique de l'union de la gauche constatée au niveau politique ne produise des effets identiques et durables sur le plan syndical. Mais l'union de la gauche a l'air bien malade. Survivra-t-elle ? Les graves dissensions actuelles permettent d'en douter.

Cela est regrettable car l'unité syndicale n'en sera pas facilitée, or cette unité est aussi nécessaire au syndicalisme que celui-ci est indispensable à la société.

§ 1.– APOLOGIE DU SYNDICALISME

Le syndicalisme défend les intérêts de ceux qui doivent travailler pour vivre, et il défend d'abord les plus défavorisés, les plus faibles et les plus déshérités. Cette simple constatation et celle des conquêtes du mouvement syndical suffisent à rétablir une vérité connue, mais qui doit rester présente à l'esprit de tous : Le syndicalisme a permis de prendre conscience de la dignité de l'homme au travail, et il est un des moyens mis à la disposition des plus défavorisés pour prendre en main leur destin.

Le syndicalisme joue le rôle indispensable et irremplacable de défenseur des intérêts de l'homme au travail. Il aide à connaître ses aspirations et ses besoins, mettant ainsi le pouvoir politique à même de réaliser le but de la société humaine, le bonheur des individus sur terre, ... d'autres prenant en charge le salut éternel de ceux qui croient au Ciel. Mais aujourd'hui, ceux qui croient au Ciel et ceux qui n'y croient pas sont unanimes à reconnaître la dignité de l'homme et de son travail, ainsi que la nécessité et l'utilité du syndicalisme.

« L'homme n'est pas d'abord un instrument de travail, que l'on apprécie surtout à son rendement et à son prix de revient. L'homme c'est avant tout une personne avec une intelligence, un cœur, une liberté, et il aspire à travailler comme une personne. Dans le monde collectif où nous sommes, c'est par la voie des organisations professionnelles qu'il faut prendre une part personnelle à l'orientation de son travail. Si l'Eglise rappelle depuis si longtemps le droit syndical auquel correspond un devoir, c'est pour permettre à l'homme de travailler comme une personne et non comme un outil. La justice, c'est aussi et de plus en plus le respect du bien commun d'un pays, d'une nation, dont nous sommes tous dépendants et responsables. Mais ce respect n'est-il pas d'autant plus facilité qu'on en connaît les exigences grâce au fonctionnement normal des corps intermédiaires ? Et ce bien commun est d'autant mieux assuré par ceux qui en ont la garde (1) ».

Le syndicalisme a également permis aux plus défavorisés de prendre en main leur destin, à l'échelon de la Nation comme à celui de l'entreprise. Les syndicats agissent sur le pouvoir politique par l'action revendicative et par les avis qu'ils donnent aux pouvoirs publics, lorsque ceux-ci les consultent. A l'échelon de l'Etat, cette consultation est même institutionnalisée dans le cadre du Conseil Economique et Social. L'avenir nous dira ce qu'il en sera de la participation syndicale au niveau des régions, qui semblent pour l'instant des création aritificielles et peu vivaces. Il est vrai que la France doit se remettre de plusieurs siècles de centralisme monarchique et républicain.

Mais c'est au niveau de la profession, et peut-être plus encore à celui de l'entreprise, que le syndicalisme peut actuellement jouer un rôle fondamental, non seulement en se faisant le défenseur de ses mandants, mais également en participant directement à la prise de décision sans pour autant prendre cette décision bien entendu. Le rapport Sudreau a bien insisté sur la nécessité de reconnaître le syndicat comme partenaire, et de donner à la représentation du personnel des prérogatives qui permettent aux salariés de conduire un véritable dialogue avec leur employeur (2). Le rapport constate aussi l'importance des résultats obtenus grâce à l'action du mouvement syndical, que ce soit à l'échelon du pays, des branches économiques ou de certaines entreprises (3).

(1) Mgr Mazières, Evêque de Saint-Etienne, article publié dans la Semaine Religieuse du Diocèse de Lyon, cité par *Le Monde* (30 mars 1963) sous le titre « L'évêque de Saint-Etienne souligne le rôle des syndicats ».

(2) Pierre Sudreau et autres, Rapport du Comité d'Etude pour la Réforme de l'Entreprise, (La Documentation Française, 1975), pp. 57 sq.

(3) Rapport Sudreau, p.59. Notons que le rapport souligne que les organisations syndicales offrent une voie de promotion pour leurs militants. Il est douteux que cet aspect de l'action syndicale soit pris en considération par les militants. Pour eux, la promotion doit être collective et non individuelle. De plus, parler de promotion implique une reconnaissance du système économique et social actuel, alors que la plupart des syndicalistes veulent transformer radicalement la société. Reproche : Le Rapport Sudreau ne préconise-t-il pas une tentative de récupération du syndicalisme ?

Le Rapport Sudreau reconnaît donc que le syndicalisme a joué un rôle constructif considérable, et souhaite qu'il continue à le jouer en utilisant les moyens qui sont mis à sa disposition par les autorités publiques. Actuellement, c'est la politique contractuelle qui est préconisée, car pour ses promoteurs comme pour les rédacteurs du rapport « même si le progrès social ne s'accomplit pas toujours dans le respect des équilibres économiques généraux, c'est un fait que la politique contractuelle a obtenu des résultats importants au cours des dernières années (1) ».

Tirant les enseignements de l'histoire, le Comité reconnaît l'efficacité et l'utilité de l'action syndicale, et il demande aux pouvoirs publics d'en renforcer les moyens (en augmentant en particulier les crédits à la formation syndicale) et de laisser un champ plus vaste à la négociation collective. Mais notre économie n'est-elle pas trop fragile et trop complexe pour donner toute liberté aux partenaires sociaux ? Toujours est-il qu'il y aura peut-être bientôt une occasion à saisir pour le syndicalisme qui cueillera ainsi les fruits d'une activité dont le bilan se révèle largement positif. Nous croyons que la moisson sera d'autant plus riche que le mouvement syndical saura faire taire ses divisions et retrouver une unité qu'il n'aurait jamais dû perdre.

§ 2.– L'UNITE DIFFICILE MAIS NECESSAIRE

L'histoire nous a enseigné que l'unité syndicale n'a en fait jamais existé dans les pays démocratiques et qu'elle est malaisée à réaliser et à préserver lorsqu'elle a été atteinte au moins partiellement (2).

A l'heure actuelle, l'unité ne nous semble pas réalisable, et ce d'autant moins qu'aux difficultés d'ordre interne viennent s'ajouter des complications au niveau des confédérations internationales. La CFDT reproche à la CMT son inefficacité et lui demande de se réformer (3). La CGT souhaite une libéralisation de la FSM (4) dont la CGIL décide de se retirer (5). Qu'adviendra-t-il de l'unité des centrales concernées si leurs suggestions ne sont pas suivies ? Retireront-elles leur adhésion à la centrale internationale à laquelle elles sont affiliées ? La maintiendront-elles au prix d'éventuels départs ?

(1) Rapport Sudreau, p.59.

(2) Par exemple l'Unité réalisée par la fusion de l'AFL-CIO aux Etats-Unis (1955) a été brisée par la fondation de l'ALA (1969).

(3) *Le Monde,* 18 octobre 1977. - *Le Figaro,* 24 octobre 1977.

(4) *J'Informe,* 21 octobre 1977. - *Le Monde,* 21 octobre 1977.

(5) *L'Express,* n°1374, 7-13 novembre 1977.

L'unité syndicale n'est donc certainement pas pour demain, et c'est regrettable car l'expérience a montré qu'un syndicalisme uni dans un pays libre obtient d'excellents résultats au profit des plus défavorisés et permet surtout d'éviter les surenchères démagogiques qui nuisent non seulement à l'intérêt général, mais également aux intérêts particuliers de ceux que le syndicalisme a pour mission de défendre.

§ 3.– LE DROIT ET LA DIVISION SYNDICALE

Le Droit qui a pour mission de régir les rapports sociaux a bien entendu tenu compte de la division syndicale au niveau de l'entreprise (élection des représentants du personnel) et de l'Etat (négociation des conventions collectives, Conseil Economique et Social, organisation internationale du travail). Mais surtout, le Droit a eu à intervenir pour trouver une solution aux difficultés consécutives aux scissions qui ont atteint le mouvement syndical français.

« Le Droit a-t-il été inventé pour assurer le triomphe de la logique, ou le règne de la Paix (1) ? » Mais le chemin de la paix ne passe-t-il pas par celui de la logique, qui consiste pour le juriste à ne pas faire de juridisme, à ne pas oublier les réalités concrètes, et donc à accepter une autolimitation du Droit, à chercher à concilier plutôt qu'à juger.

Assurer le règne du Droit, la suprématie de la loi raisonnable sur la force brutale, a été de tout temps un des buts avoués par les sociétés humaines. Mais il faut prendre garde que le culte du Droit ne devienne pas idolâtrie, que le règne de la loi ne devienne pas une dictature aussi insupportable à l'Homme et à la Raison que le règne de la force : Il ne faut pas faire de juridisme.

L'écueil qui guette les juristes est de perdre de vue que le Droit n'est qu'un instrument qui doit tendre à une fin : Préserver l'harmonie des rapports sociaux. Le Droit n'est pas une fin en soi et, moins que tout autre, le juriste ne doit pas se laisser obnubiler par lui. Sans pour autant se substituer au législateur, émanation du peuple souverain, le technicien du droit ne doit pas oublier qu'il doit avant tout contribuer à préserver la paix sociale, et se servir de sa science dans ce seul but.

Le juriste doit donc savoir innover quand cela est nécessaire, il doit dominer l'arsenal de concepts, de raisonnements et de théories qui lui sont familiers, pour les utiliser comme de simples instruments au lieu d'en être l'esclave, comme cela est trop souvent le cas (2).

(1) Jean Carbonnier (Flexible Droit, p.260).

(2) Le même problème se pose dans toutes les disciplines juridiques ; Cf. en Droit des Affaires : J.M. Verdier, « Droit des Société et concentration économique » (Mélanges Hamel, 1961).

Malgré leur violence, les querelles syndicales restent des querelles de famille, et il n'est pas bon de recourir au Droit pour les règler, d'engager des procès, qui ont pour seul effet d'envenimer une situation qu'un peu de patience, de bon sens et de compréhension mutuelle aurait souvent permis de dédramatiser.

Conscients de l'importance des valeurs dont ils sont les dépositaires et dont ils doivent assurer la défense, les syndicalistes, s'ils ont un jour l'infortune de faire à nouveau face à une scission, devront méditer les leçons du passé. Ils ne devront pas oublier que « l'histoire de la classe ouvrière en France, et tout le monde s'accorde à y voir une cause de faiblesse, est une oscillation perpétuelle entre l'unité et la scission. Dès que la scission est acquise, il n'y a donc pas un instant à perdre pour préparer le retour à l'unité. A cet égard, une politique accommodante qui s'efforcerait d'atténuer et non d'envenimer l'amertume de la rupture, pourrait bien être la plus habile, parce qu'elle serait tournée vers l'avenir plutôt que vers le passé. Les syndicalistes ne feront-ils pas réflexion qu'ils ont, dans la scission, d'autres valeurs à sauvegarder que les valeurs patrimoniales (1) ? » Notre Epilogue cherche précisément à montrer quelle a été l'intervention de la Justice et du Droit dans ces querelles de famille et si les objectifs évoqués ont été atteints.

(1) Jean Carbonnier, « Les conséquences juridiques de la scission syndicale » (*Droit Social,* 1949).

EPILOGUE

LES CONSEQUENCES JURIDIQUES DES SCISSIONS SYNDICALES

« Le droit est une écume
à la surface des rapports sociaux »
Jean Carbonnier

Le droit n'aborde le problème de la scission syndicale et de ses conséquences juridiques que sous l'angle du contentieux. Aucune disposition légale ou règlementaire n'existe concernant les suites juridiques qu'il convient de donner à la scission syndicale. C'est à la jurisprudence qu'est donc revenue la tâche de dégager les principes en vertu desquels ce problème sera règlé (1).

Les questions à résoudre sont nombreuses et complexes. Pour s'en convaincre, il suffit de se rappeler que les syndicats ont la personnalité morale, avec tous les attributs juridiques qu'elle comporte, en particulier un nom et un patrimoine, mais aussi également certains droits, qui tiennent à la mission des syndicats et au rôle qui leur est reconnu dans notre société, dont certains ne sont l'apanage que des seuls syndicats reconnus comme représentatifs dans leur profession. Comme l'a fait remarquer M. Carbonnier, « c'est un problème de succession qui se pose (2) » et il s'agit de savoir comment règler cette succession et quelles seront les conséquences pratiques de la solution adoptée.

Avant d'aborder le fond du problème, il est permis de se demander pourquoi les syndicats se sont engagés dans une lutte aussi âpre. Si nous considérons l'enjeu matériel, il est bien mince. Les syndicats ouvriers ne sont pas riches, leur patrimoine est modeste et se limite pour l'essentiel à quelques biens (caisse syndicale, matériel de bureau, machine à écrire, droit au bail d'une salle occupée dans une Bourse du Travail, automobile), mais qui sont autant d'instruments de travail et de propagande, indispensables à leur action quotidienne. A cela s'ajoutent des objets sans valeur pécuniaire, mais d'un intérêt symbolique qui peut être considérable (archives, livres de comptes, voire le drapeau de l'ancien syndicat).

(1) Le phénomène de la scission des personnes morales ne semble pas avoir particulièrement préoccupé les auteurs des Traités de Droit Civil : Ambroise Colin et Henri Capitant, Cours Elémentaire de Droit Civil (Dalloz 1954) ; Charles Houpin et Henri Bosvieux, Traité Général, Théorique et Pratique des Sociétés Civiles et Commerciales et des Associations (6ème édition, 1927) ; Marcel Planiol et Georges Ripert, Traité Pratique de Droit Civil Français (2ème édition, LGDJ, 1954), Tome XI (Contrats civils : Société et Association, par Jean Lepargneur) ; - il en est de même des auteurs des Traités de Droit Commercial : Jean Escarra, Cours de Droit Commercial (Sirey, 1951) ; Jean Escarra et Jean Rault, Les Sociétés Commerciales (Sirey, 1959) ; Joseph Hamel et Gaston Lagarde, Traité de Droit Commercial (Dalloz, 1954 et 1966) ; Georges Ripert et René Roblot, Traité Elémentaire de Droit Commercial (LGDJ,1968) ; - à l'exception de M. Verdier les spécialistes de Droit du Travail ont également peu approfondi la question dans leurs ouvrages : G.H. Camerlynck et Gérard Lyon-Caen, Précis de Droit du Travail (Dalloz, 1973) ; Jean Rivero et Jean Savatier, Précis de Droit du Travail (Dalloz, 1961) ; Paul Durand et André Vitu, Traité de Droit du Travail (Dalloz, 1956) ; Jean-Maurice Verdier, Les Syndicats (Dalloz 1966, Tome V du Traité de Droit du Travail publié sous la direction de M. Camerlynck).

(2) Jean Carbonnier, Les conséquences juridiques de la scission syndicale (*Droit Social,* 1949).

A cet enjeu s'ajoute un enjeu moral : l'organisation qui triomphera doit apparaître aux yeux des masses comme la seule confédération authentique, héritière de la CGT ou de la CFTC « historiques ». Mais, comme l'a fait remarquer M. Carbonnier, encore faut-il admettre que « l'investiture des Tribunaux de l'Etat capitaliste puisse avoir quelque prix pour un syndicat ouvrier (1) ». Est-elle même souhaitable ?

Remarquons que le problème se pose exactement dans les mêmes termes, quel que soit le niveau, celui du syndicat, de l'union, de la fédération ou de la confédération, auquel se produit la scission (2).

Dans les deux cas, il s'agit en effet d'une scission provoquée par un changement de l'orientation idéologique de la personne morale qui se matérialise au niveau du syndicat, de l'union ou de la fédération par une modification de l'affiliation confédérale, alors qu'il se matérialise au niveau de la confédération par une modification de la référence idéologique contenue dans les statuts. Il s'agit donc bien d'un seul et même problème qui, pour des raisons purement conjoncturelles, s'est présenté sous des formes différentes en 1947 et en 1964.

SECTION I

A LA RECHERCHE D'UNE SOLUTION JURIDIQUE

La loi est muette sur les scissions de syndicats. Il en est de même généralement de leurs statuts. Cependant, la scission entraîne des conséquences juridiques importantes, concernant non seulement l'affectation de leur patrimoine, mais également le sort de leurs droits extra-patrimoniaux.

Deux possbilités s'offraient pour trouver une solution aux problèmes posés par les conséquences juridiques des scissions syndicales : faire une application analogique des règles du droit positif relatives à des situations comparables, et tirées du droit de la famille ou du droit des groupements ; rechercher une solution originale, propre au phénomène spécifique de la scission syndicale. C'est cette solution qui prévaudra.

§ 1.– LES SOLUTIONS ANALOGIQUES

Le raisonnement par analogie, qui consiste à étendre une loi à des matières ou à des cas qu'elle n'a pas prévus, est familier au juriste, si familier même qu'il a fallu lui interdire d'y recourir, dans certaines matières comme le Droit Pénal. Le recours à l'analogie correspond à une volonté de sécurité du juriste, à son désir de ne pas trop s'aventurer dans l'inconnu, tout en donnant l'illusion de l'originalité et en comblant les lacunes qui ont pu être relevées dans un système juridique considéré. Il est également, sans doute, la conséquence d'une certaine paresse intellectuelle de l'homme, qui est plus souvent tenté de copier que d'imaginer, d'adapter que de créer (3).

(1) Jean Carbonnier, Les conséquences juridiques de la scission syndicale (*Droit Social*, 1949).

(2) Contra : J-M. Verdier, note D 1966 J 2141 sous TGI Seine, 7 juillet 1965.

(3) M. Carbonnier a expliqué (*Flexible droit*, LGDJ 1971) l'importance pour la science du droit des phénomènes d'imitation et de recherche du moindre effort. Ainsi l'imitation serait le ressort du mécanisme obligatoire de la coutume (p.75) et la recherche du moindre effort conduirait l'Etat à adopter, pour l'application de ses lois, une technique de contrôle par sondages, dont les vérifications douanières et les rondes de Police sont un exemple (p.99, note n°16).

L'arsenal juridique offrait de nombreux mécanismes susceptibles d'être un modèle de solution au problème nouveau que constituait la dévolution des droits patrimoniaux et extrapatrimoniaux du syndicat, de l'union, de la fédération ou de la confédération qui vient de se scinder. Mais, si de nombreuses possibilités d'analogie s'offraient (1), aucune ne sera retenue, car elles ne permettaient pas de tenir compte du caractère spécifique du syndicalisme et, partant, du particularisme juridique de la scission syndicale.

La scission syndicale, c'est l'éclatement du groupement en deux fractions qui se trouvent en désaccord sur son orientation, mais qui prétendent chacune être fidèle à la volonté des fondateurs et poursuivre seule leur œuvre en respectant leur idéal. A l'origine de ce phénomène, nous trouvons un conflit idéologique. Cette marque profonde de l'idéologie est une caractéristique fondamentale du syndicalisme français et donc du phénomène de la scission syndicale. Cela explique pour une bonne part les difficultés rencontrées pour résoudre les problèmes posés par ce phénomène, et tout d'abord celui de sa délimitation.

S'il est relativement facile de « sentir » ce qu'est une scission, il est beaucoup plus malaisé de la définir. On peut cependant commencer par voir ce qu'elle n'est pas : il n'y a pas scission dès que le moindre dissentiment éclate dans un groupement, ni chaque fois que les intéressés déclarent en faire une. La scission implique une certaine épaisseur sociologique, et en plus la volonté des scissionnistes de poursuivre les mêmes buts que la personne morale dont ils se séparent, avec cette conséquence que nous trouvons face à face deux groupements qui prétendent défendre le même idéal (2).

La scission va donc se matérialiser au niveau du droit et des faits (3). Nous avons vu dans la deuxième partie de cette étude qu'une scission se matérialise d'abord par l'apparition d'un antagonisme de plus en plus profond entre deux fractions du syndicat, qui en viennent à s'opposer irrémédiablement. C'est à ce moment que la scission est appréhendée par le Droit : une fraction quitte le syndicat pour poursuivre la lutte dans ce qu'elle estime être l'orthodoxie syndicale et la fidélité historique, alors que l'autre reste dans le syndicat, dont elle a préalablement remanié les statuts pour tenir compte d'une évolution doctrinale qui n'a pas été admise par la minorité et est précisément la cause de la scission, elle-même matérialisée par le départ d'une des fractions du groupement d'origine.

Mais pour qu'il y ait scission syndicale, il faut encore que le conflit idéologique soit suffisamment grave, qu'il porte sur une question qui puisse objectivement être jugée fondamentale. Il ne s'agit donc pas d'une simple opposition même sérieuse, entre majorité et minorité, mais bien d'une opposition portant sur les grandes orientations de la vie et de la lutte du groupement. Cette opposition doit être telle que les deux fractions rivales estiment, chacune en ce qui la concerne, que l'autre trahit l'idéal du syndicat et qu'elle est seule à le respecter et à en poursuivre la réalisation, au besoin en dehors du « vêtement juridique » constitué par le syndicat d'origine.

Cette particularité du phénomène de la scission syndicale interdit de le confondre avec une démission collective (4) ou une somme de démissions individuelles (5), ni avec la dissolution anticipée pour mésintelligence (6) qui

(1) Analogies possibles : Droit de la famille (thèse pp.297 sq) ; - Droit des Sociétés (thèse, pp.301 sq.) ; - Droit des Associations (thèse, pp.314 sq) ; - Droit Canonique (thèse, pp.325 sq).

(2) Jean Carbonnier, Les conséquences juridiques de la scission syndicale (*Droit Social*, 1949) spécialement, pp. 142 et 143.

(3) J.M. Verdier, Les syndicats (Tome V du *Traité de Droit du Travail,* publié sous la direction de M. Camerlynck, Dalloz, 1966), n°132.

(4) Tel fut le cas lorsque la minorité Force Ouvrière quitta la CGT en 1947.

(5) Jean Brèthe de la Gressaye, Encyclopédie Dalloz, Syndicat Professionnel, n°83 Paul Durand et André Vitu, *Traité de Droit du Travail,* Tome 3 p. 268.

(6) Pour un cas de dissolution décidée régulièrement à la majorité, cf. Cas. Soc. 28 mai 1969, D. 1960 J. 148 (6ème espèce), Droit Social 1960 p.22 (1-ere espèce) ; - un jugement du TGI de la Seine du 20 mai 1959 (D. 1959 J. 453) a estimé que la scission d'un syndicat n'entraîne dissolution « qu'au cas où l'assemblée (...) voterait aux conditions statutaires prévues ladite dissolution ». Cf. également Caen, 11 juillet 1949, GP 1949.2.287.

impliquerait l'acceptation de la « mort » du syndicat, alors qu'au contraire les parties intéressées veulent le maintenir dans son intégrité. C'est pourquoi les auteurs et la jurisprudence ont tenté d'apporter au phénomène de la scission syndicale une solution juridique originale qui tienne compte de son particularisme.

§ 2.– SOLUTIONS ORIGINALES TENANT COMPTE DU PARTICULARISME DU PHENOMENE SYNDICAL

L'origine des études doctrinales des conséquences juridiques de la scission syndicale remonte à la scission CGT/CGT-FO de 1947. Le problème avait bien été abordé auparavant, mais les développements étaient purement théoriques et modestes, puisque le problème ne s'était pas encore posé en pratique. Cette origine historique explique que, dans un premier mouvement la doctrine ne se soit essentiellement occupé que de la dévolution des biens syndicaux, le nom syndical et la qualité de syndicat représentatif n'ayant pas donné lieu à procès à cette époque. Il a donc fallu attendre la scission CFTC/CFDT pour que le problème des conséquences juridiques de la scission syndicale apparaisse dans toute son ampleur.

Entre les deux scissions, les données du débat ont changé, d'une part en ce qui concerne le niveau auquel le contentieux s'est développé, d'autre part en ce qui concerne la question qui était soumise aux tribunaux.

En 1947, aucune action judiciaire n'a été engagée par la CGT ou par la CGT-FO à l'encontre de sa rivale. Le contentieux est né et s'est développé uniquement entre organisations syndicales affiliées. Il s'agissait alors de savoir si une majorité pouvait décider de changer l'affiliation confédérale d'un syndicat, d'une union ou d'une fédération. La CGT-FO disait « oui » (1), la CGT répondait « non » (2), et certains auteurs proposaient un partage proportionnel du patrimoine syndical (3).

En 1964, il était acquis qu'une majorité pouvait, dans des conditions de vote régulières, et sans porter atteinte à une qualité substantielle, modifier les statuts du groupement syndical. Ce qui faisait la nouveauté du problème, c'était, d'une part le fait que le litige éclatait sur le plan judiciaire entre les deux confédérations rivales, d'autre part le fait qu'était posée directement la question de la limite des droits de la majorité. S'il était établi qu'en modifiant les statuts la majorité ne pouvait pas porter atteinte à une qualité substantielle

(1) Jean Brethe de la Gressaye, notes au JCP 1948.2.4544 et 1951.1.6391 et 6477 ; Bernard Melle, *Etude juridique des scissions syndicales*, Thèse, Poitiers 1950.

(2) Maurice Boitel « La propriété des biens syndicaux et la jurisprudence », *Droit Ouvrier,* 1948 ; Jean Moithy, « La dévolution des biens syndicaux », *Droit Ouvrier,* 1948 : Gérard Lyon-Caen, « Les conséquences juridiques de la scission syndicale » (*Droit Ouvrier* 1949), « La propriété des biens syndicaux et le statut légal des groupements professionnels » (*Droit Ouvrier,* 1955).

(3) Jean Carbonnier, « Les conséquences juridiques de la scission syndicale », *Droit Social,* 1949 ; - Jean Brethe de la Gressaye, note JCP 1949.2.5035 ; - Paul Durand et André Vitu, *Traité de Droit du Travail,* Tome 3, pp. 271 et 272 ; - Jean Lepargneur, Société et Association, dans le Tome 11 du *Traité Pratique de Droit Civil* (Contrats civils, n°879 à 1125, et spécialement n°1093 bis, 2ème édition) publié sous la direction de Marcel Planiol et Georges Ripert ; Bernard Melle, Etude juridique des scissions syndicales, Thèse Poitiers 1950 (pour l'auteur, il s'agit ici d'une position de repli).

du groupement, il restait à définir cette notion de qualité substantielle (1). Ce problème avait déjà été évoqué à propos des suites de la scission CGT/CGT-FO, mais il était maintenant au cœur du débat. L'abandon de la référence chrétienne portait-il atteinte à une qualité substantielle de la CFTC, et dans ces conditions l'unanimité était-elle requise ? Le double aspect de cette question avait d'ailleurs été bien vu par les auteurs dès 1947 (2).

En dépit d'une apparente différence, le problème était donc le même en 1947 et en 1964 : il s'agissait de savoir quels étaient les pouvoirs d'une assemblée générale face à une évolution idéologique. Pour répondre à cette question, il est nécessaire de rechercher d'abord dans quelles limites une majorité peut modifier les statuts. Une fois acquis le principe que la majorité peut les modifier à condition de ne pas porter atteinte à une qualité substantielle de l'institution, il s'agira de définir cette dernière notion. Il restera enfin à règler le dernier problème qui se pose dans l'ordre logique du raisonnement, mais qui est en fait la question fondamentale qui se trouve à l'origine de tous les développements doctrinaux et jurisprudentiels, celui de la dévolution des biens du groupement syndical à l'issue de la scission.

Reprenant l'évolution doctrinale à son origine, nous verrons que trois réponses ont été données à cette question, que nous avons déjà soulignées au début de nos explications. Force Ouvrière soutenait que la majorité avait le pouvoir de modifier l'affiliation confédérale du groupement , et que le syndicat qui avait modifié son affiliation devait conserver l'intégralité de son patrimoine. La CGT prétendait de son côté qu'une telle modification aux statuts ne pouvait être décidée qu'à l'unanimité, et que le patrimoine syndical devait revenir à ceux qui, si peu nombreux fussent-ils, restaient dans le syndicat, dont les majoritaires s'étaient volontairement exclus. Quelques auteurs, qui ne furent pas suivis par la jurisprudence, proposèrent un partage proportionnel du patrimoine syndical entre les fractions rivales.

A.– *La majorité peut-elle modifier les statuts ?*

C'est sous l'angle des pouvoirs de la majorité que le problème de la scission syndicale se pose tout d'abord. De la réponse qui sera donnée à cette première question dépend la solution du litige, c'est-à-dire la dévolution du patrimoine syndical, qui est sans doute le mobile essentiel de cette lutte. Mais encore faudra-t-il savoir auparavant si les pouvoirs qui seront reconnus à la majorité lui permettront de modifier toutes les clauses des statuts, ou si certaines, touchant les qualités substantielles du groupement, ne pourront être modifiées qu'à l'unanimité.

(1) Nous estimons que M. Jean Savatier allait un peu vite lorsqu'il déclarait : « (...) « La Cour de Cassation, dans plusieurs arrêts rendus le 28 mai 1959, a reconnu à la majori- « té le pouvoir de modifier l'affiliation du syndicat à une confédération. Ces arrêts ont une « très grande importance pour la définition des pouvoirs de la majorité dans les syndicats. « On peut dire que, sauf clause expresse des statuts exigeant un vote unanime ou une ma- « jorité spéciale pour certaines délibérations, toutes les modifications statutaires peuvent « être décidées par un vote majoritaire (...). On admet aujourd'hui que la majorité peut « modifier les statuts même dans leurs dispositions essentielles ». Rapport national français (p. 14 et 22) présenté devant le 5ème Congrès International de Droit du Travail et de la Sécurité Sociale (Lyon, 18-22 septembre 1963) consacré à l'étude des relations internes entre les syndicats et leurs membres. Son opinion a été démentie par les faits, c'est-à-dire par les positions prises par la CFTC et la CFDT dans le procès qui les a opposées, et par les décisions rendues à cette occasion, qui insistaient bien sur le fait qu'une majorité, même renforcée, ne peut pas modifier une clause substantielle des statuts.

(2) Jean Brèthe de la Gressaye, note JCP 1949.2.5035.

Malgré une opposition apparemment irréductible les adversaires étaient cependant d'accord dès 1947 pour reconnaître à la majorité le pouvoir de modifier les clauses des statuts qui n'ont pas le caractère d'une qualité substantielle. C'est en définitive sur la définition de cette notion de qualité substantielle du groupement que porte l'essentiel du litige.

1) Les pouvoirs de la majorité : Les conceptions en présence

Deux théories ont été présentées par les fractions rivales. A la CGT, qui prétendait que la personne morale a une nature contractuelle, et que la majorité n'a donc pas le pouvoir de modifier les statuts, cette prérogative appartenant exclusivement à l'assemblée générale des adhérents décidant à l'unanimité, la CGT-FO opposait une théorie qui insistait sur le fait que la personne morale est une institution, qui a une vie propre et autonome, et qui peut, par l'intermédiaire de ses organes compétents, décider de modifier une clause des statuts.

La CGT ayant engagé les procès en revendication contre la CGT-FO, à l'occasion desquels ces théories ont été soutenues, une certaine logique voudrait qu'on présente d'abord la thèse contractuelle, et ensuite la thèse institutionnelle. Mais, comme c'est cette dernière qui a nos préférences et qui a finalement triomphé, nous l'exposerons en premier. Nous verrons ensuite les critiques qui peuvent être faites à ces deux théories et les problèmes qu'elle soulèvent.

La théorie institutionnelle a, dès l'origine, été soutenue par la CGT-FO, et finalement elle a été adoptée par la jurisprudence. Dès l'époque de la scission CGT/CGT-FO, elle a rencontré des appuis en doctrine (1) et elle n'est plus sérieusement contestée à l'heure actuelle, où elle est admise par l'ensemble de la doctrine (2) et consacrée par la jurisprudence (2) et par la loi (3). D'après la conception institutionnelle, le syndicat, tout comme une association ou une société commerciale, est un être social qui agit par l'intermédiaire de ses organes. Comme tout groupement, le syndicat est « un organisme vivant qui évolue (4), dont les membres se renouvellent, et qui peut avoir besoin pour subsister et atteindre sa fin, de modifier son organisation, ses méthodes, son objet même (5) ». L'état du droit positif permettait de consacrer cette théorie dès 1947, puisqu'elle était déjà admise, sur de nombreux points particuliers, par la législation sur les sociétés commerciales (6).

Comme l'a expliqué M. Verdier, la théorie institutionnelle libère entièrement la personne morale de l'emprise de ses fondateurs et de ses membres. Elle en fait un être juridique autonome, qui agit par lui-même et en toute liberté, dans la mesure où il respecte son objet, les statuts et les droits individuels de ses membres (7). Cette théorie permet de tenir compte des néces-

(1) Jean Brèthe de la Gressaye, notes au JCP 1948.2.4544 et au JCP 1591.2.6391 et 6473 ; Cf. également du même auteur, *Introduction Générale à l'Etude du Droit* (Sirey, 1947), dans laquelle il exprise déjà l'idée (p.354) qu'une personne morale est un être vivant qui « a un nom, une nationalité, un domicile, un patrimoine tout à fait distinct de celui de ses membres. Elle possède, elle acquiert, elle contracte, elle plaide pour son compte par l'intermédiaire de représentants et d'organes ».

(2) TGI Seine, 7 juillet 1965, Droit Social 1965 p. 553 (obs. Brethe de la Gressaye) D. 1966 J. 215 (note Verdier), JCP 1966.2.14515 (note Mme Sinay) ; Paris, 21 juin 1966, JCP 1966.2.14276 (concl. Souleau), D. 1967 J.321 (note Brethe de la Gressaye), Droit Social 1967 p.32 (note Verdier) Soc. 9 mai 1968, D. 1968 J. 601 (note Brethe de la Gressaye), Droit Social 1969 p.285 (note Verdier).

(3) Dès le début du siècle, la législation sur les sociétés commerciales a consacré la conception institutionnelle, en permettant d'apporter, à une majorité qualifiée, des modifications à certaines clauses statutaires.

(4) Plus largement, il existe une conception organiciste de l'institution juridique qui dépasse le droit des groupements et qui a été développée en particulier par Ihering ; - Cf. à ce sujet : Jean Carbonnier, Flexible Droit, p.8.

(5) Brèthe de la Gressaye, note JCP 1951.2.6391.

(6) Une décision unanime est toujours nécessaire pour modifier la nationalité d'une société commerciale.

(7) J.M. Verdier, Les Syndicats (Tome V du *Traité de Droit du Travail* publié sous la direction de M. Camerlynck) n° 135 in fine.

sités et de la vie et de l'évolution du groupement (1). C'est pourquoi elle a été consacrée par la loi et par la jurisprudence (2).

La conception contractuelle a été présentée à l'appui des prétentions de la CGT dans les procès qui l'ont opposée à la CGT-FO et a été défendue, en particulier, par MM. Boitel, Lyon-Caen et Moithy, dans des articles publiés dans la revue du Droit Ouvrier (3).

Elle a un double objectif. Il s'agit d'abord de réfuter les prétentions de la CGT-FO à faire jouer la loi de la majorité pour s'attribuer l'entier patrimoine syndical. La loi de la majorité étant ordinairement attachée à la conception institutionnelle de la personne morale, la CGT va donc mettre en avant, pour la combattre, une théorie contractuelle. Selon cette théorie, la personne morale, tirant son existence d'un contrat, ne peut se transformer ou disparaître que par le consentement de tous les contractants, conformément aux dispositions de l'article 1134 du Code Civil (4). Il s'agit ensuite de permettre à la CGT de conserver l'intégralité du patrimoine syndical. La conception contractuelle avait donc pour but de permettre à la CGT de paralyser les effets de la scission et de conserver l'ensemble des prérogatives appartenant à ses organisations affiliées.

Partant de la constatation que le syndicat est une personne morale, la conception contractuelle repose sur deux axiomes. Le premier est que la personne morale est d'origine contractuelle. Il a fallu un contrat pour lui donner naissance, et les principes du droit des contrats lui sont applicables. Le second est que la personne morale n'existe qu'en fonction d'un but que les participants se proposent d'atteindre. Elle est le moyen de réaliser ce but, lequel serait inaccessible par les membres agissant isolément. A partir de ces axiomes, les partisans de la conception contractuelle analysent le vote majoritaire décidant de modifier les statuts en autant de démissions individuelles. C'est là une théorie ancienne (5) qui a été consacrée par de nombreuses décisions judiciaires (6)

(1) Paul Durand et André Vitu, *Traité du Droit du Travail* (Tome 3, p. 270 ; Jean Brethe de la Gressaye, note JCP 1951.2.6477.

(2) Voir note n°2, p. précédente.

(3) Gérard Lyon-Caen, « Les conséquences juridiques de la scission syndicale » (*Droit Ouvrier,* 1949), « La propriété des biens syndicaux et le statut des groupements professionnels » (*Droit Ouvrier,* 1955) ; Jean Moithy, « La dévolution des biens syndicaux » (*Droit Ouvrier,* 1948) ; Maurice Boitel, « La propriété des biens syndicaux et la jurisprudence » (*Droit Ouvrier,* 1949).

(4) Il n'était peut-être pas indispensable pour la CGT de soutenir une telle thèse, individualiste et bien peu progressiste, puisque les partisans de la conception institutionnelle reconnaissent eux-mêmes que la majorité ne peut pas porter atteinte à l'essence même de la personne morale, ni rien faire en fraude des droits à la minorité.

(5) Hyacinthe Glotin, *Etude historique, juridique et économique des syndicats professionnels* (Mémoire, Faculté Libre de Droit de Paris, 1892). Cette théorie a été adoptée sans guère de justifications par une partie de la doctrine pour les syndicats comme pour les associations de la loi de 1901 : Georges Pichat, *Le contrat d'association* (Rousseau, 1908), n° 145 ; Georges Trouillot et Fernand Chapsal, *Du contrat d'association* (Bureau des lois nouvelles, 1902) p. 143 ; Charles Houpin et Henri Bosvieux : *Traité général, théorique et pratique des sociétés civiles et commerciales et des associations* (Sirey, 6ème ed., 1927) Tome 1, n°32 ; - Jean Lepargneur, Société et Association, dans le Tome XI (Contrats civils) du *Traité pratique de droit civil,* publié sous la direction de MM. Planiol et Ripert, n°1092, mais à propos des syndicats (n°1093 bis, 2ème ed.) M. Lepargneur estime que la meilleure solution serait probablement de répartir les biens entre les fractions rivales proportionnellement à leurs effectifs ; - Georges Bry, *Législation industrielle* (Sirey, 1902), n°748 ; Georges Bry et E.H.Perreau, *Les lois du travail industriel,* n°716, p.596.

(6) T. Civ. Lons-le-Saulnier, 8 juin 1948, JCP 1948.2.4544 (note Brethe de la Gressaye), confirmé par Besançon, 28 avril 1949, JCP 1950.2.5488 ; - T. Civ. Hazebrouck, 14 juin 1950, D. 1950 J. 570 ; - Rennes, 12 juin 1950 D. 1950 J. 565 ; - T. Civ. Seine, 8 mars 1951, JCP 1951.2.6391 (note Brethe de la Gressaye), confirmé par Paris, 20 juin 1955, JCP 1955.2.8857 (note Brethe de la Gressaye), GP 1955.2.214, Droit Ouvrier 1955 p.489; T. Civ. Belfort, 23 juillet 1948, Droit Social 1948 p.149 ; T. Civ. Aurillac, 14 février 1950, GP 1950.2.52 ; - Limoges, 27 mars 1950 Droit Ouvrier 1950 p.30 ; - Aix, 25 juin 1951, JCP 1951.2.6477 ; - T. Civ. Dunkerque, 20 février 1952, Droit Ouvrier 1952 p.239 ; T. Civ. Fougères, 11 février 1953, et Rennes, 18 janvier 1954, Droit Ouvrier 1955 p.69, S. 1954.2.132.

mais est maintenant abandonnée (1).

Aucune des deux conceptions qui viennent d'être exposées n'est exempte de critiques, souvent sérieuses, mais pas toujours insurmontables. Si la théorie institutionnelle l'a finalement emporté, c'est parce qu'elle présentait le moins d'inconvénients, et répondait le moins mal aux impératifs qui doivent règler la vie et l'évolution des syndicats. Elle admet la nécessité de l'évolution du groupement syndical, elle préserve les droits respectifs de la majorité et de la minorité, elle tient compte du caractère original de la scission syndicale.

Ce sont là autant de raisons qui expliquent que la théorie contractuelle a finalement été abandonnée. Une autre raison est venue renforcer la thèse institutionnelle et a également contribué à son succès : les partisans de la théorie contractuelle font une confusion sur la notion de spécialisation des personnes morales. Dans son exposé de la thèse contractuelle, M. Lyon-Caen prétend que l'affiliation d'une organisation professionnelle à une confédération « est l'objet même du syndicat au sens précis du terme (2) ». Ce raisonnement ne peut pas être suivi puisqu'il ignore la définition légale de l'objet du syndicat, et part d'une interprétation inexacte du principe de la spécialisation des personnes morales (3).

Ce principe signifie seulement que les organisations syndicales ne peuvent pousuivre d'autre objet que celui pour lequel elles ont été constituées c'est-à-dire l'étude et la défense des intérêts professionnels, et la représentation de ces intérêts auprès des pouvoirs publics. Cela signifie qu'un syndicat ne peut avoir une activité étrangère à cet objet, par exemple se livrer à des activités de caractère lucratif ou commercial (4) ou poursuivre une activité politique (5). ou con-

(1) La Cour de Cassation a rejeté la thèse contractuelle : Soc. 28 mai 1959, D. 1960 J. 147 (espèces 4 à 7), *Droit Social,* 1960,p. 22 (espèces 1, 3, 5 et 11). L'un des arrêts cités rejetait un pourvoi contre un arrêt de la Cour d'Appel de Douai (13 avril 1949, JCP 1949.2.5035) qui avait admis la validité du changement d'affiliation, la Cour estimant que ce changement ne modifie pas le but du syndicat qui reste la défense des intérêts professionnels de ses membres. Un autre arrêt casse un arrêt de la Cour d'Appel d'Aix qui avait reconnu à la majorité le pouvoir de modifier les statuts à la condition de rester fidèle à l'idée directrice et de respecter ainsi les droits des membres qui entendent s'y attacher, la Cour de Cassation estimant qu'il apparaissait à la lecture des statuts que l'affiliation à la CGT n'était qu'un moyen de réaliser le but essentiel du syndicat, c'est-à-dire de défendre les intérêts de ses adhérents.

(2) Gérard Lyon-Caen, « Les conséquences juridiques de la scission syndicale » (*Droit Ouvrier,* 1949).

(3) Dante Rosenthal, « Les effets juridiques de la scission des organisations syndicales » (*Droit Social,* 1960).

(4) Rouen, 4 novembre 1948 (D. 1949 J. 242) : un syndicat de commissionnaire agréé en douane avait cru pouvoir se constituer en pool de transitaires.

(5) Nous avons longuement évoqué cette question dans la première partie de cette étude, dans le développement sur *Syndicalisme et Politique* (pp.145 sq.) et nous y reviendrons un peu plus tard lorsque nous distinguerons l'objet du syndicat, son but et ses moyens d'action (p.243 sq.). Ici, nous rappellerons seulement :

1) Qu'un jugement du Tribunal de la Seine (13 janvier 1921, GP 1921.1.87) a prononcé la dissolution de la CGT à la suite de sa participation à la grève générale de 1920, mais que cette dissolution ne fut pas suivie d'effet, appel ayant été interjeté du jugement, et la Cour de Paris n'ayant jamais examiné l'affaire (c'est à cette occasion que le Président Alexandre Millerand aurait rassuré les dirigeants de la centrale qui faisaient une démarche auprès de lui sur l'avenir de celle-ci, et se serait écrié, tel le Héraut de l'Ancienne France : « La CGT est morte ! Vive la CGT ! »);

2) Qu'un incident éclata entre le Général de Gaulle et M. Léon Jouhaux lorsque celui-ci demanda une audience au chef du gouvernement provisoire pour évoquer les élections à l'assemblée constituante, le Général estimant qu'un syndicaliste n'a pas à se préoccuper de ces questions (cf. lettres échangées et réponse du Comité Confédéral de la CGT dans Résistance Ouvrière, 6 septembre 1945) ;

3) Qu'un jugement du Tribunal Civil de Metz (6 décembre 1948, Droit Social 1949 p.152) a rappelé que l'orientation politique d'un syndicat professionnel n'est qu'accessoire et sans influence sur son existence même ; on ne peut cependant nier l'évidence et l'étroite imbrication du politique, de l'économique et du social ; comme l'a souligné M. Charlier (JCP 1948.1.729 n°21) il est souvent difficile de respecter les frontières, car « tout se tient, l'économique et le politique, le privé et le public ».

fessionnelle (1). Nous voyons donc que rien ne s'oppose à ce qu'un syndicat poursuive sa mission en s'affiliant à une autre confédération, ne s'affilie à aucune et reste autonome, ou modifie sa référence idéologique.

Le recours à la théorie contractuelle des groupements a été abandonné au profit de la théorie institutionnelle, car elle ne permet pas de faire face aux nécessités de l'évolution. L'affirmation singulière que le syndicat pourrait subsister, même s'il est réduit à un seul membre, est un paradoxe qui n'est pas admissible. Le droit français ne reconnaît pas, contrairement au droit allemand, la société d'une seule personne (2). L'argument tiré du précédent jugé au siècle dernier en matière de congrégation religieuse n'est pas déterminant, ayant été pris par application du droit canonique (3).

D'ailleurs, si ce système était appliqué jusque dans ses limites les plus extrêmes, il rendrait impossible la vie courante du syndicat. L'assemblée générale des adhérents ne pourrait renouveler, avant l'expiration de leur mandat, les organes permanents (commission administrative, conseil d'administration, bureau) qu'à l'unanimité. Le mandat donné par l'assemblée aux administrateurs serait un contrat qui ne pourrait être révoqué, avant son expiration, qu'avec le consentement unanime des mandants.

En exigeant l'unanimité pour modifier les statuts, la théorie contractuelle interdit toute évolution de l'organisation syndicale et permet à d'infimes minorités de bloquer tout effort d'adaptation, surtout lorsqu'il s'agit des changements les plus importants (4).

Outre qu'elle ne suffit pas à résoudre le problème de la scission, qui dépasse de beaucoup celui de la modification des statuts, la conception institutionnelle s'est vu reprocher de sauvegarder les droits de la majorité en leur sacrifiant délibérément ceux de la minorité et d'admettre que la majorité peut, à elle seule, modifier l'orientation du syndicat, son appartenance idéologique, au mépris des convictions de la minorité.

La conception contractuelle méconnait l'originalité de la scission syndicale en la ramenant à un ensemble de démissions individuelles. De même que la grève, la scission n'est pas un phénomène du droit des rapports individuels, mais un phénomène de droit collectif. Dans la scission un groupe organisé se révèle à l'intérieur du groupement. Les entretiens préalables entre les adhérents mécontents de l'orientation donnée au syndicat, le vote par lequel se réa-

(1) Conseil d'Etat, 11 août 1922 (Lebon, p.752) : une commission départementale chargée d'établir la liste des organismes appelés à participer à la désignation du Conseil d'Administration d'un Office Départemental des Pupilles de la Nation avait refusé d'inscrire deux syndicats sous le prétexte que leurs statuts comprenaient une clause d'ordre confessionnel. Après avoir constaté que ces syndicats avaient été régulièrement constitués et avaient l'ancienneté requise, le Conseil d'Etat a décidé qu'ils devaient être inscrits sur la liste des électeurs, reconnaissant ainsi implicitement la légalité de la CFTC.

(2) Cet argument n'aurait plus la même force de nos jours, l'article 9 de la loi du 24 juillet 1966 disposant que « la réunion de toutes les parts ou actions en une seule main n'entraîne pas la dissolution de plein droit de la société » et laissant seulement planer dans un cas semblable la menace d'une telle éventualité, puisque « tout intéressé peut demander la dissolution de la société si la situation n'a pas été régularisée dans le délai d'un an ». Notre droit laisse donc aujourd'hui le sort de la société d'une personne entre les mains de « tout intéressé » et au premier chef de « l'associé ou actionnaire entre les mains duquel sont réunies toutes les parts ou actions » qui « peut dissoudre cette société à tout moment, par déclaration au greffe du Tribunal de Commerce », comme le prévoit l'art.5 du décret du 23 mars 1967.

(3) Cas. Civ. 29 mai 1849, D. 1849.1.161.

(4) Georges Levard, Observations sur l'arrêt rendu le 21 juin 1966 par la Cour d'Appel de Paris dans le procès CFTC/CFDT (*Combat,* 22 juin 1966).

lise la scission, traduisent une résolution commune, une intention déjà affirmée de continuer la vie syndicale à l'intérieur d'un autre groupement si les circonstances l'exigent. De même que la vie d'un groupe s'organise avant la constitution définitive et le dépôt des statuts (1) de même au moment de la scission il existe une vie collective d'un groupe, qui ne peut pas être ramenée à une addition de démissions individuelles.

S'il est vrai que la scission n'est pas expressément prévue par le Droit du Travail pour la simple raison d'ailleurs qu'il ne s'en était pas encore produit lors du vote des lois de 1884 et de 1920, le phénomène est parfaitement connu, avec son particularisme, dans le droit des groupements. Dès le début du siècle, le droit positif connaît et règlemente le mécanisme de la scission, mais il ne l'envisage pas spécialement en matière syndicale. C'est cela qui explique le vide juridique apparent devant lequel on s'est trouvé en 1947 pour règler les conséquences de cette manifestation nouvelle d'un phénomène juridique déjà connu.

2) La notion de qualité substantielle

Une fois règlée la question de savoir si une majorité peut modifier les statuts, tout risque de litige n'est pas écarté. Il faut encore déterminer si n'importe quelle clause des statuts peut être modifiée par n'importe quelle majorité, ou si une majorité spéciale, ou même l'unanimité, peut être requise pour modifier certaines clauses particulières considérées comme fondamentales. Nous avons vu que les partisans de la conception contractuelle et ceux de la conception institutionnelle se retrouvent pour décider qu'un régime particulier doit règler l'éventuelle modification de ce qu'il est convenu d'appeler les « qualités substantielles » du groupement. Mais encore faut-il savoir ce que chacun entend sous ces termes.

Dès 1947, la doctrine et la jurisprudence ont eu à se pencher sur le problème de la détermination des qualités substantielles du groupement. Cependant, le débat était centré à cette époque sur le point de savoir si la majorité pouvait ou non modifier les statuts du groupement syndical. La question du caractère substantiel ou non substantiel de telle ou telle clause n'avait, en définitive, qu'un caractère subsidiaire. Avec la scission CFTC/CFDT, cette dernière question est venue au cœur du débat, puisqu'il était alors acquis que la majorité pouvait modifier les clauses de la charte syndicale qui n'avaient pas le caractère d'une qualité substantielle.

C'est cette notion de qualité substantielle que nous allons maintenant tenter de déterminer. Le problème s'est posé dans les conditions suivantes : l'affiliation d'un syndicat ou d'une union à une confédération, la référence chrétienne, peuvent-elles être considérées comme une qualité substantielle du groupement intéressé ? La réponse à cette question ne peut être trouvée qu'en examinant d'abord quel est l'objet du groupement syndical, et en recherchant ensuite quelle est la volonté des parties. Nous verrons que l'objet du syndicat peut se définir avec précision, et que les difficultés qui sont nées à ce propos sont dues à une erreur manifeste d'interprétation, où à la volonté délibérée de certains de fauser la discussion, afin de défendre plus efficacement la thèse qu'ils désirent voir triompher (2).

(1) C'est pour tenir compte de cette réalité sociologique que la loi sur les sociétés commerciales prévoit (art. 5 L 24 juil. 1966) que la société peut reprendre les engagements souscrits par les fondateurs au cours de la période de formation.

(2) Cette attitude est manifeste chez les auteurs qui ont présenté et soutenu l'argumentation de la CGT dans le conflit qui l'opposait à la CGT-FO. Ils ont volontiers confondu l'objet du syndicat avec ses moyens d'action. On retrouve la même confusion, également délibérée selon toute vraisemblance, chez ceux qui ont soutenu la thèse contraire, en particulier M. Brèthe de la Gressaye. Devenus les avocats de la cause qu'ils défendaient, ces auteurs n'ont sans doute pas conservé l'objectivité qui aurait été la leur en d'autres circonstances.

Une fois démontré que l'objet du syndicat est bien une qualité substantielle de cette institution, mais qu'il est également la seule qui soit hors d'atteinte de la volonté des parties, même manifestée à l'unanimité, nous verrons, après avoir recherché quel est l'objet de l'accord des parties, quelles sont les caractéristiques fondamentales de ce groupement auxquelles seule une décision unanime peut porter atteinte.

La loi définit clairement l'objet des organisations syndicales, et pourtant cela n'a pas empêché certains auteurs de le confondre avec les moyens d'action ou le but du groupement, en posant l'équation : objet = but = moyens d'action. Une telle attitude est également le fait d'une certaine jurisprudence, de celle qui a accueilli la thèse contractuelle, alors qu'elle aurait pu le faire sans commettre une telle erreur. C'est ainsi que nous avons relevé un arrêt de la Cour d'Appel de Rennes où il est écrit que l'affiliation est l'objet même du syndicat (1), alors que ce n'est qu'un des moyens mis à la disposition du groupement pour remplir son objet et atteindre le but qui lui est fixé.

Le Code du Travail dispose que « les syndicats professionnels ont exclusivement pour objet l'étude et la défense des intérêts économiques, industriels, commerciaux et agricoles (2) », les dispositions concernant les syndicats (2). Il prévoit aussi que « les directeurs ou administrateurs de syndicats ou d'unions de syndicats qui auront commis une infraction aux dispositions » concernant l'objet du syndicat « seront punis d'une amende de 2 000 à 5 000 francs », et il ajoute enfin que « la dissolution du syndicat ou de l'union de syndicats pourra en outre être prononcée à la diligence du Procureur de la République (2) ».

La jurisprudence n'a eu que rarement à sanctionner le non-respect par les dirigeants syndicaux de l'objet du groupement syndical, tel qu'il est défini par le Code du Travail (3). Cependant, dans un jugement rendu le 6 décembre 1948, le Tribunal Civil de Metz a jugé utile de rappeler que « l'orientation politique d'un syndicat professionnel n'est qu'accessoire et sans influence sur son existence même (4) ».

Il semble donc, à première vue, que la détermination de l'objet du syndicat ne présente pas de difficulté. L'objet du syndicat est limité à la défense des intérêts professionnels, les problèmes idéologiques lui seraient étrangers. Les controverses doctrinales qui se sont développées à ce sujet démontrent, bien au contraire, que la délimitation de l'objet du syndicat est un problème complexe, dont la solution n'est pas évidente, une confusion pouvant aisément être faite entre l'objet du syndicat, ses moyens d'action et son but.

(1) Rennes, 12 juin 1950, D. 1950. J. 565.

(2) Articles 1er, 23 et 54 du Livre 3 du Code du Travail dans son ancienne rédaction, articles L 411-1, L 411-22 et L 461-1 de ce même Code dans sa nouvelle rédaction.

(3) Les décisions qui sont intervenues en cette matière concernent en fait l'exercice d'activités commerciales par certains syndicats : ce fut le cas d'un syndicat de commissionnaires agréés en douane qui s'était constitué en pool de transitaires (Rouen, 4 novembre 1948, D. 1949 J. 242). En ce qui concerne les activités politiques, il faut reconnaître qu'il est souvent difficile de les distinguer bien clairement des activités syndicales : c'est ce qu'avait souligné M. Charlier dans une étude sur la grève (JCP 1948.1.789, n°21). Les Tribunaux et le Gouvernement sont d'accord pour décider que les syndicats n'ont pas le droit d'afficher ou de distribuer des documents de nature politique, s'ils sont utilisés à des fins de propagande électorale ou comportent des prises de positions sans rapports directs avec les intérêts des travailleurs que les syndicats ont pour mission de défendre. A propos de l'interdiction d'affichage d'un n° de la Vie Ouvrière sur le programme commun de la gauche, cf. Rép. à Q.E. n° 26530 (JO, débats Ass. Nat. 18 novembre 1972, p. 5434) et Le Monde (24 octobre 1972) qui souligne que, en raison même de la complexité de cette question, il semble que « la jurisprudence sur le caractère politique des communications syndicales est encore assez fluctuante », mais que « en général (...) on constate que les juges sont plus sévères lorsqu'il s'agit de prises de positions syndicales dans des campagnes électorales politiques ».

(4) *Droit Social*, 1949 (p.152).

Nous devons maintenant rechercher quels sont les principes de l'orientation syndicale et de son action qui ont le caractère d'une qualité substantielle, et auxquels il ne peut être porté atteinte sans modifier le caractère fondamental du groupement celui en considération duquel les syndiqués ont donné leur adhésion. Il s'agit donc de déterminer quelles sont les caractéristiques du groupement considéré qui ont conduit les syndiqués, ou les organisations affiliées, à lui apporter leur adhésion, en un mot quel a été le motif de leur consentement.

L'examen des statuts peut nous apporter un élément de réponse, mais souvent il n'est pas suffisant, et il faut alors rechercher quelle était l'idée directrice du groupement lors de sa fondation et de l'adhésion de ses membres, et si cette idée directrice subsiste ou a disparu à la suite de l'évolution idéologique qui s'est révélée être la cause, ou le prétexte, de la scission. D'ailleurs, le législateur lui-même invite le juge à ne pas s'arrêter à la lettre des conventions et à rechercher quel en est l'esprit, afin de serrer au plus près la réalité concrète (1).

La première étape de la démarche, la plus simple également, consiste à se reporter au texte des statuts et à rechercher quelles sont les clauses dont il admet la modification, à une majorité simple ou qualifiée, et quelles sont celles dont il exclut qu'un changement quelconque leur soit apporté. C'est cette démarche qu'ont suivi la Cour de Cassation et la plupart des juges du fond dans les litiges consécutifs à la scission CGT/CGT-FO, et dans le procès CFTC/CFDT. Cet examen est nécessaire à la solution du litige soumis au juge (2) mais il se révèle parfois insuffisant pour rendre compte dans sa plénitude de l'évolution idéologique consacrée par la scission du groupement syndical (3).

(1) Article 1156 du Code Civil : on doit dans les conventions rechercher quelle a été la commune intention des parties contractantes, plutôt que de s'arrêter au sens littéral des termes.

(2) En se reportant au texte des statuts, les juges ont pu donner une solution juridique inattaquable au litige qui leur était soumis. C'est ainsi que lorsqu'elle a admis la régularité du changement d'affiliation, et donné par conséquent raison à la tendance Force Ouvrière, la Cour de Cassation avait au préalable relevé que les statuts étaient indifférents à l'affiliation syndicale (Soc., 28 mai 1959, Droit Social 1960 : aucun des articles des statuts ne fait directement allusion à la CGT (1ère espèce) ; - le syndicat n'était affilié à aucune confédération (11ème espèce) ; - Soc., 3 octobre 1962, Droit Social 1963, p. 44 : si les statuts visaient l'affiliation à l'union départementale qui relevait de la CGT, puisqu'il n'existait qu'une confédération à l'époque de leur rédaction, ils étaient muets sur l'hypothèse, réalisée en 1947, où il y en aurait plusieurs, ou ne la considéraient que comme un des moyens qui avaient été choisis par le groupement pour atteindre le but qu'il s'était fixé et qui n'était pas modifié par le changement d'affiliation (Soc. 28 mai 1959, Droit Social 1960, 3ème et 5ème espèces). Par contre, lorsqu'elle a admis l'argumentation du syndicat CGT et jugé irrégulière la décision de la majorité de changer l'affiliation du syndicat la Cour de Cassation avait relevé que l'affiliation à la CGT était une stipulation primordiale des statuts, dont la modification ne pouvait être acquise qu'à l'unanimité. (Soc. 28 mai 1959, Droit Social 1960 (6ème espèce).

(3) Cependant, l'examen des statuts ne permet pas de trouver la solution qui sera admise par tous et ne pourra pas être discutée. C'est ainsi que dans le procès CFTC/CFDT le Tribunal et la Cour d'Appel sont arrivés à des solutions différentes, en suivant pourtant la même démarche, qui consistait à analyser les statuts de la confédération. Le Tribunal a jugé que le remplacement de la référence à la « morale sociale chrétienne » par la référence à « tous les apports de l'humanisme, dont l'humanisme chrétien » constituait un simple élargissement de perspectives qui avait déjà été consacré avant le congrès de 1964, alors que la Cour d'Appel a décidé qu'une telle substitution portait atteinte à une qualité substantielle du groupement. Chaque juridiction avait suivi les conclusions de son Ministère Public (Conclusions Fautz - Le Monde, 17 mars 1965) ; - Conclusions Souleau (JCP 1966.2. 14726). De telles divergences n'ont rien d'extraordinaire. Elle s'expliquent tout simplement par la volonté qu'ont eue les magistrats de replacer les différentes rédactions des statuts dans leur contexte historique, afin de voir si l'idée directrice de la confédération restait la même au cours de cette évolution. La Cour et le Tribunal sont arrivés à des conclusions différentes, la première plaçant le tournant de l'évolution en 1964, le second en 1947.

Comme nous venons de le voir, la recherche de la volonté des parties ne peut se limiter à une analyse intrinsèque des statuts. Il importe de les replacer dans leur contexte historique, afin de déterminer quelle est l'idée directrice du groupement. C'est finalement cette idée directrice qui a le caractère d'une qualité substantielle et ne peut donc être modifiée que par un vote unanime des adhérents. Plus que dans tout autre groupement à but désintéressé, l'idée directrice a une importance fondamentale dans les organisations syndicales, mais son respect ne doit pas pour autant gêner une évolution rendue nécessaire par les impératifs de la vie, et souhaitée par les adhérents pour une meilleure défense des intérêts de la classe ouvrière.

B.– *La dévolution des droits du groupement après la scission*

Une fois admis le principe que la majorité peut modifier une clause des statuts n'ayant pas le caractère d'une qualité substantielle, il reste à règler une question, qui est à l'origine de tout le débat, la dévolution des droits du groupement après la scission, en particulier la dévolution du patrimoine syndical. La question resterait d'ailleurs posée, même si la majorité ne s'était pas vu reconnaître un quelconque pouvoir sur les statuts : la scission, qui est une réalité sociologique avant que d'être un phénomène juridique, étant consommée, il faut bien savoir quel sera le sort du patrimoine du syndicat.

Les deux thèses que nous venons d'exposer, la conception institutionnelle et la conception contractuelle, servaient de base à la prétention des parties adverses de s'approprier l'intégralité du patrimoine du groupement. Certains auteurs ont été choqués par leurs conséquences, puisqu'elles conduisaient à la spoliation d'une partie des membres du syndicat d'origine par l'autre, et ont proposé, dans un esprit d'équité, un partage proportionnel du patrimoine syndical. Nous examinerons successivement ces trois solutions, avec les critiques qui peuvent leur être apportées.

1) la loi de la majorité : l'intégralité du patrimoine revient aux majoritaires

La loi de la majorité a été soutenue à l'origine par les partisans de la CGT-FO, qui prétendaient que l'actif syndical devait suivre la majorité, où qu'elle aille. Elle a été consacrée par la jurisprudence, après des hésitations, explicitement lors des suites de la scission CGT/CGT-FO, et implicitement lors de la scission CFTC/CFDT, où les deux centrales, chrétienne et démocratique, prétendaient également conserver l'intégralité du patrimoine de l'ancienne CFTC, mais sans mettre en cause le pouvoir reconnu à la majorité de modifier les statuts, dans la mesure où la modification apportée ne porte pas atteinte à une qualité substantielle du groupement. C'est autour de cette notion de qualité substantielle que les adversaires se sont battus, afin de conserver pour eux l'entier patrimoine de la confédération. Cette solution repose sur des justifications solides, qui n'empêchent cependant pas la logique, le droit et l'équité de lui apporter des critiques sérieuses.

Dès l'instant où la majorité des adhérents composant un groupement syndical a régulièrement voté la décision de modifier l'orientation idologique de la personne morale, celle-ci continue à vivre comme par le passé, sans qu'il puisse être question de dissolution ou de création d'une nouvelle entité, et elle conserve le patrimoine qui était le sien avant la scission. L'état de scission impliquant, par hypothèse, le refus de la minorité de s'incliner devant la décision prise par la majorité, les minoritaires vont devoir quitter le groupement pour en constituer un nouveau et cet abandon consacrera sa déchéance de ses droits sur le patrimoine syndical (1).

Le principe majoritaire va encore plus loin, puisqu'il prétend que la majorité pourrait conserver le patrimoine du syndicat d'origine, même si elle le quittait. Il suffirait pour cela qu'une décision en ce sens soit prise par l'assemblée générale aux termes de laquelle le syndicat d'origine ferait donation de son patrimoine au syndicat nouvellement constitué, une telle décision ne pouvant être attaquée si elle a été prise dans des conditions régulières. Une dissolution préalable ne serait donc pas nécessaire, elle pourrait d'ailleurs être un obstacle à une telle dévolution, puisque l'assemblée générale n'a compétence pour décider en cette matière qu'en cas de silence des statuts à ce sujet. Or, nous savons que les statuts des organisations syndicales prévoient la plupart du temps selon quelles règles sera dévolu le patrimoine syndical en cas de dissolution du groupement (2).

Ce principe de dévolution est à la fois simple et logique au regard de la théorie qui a été développée et soutenue par la CGT-FO à propos de la nature juridique de la scission. En effet, si la majorité a le droit de modifier les statuts, ou tout au moins les dispositions de ceux-ci qui n'ont pas le caractère d'une qualité substantielle du groupement, il faut que ce droit soit effectif et complet. On comprendrait mal qu'un tel droit soit reconnu à la majorité, sans qu'il entraîne les conséquences pratiques qui en sont la suite logique, et en particulier sans que la personne morale, qui demeure inchangé, continue de posséder son patrimoine propre.

Dans le cas que nous avons évoqué, où la majorité a décidé de quitter l'ancien syndicat et d'en constituer un nouveau (3), rien ne s'oppose à ce que l'ancien syndicat fasse donation de son patrimoine au nouveau, qui aurait été constitué préalablement au départ en masse des majoritaires de l'ancien syndicat. Il existe une seule limite à une telle manœuvre, c'est que grâce à des épurations successives, une fraction audacieuse réussisse à concentrer sur un nombre de plus en plus réduit de têtes tout l'actif de la collectivité. Nous serions alors en face d'une fraude aux dispositions légales qui interdisent toute dévolution du patrimoine des syndicats à des personnes individuelles quelconques, et exigent qu'il soit dévolu à une autre organisation poursuivant le même but.

La conséquence la plus choquante du principe majoritaire est qu'il conduit à exclure la minorité de la jouissance du patrimoine syndical, à la spolier de tous ses droits sur celui-ci. Il est alors étonnant de constater que cette théorie a été soutenue à l'origine par les organisations se réclamant de la CGT-FO, alors que ce mouvement était minoritaire au sein de la CGT. Une telle situation n'est pourtant paradoxale qu'au premier abord, et s'explique par les circonstances dans lesquelles ont été engagés les premiers procès.

M. Bernard Mellé, qui est un des avocats de Force Ouvrière, a très clairement expliqué comment cette centrale a été conduite, par le jeu des circonstances, à soutenir la thèse intitutionnelle et le partage majoritaire (4). Il recon-

(1) Telle a d'ailleurs été le plus souvent la situation des partisans de Force Ouvrière, qui étaient minoritaires au niveau confédéral, et fréquemment aussi aux échelons inférieurs. Dans ces hypothèses, la minorité CGT-FO n'a jamais rien revendiqué contre la majorité CGT. Par contre, lorsque les partisans de la CGT ont été mis en minorité, ils ne se sont pas inclinés devant la volonté des majoritaires favorables à la CGT-FO. Ce sont ces circonstances qui ont conduit la CGT-FO à soutenir la théorie du partage majoritaire qui, a priori, ne lui paraissait pas particulièrement favorable.

(2) Les statuts-type des organisations groupées au sein de la CGT contiennent une clause prévoyant que le patrimoine du syndicat dissous revient à l'Union départementale ou à la Fédération professionnelle dont il était membre, et que celui de l'Union ou de la Fédération revient à la Confédération. Une clause semblable figure dans les statuts-type de la CFDT.

(3) Il s'agit là d'une hypothèse d'école que nous devons cependant envisager afin que la démonstration soit complète.

(4) Bernard Melle, *Etude juridique des scissions syndicales* (Thèse, Poitiers, 1950).

naît qu'a priori le partage majoritaire n'était en principe pas favorable aux intérêts des organisations CGT-FO, puisqu'en 1947, au moment où la scission a éclaté, ceux qui se réclamaient de Force Ouvrière étaient généralement minoritaires au sein des organismes confédérés. L'auteur ajoute que, lorsque la question de l'affiliation à la CGT a été discutée, la plupart du temps la majorité a voté en faveur de son maintien, mettant ainsi les partisans de la CGT-FO, minoritaires, dans l'obligation soit de rester adhérents du syndicat CGT, en renoncant à militer dans une organisation qui se réclamerait de leur idéal, soit de se retirer du syndicat existant pour en constituer un nouveau (1).

Le principe majoritaire jouait incontestablement en faveur de la CGT, et aucun procès de revendication n'a été engagé par la CGT-FO lorsque la majorité du syndicat a décidé de maintenir l'affiliation à la CGT, contraignant ainsi les minoritaires à quitter le syndicat, pour en fonder un nouveau qui serait affilié à la CGT-FO. Mais, les procès en revendication ont été engagés par la CGT dans les cas où la majorité des membres d'un syndicat ou d'une union avait décidé de retirer l'affiliation du groupement à la CGT, pour le faire adhérer à la nouvelle centrale. La CGT prétendait alors que le groupement syndical était de nature contractuelle et que la modification de son affiliation ne pouvait intervenir que par un vote unanime des adhérents. C'est pour répondre à cette argumentation que la CGT-FO a du soutenir la thèse institutionnelle et le principe majoritaire.

Quoiqu'il en soit, la loi de la majorité comme principe de dévolution en cas de scission aboutit à des conséquences difficilement acceptables. Etant donné que, dans un syndicat comme dans toute association à but désintéressé, le patrimoine appartient à la personne morale sans que les adhérents puissent prétendre faire valoir à son égard des droits quelconques d'ordre individuel, il apparaît abusif que la majorité puisse, non pas certes s'approprier ce patrimoine, mais exclure de sa jouissance une minorité souvent considérable, alors surtout que cette minorité n'entend ni démissionner, ni être exclue disciplinairement de l'organisation.

Le principe majoritaire a également pour conséquence d'entraîner la dévolution du patrimoine à la majorité qui aurait décidé de quitter le groupement d'origine et d'en constituer un nouveau. Nous avons souligné que dans cette hypothèse nous risquons de voir tourner indirectement la règle qui veut que, lorsqu'un syndicat est dissous, ses biens ne soient jamais dévolus à des personnes individuelles quelconques, mais au contraire à des organismes professionnels poursuivant un but identique.

2) L'identité formelle de l'être moral
Le syndicat d'origine conserve son entier patrimoine

Sous une forme différente, ce principe de règlement considère également que le patrimoine social est la propriété de la personne morale, mais en raison de la conception de la personnalité morale qui lui sert de fondement, il aboutit en pratique à des conséquences encore plus inadmissibles que le principe majoritaire.

Nous avons vu que, dans cette perspective, la personne morale est totalement indépendante des membres qui la composent, et subsiste quel que puisse être le nombre des démissions ou des retraits d'adhésion. Pour les partisans de cette thèse, la scission n'est pas considérée comme un phénomène original, susceptible d'entraîner des conséquences juridiques propres. L'idée maîtresse est que le patrimoine syndical doit rester là où l'identité de la personne morale est reconnaissable, et que cette identité est déterminée, non par les individus qui sont regroupés dans la personne morale et qui lui donnent sa consistance, mais par le seul vêtement juridique.

(1) C'est ainsi qu'au niveau confédéral une nouvelle confédération, la CGT-FO, a été constituée, qui n'a jamais revendiqué le patrimoine, les attributs et les prérogatives de la CGT.

La personne morale subsiste avec tous ses droits, même s'il ne lui reste qu'un seul et dernier fidèle puisque, nous l'avons vu, elle a une nature contractuelle. Il n'y a aucune raison de se préoccuper de la dévolution du patrimoine d'un groupement qui existe toujours et que les dissidents ont abandonné, avec tous les droits que leur donnait leur qualité d'adhérents.

Cette thèse serait exacte si la majorité démissionnait et fondait un nouveau syndicat en le déclarant à la Mairie, encore qu'on puisse lui reprocher, comme nous l'avons expliqué en étudiant la question de l'étendue des pouvoirs de la majorité d'ignorer superbement le caractère original de la scission syndicale, et de refuser au groupement tout droit à une quelconque évolution. Cependant, il n'en demeure pas moins qu'elle a une certaine force lorsque la minorité a démissionné et fondé un nouveau syndicat. C'est ce qui explique que, depuis sa création, la CGT-FO n'a jamais prétendu se faire attribuer les biens de la CGT, et que les minoritaires Force Ouvrière, qui avaient démissionné des syndicats ou des unions, n'ont pas engagé de procès en revendication contre le syndicat ou l'union qui avait décidé de maintenir son affiliation à la CGT. Par contre, à l'issue du congrès de novembre 1964, qui a transformé la CFTC en CFDT, les minoritaires, regroupés dans la CFTC « continuée », ont à nouveau déposé les statuts de l'ancienne confédération, et ont revendiqué ses droits, sans pour autant soutenir la thèse du contrat et de l'identité formelle de l'être moral. Une telle attitude s'explique pour deux raisons. La première est qu'il n'est pas possible de déterminer avec certitude qui continue le mieux l'être moral antérieur. La seconde est qu'elle exclut même la majorité de tout droit sur le patrimoine syndical.

Comment déterminer lequel des deux groupes rivaux continue le mieux l'être moral antérieur ? Il n'est pas possible de répondre à cette question. Que les majoritaires se soient retirés pour fonder un syndicat rival, qu'ils se soient emparés du pouvoir et aient continué l'ancien syndicat, en changeant son affiliation confédérale ou sa référence idéologique, le problème reste au fond le même. Les deux groupes rivaux ont la même prétention à continuer la personne originaire. Il faut choisir. Mais alors, quel critère retenir ?

Le nom ? Mais le hasard seul aura peut-être voulu que les dissidents abandonnent la dénomination ancienne pour mieux marquer leur volonté de rompre. Que faire s'ils prétendent conserver le nom de groupement (1) ? Retenir la continuité des institutions syndicales n'est pas plus satisfaisant. L'expérience prouve que les dirigeants du syndicat originaire sont souvent les premiers à promouvoir la scission, et forment eux-mêmes le bureau du nouvel organisme (2). Enfin, on ne peut discerner la continuité du syndicat dans la permanence de son esprit. M. Carbonnier a parfaitement montré que cette recherche est vaine (3). Chacun prétend garder la pureté des conceptions primitives et accuse l'autre de déviation. Cette querelle est celle des dissidents qui, dans les Eglises, prétendent remonter aux pures sources du début.

Cette théorie a pour conséquence, non seulement d'exclure la minorité des droits qu'elle tient sur le patrimoine social, comme le fait le principe majoritaire que nous avons exposé, mais également, dans certains cas, d'exclure la majorité ou la quasi unanimité des membres. C'est là une solution encore plus choquante que celle qui découle du principe majoritaire, et c'est pourtant

(1) Le même nom avait été conservé par les fractions rivales issues de la rupture des Eglises Réformées Evangéliques de Marseille et du Vigan : C.E., 25 juin 1943 (D. 1944 J. 70, note Reuter ; S. 1944.3.9. conclusions Odent) ; C.E., 23 mars 1945 (D. 1946 J. 156, conclusions Lagrange).

(2) Cas. Soc. 28 et 29 mai 1959, Droit Social 1960 p. 22 et D. 1960 p.145.

(3) Jean Carbonnier, « Les conséquences juridiques de la scission syndicale », *Droit Social* 1949, p. 138.

celle qui était envisagée en pratique. Nous nous souvenons en effet que la CGT a engagé les procès en revendication à chaque fois que la majorité avait décidé d'affilier le syndicat ou l'union à la CGT-FO, la minorité décidant de rester fidèle à la CGT. A l'appui de son raisonnement, la CGT prétendait que le syndicat est une personne morale de nature contractuelle et que l'unanimité était donc requise pour pouvoir modifier son affiliation. Nous avons vu les critiques qui peuvent être opposées à la thèse contractuelle, mais il nous reste maintenant à souligner que cette théorie aurait pour conséquence extrême de conserver l'intégralité du patrimoine à une association fantôme qui pourrait n'avoir plus qu'un seul membre. Une telle solution est choquante, et il est difficile d'admettre que la personne morale d'origine, qui n'a plus qu'un seul adhérent, conserve l'intégralité du patrimoine, alors que l'ensemble des adhérents moins un, bien que continuant, dans l'hypothèse de la scission, la poursuite du but primitif à l'intérieur d'une association identique à la première et qui en est l'héritière directe, se trouve privé de tout droit sur son patrimoine. Une telle conséquence choque le bon sens et l'équité, et elle permet également de démontrer l'erreur sur laquelle repose la théorie qui fait de la personne morale le propriétaire du patrimoine social, alors que nous avons déjà eu l'occasion de montrer que la personne morale n'a qu'un droit d'usage et de jouissance sur le patrimoine qui reste la propriété indivise des adhérents.

La notion d'affectation est essentielle en matière de patrimoine mis à la disposition d'associations. L'usage de biens déterminés n'est concédé à la personne morale qu'à la condition formelle qu'elle poursuive le but pour lequel elle a été créée. Si l'on a jusqu'à présent envisagé le principe de personnalité des personnes morales comme signifiant essentiellement que le patrimoine social ne doit pas servir à d'autres fins que celles qui sont inscrites aux statuts, il ne faut cependant pas oublier que ce principe signifie également que la personne morale a l'obligation d'utiliser ce patrimoine pour atteindre le but fixé dans les statuts. La personne morale n'est donc pas libre, comme l'est le propriétaire d'un bien quelconque, d'user ou de ne pas user de son bien. La notion d'affectation, comme celle de spécialité, exige que l'association utilise le patrimoine social afin de poursuivre le but qui lui est assigné, dès l'instant où l'on admet que la poursuite de ce but implique la mise en œuvre de moyens matériels, financiers ou autres. Or, à supposer que la personne morale soit effectivement propriétaire de son patrimoine, sous les conditions qui viennent d'être exposées, à quoi aboutit en fait la théorie de l'identité formelle de l'être moral, lorsqu'on la pousse jusqu'à ses dernières conséquences ? A ceci, qu'une association qui subsiste uniquement en tant que sujet de droit se trouve nantie de biens dont elle ne peut disposer à son gré, tout en étant notoirement incapable de poursuivre désormais le but qui justifiait l'affectation du patrimoine. Il y a là une telle contradiction dans les principes mêmes qui gouvernent la matière de la personne morale, qu'il n'est pas possible d'adopter ce principe de règlement.

Au fond, il semble bien que les tenants de cette théorie ont confondu le régime patrimonial des associations à but désintéressé avec celui des fondations. S'il est en effet exact de soutenir que les biens affectés à une fondation le demeurent, sinon à perpétuité, tout au moins jusqu'à complète disparition, quelles que soient les vicissitudes que l'œuvre puisse connaître, il n'est pas du tout certain que le même système puisse être appliqué aux associations à but désintéressé. Le fait que l'une ou l'autre soient des personnes morales, qu'elles soient toutes deux administrées par des organes parfois comparables, et que surtout elles poursuivent toutes deux un but non lucratif, est loin d'être suffisant pour que le régime patrimonial de l'une soit applicable à l'autre.

Une première différence, plus apparente d'ailleurs que réelle, réside en ceci que les membres d'une fondation n'ont pas participé à la création du patrimoine social, au contraire de ce qui se passe pour les membres d'une association en général, et d'un syndicat en particulier. Dès lors, on comprendrait mal que, dans le premier cas des individus prétendent retirer une portion de l'actif commun, alors que rien n'interdit la même prétention dans la seconde hypothèse, sous réserve des dispositions légales spéciales aux syndicats, mais qui n'ont pas la portée qu'on a voulu leur attribuer. Sans doute dira-t-on que nous dévoilons une erreur pour tomber dans une autre, et que ce raisonnement, valable lorsqu'il s'agit d'une société, est inopposable en notre matière. Il est vrai que, s'agissant d'un syndicat professionnel déjà ancien, le patrimoine est en grande partie constitué, non par l'apport des adhérents actuels, mais par celui des fondateurs et des membres disparus, ce qui constituerait un élément d'analogie supplémentaire avec la fondation.

Mais il existe, au delà des comparaisons, entre la formation de ces deux personnes morales une différence fondamentale, qui explique que, dans un cas les membres n'ont aucun droit sur le patrimoine, tandis qu'ils en conservent dans l'autre : la fondation existe, en tant que personne morale indépendamment des membres qui la composent (1), dès l'instant qu'un patrimoine lui est affecté afin qu'elle réalise tel ou tel objectif. Le syndicat s'il existe en tant que personne morale indépendamment des membres qui le composent, ne peut cependant se passer de son substratum humain, sans lequel devient absurde la poursuite du but qui lui fut assigné lors de sa création. Dès lors, peu importe le fait que les couches d'adhérents se succèdent les unes aux autres, et que chacune continue à accroître le patrimoine commun. A tout instant, l'ensemble des adhérents doit être considéré comme l'héritier unique des droits que possédaient les membres disparus, sans qu'il soit évidemment question de pouvoir, à quelque moment que ce soit, individualiser ces droits. Dans la fondation, le patrimoine d'affectation n'appartient jamais aux membres individuels, dans le syndicat au contraire le patrimoine ne cesse d'appartenir à l'ensemble des adhérents, l'usage et la jouissance en étant seuls concédés temporairement à la personne morale. Toute analogie entre le régime patrimonial de la fondation et du syndicat est vaine. Les droits des adhérents sont totalement différents selon qu'on envisage l'une ou l'autre de ces personnes morales.

3) Le partage proportionnel du patrimoine syndical

La solution qui consiste à partager le patrimoine syndical entre les fractions rivales, proportionnellement à leurs effectifs, a été proposée par M. Carbonnier, par MM. Durand et Vitu et par M. Brèthe de la Gressaye (2). Pour ces auteurs, il convient, en cas de scission syndicale, de partager le patrimoine de la personne morale entre les syndicats issus de la scission, proportionnellement aux effectifs de chacun d'eux. M. Bernard Mellé adopte une solution identique, mais qui diffère cependant sensiblement de celle qui est proposée par ces auteurs sur le plan de la justification qu'il lui donne (3).

Bien qu'elle soit séduisante en raison du fait qu'elle ne lèse personne, et qu'elle paraisse de nature, par son caractère équitable, à désarmorcer le conflit entre les fractions rivales, cette théorie n'a pas été consacrée par la jurisprudence et fait l'objet de nombreuses critiques.

Cette thèse se fonde sur l'idée que la scission d'une organisation syndicale est un phénomène original, qui ne peut pas être assimilé à une dissolution, ni à une pluralité de démissions individuelles, fût-ce dans un autre cadre. Quelle que soit la justification finale qu'ils donnent à la solution qu'ils proposent, les

(1) Il en est de même des congrégations religieuses en droit français (Loi du 1er juillet 1901, JO. 2 juillet 1901). Une congrégation subsiste tant qu'il existe un membre de la communauté, et elle conserve même la personnalité morale après la disparition de tous ses membres. C'est la conséquence des principes posés par l'article 13 alinéa 3 de la loi de 1901 qui dispose que « la dissolution de la congrégation ou la suppression de tout établissement ne peut être prononcée que par décret sur avis conforme du Conseil d'Etat ».

(2) Jean Carbonnier, « Les conséquences juridiques de la scission syndicale » (*Droit Social*, 1949 p.138) ; Paul Durand et André Vitu, *Traité de Droit du Travail,* (Tome 3, pp. 271 et 272) ; Jean Brèthe de la Gressaye, note JCP 1949.2.5035 ; Cf. également : Jean Lepargneur, Société et Association, n° 1093 bis (dans le Tome XI du *Traité Pratique de Droit Civil Français* de MM. Planiol et Ripert).

(3) Bernard Mellé, *Etude juridique des scissions syndicales* (Thèse, Poitiers, 1950) p. 123 sq.

défenseurs de cette théorie partent de cette double constatation, d'abord qu'aucune des règles existantes ne peut être appliquée au phénomène de la scission syndicale, ensuite que le partage proportionnel du patrimoine syndical entre les fractions rivales est la seule solution qui soit à la fois juridique et équitable.

Pour la plupart des auteurs qui ont soutenu cette théorie, « la solution du problème ne peut être trouvée qu'en mettant en accord le droit et la sociologie qui révèlent le dédoublement de la personne morale, elle doit être trouvée dans une adaptation des règles sur la dissolution des syndicats (1) ». De son côté, M. Bernard Mellé estime qu'il ny a pas lieu de faire une quelconque adaptation de ces règles, et que le caractère original de la scission permet à lui seul d'arriver à cette solution (2).

La première étape de la démarche de ceux qui ont proposé le partage proportionnel du patrimoine du syndicat entre les fractions rivales, consiste à remarquer qu'aucune des institutions existantes ne convient à la solution du problème posé, qu'aucun des mécanismes connus ne peut être appliqué dans ce cas précis, en raison du caractère original de la scission syndicale, qui est un phénomène collectif bien particulier. Leur argumentation consiste plus précisément à démontrer qu'il n'est pas possible d'appliquer en matière de scission syndicale les règles prévues en matière de dissolution des personnes morales.

Que nous dit le Code du Travail en matière de dissolution ? Qu'elle doit être prononcée lorsque la mésintelligence survient entre les associés et rend impossible la vie du groupe. La scission repose sur la même cause, mais elle diffère de la dissolution par la volonté des adhérents de continuer l'action syndicale. C'est de cette opposition que résultent les différences de régime entre la dissolution et la scission. La dissolution doit être prononcée en Justice (3). Un contrôle des Tribunaux est en effet nécessaire pour apprécier si les conflits entre associés sont assez graves pour provoquer la fin de l'action collective et de la personne morale. Au contraire, la scission est décidée par les associés (4). Les effets de la scission ne peuvent se confondre avec ceux de la dissolution, qui entraîne la dévolution des biens à un autre syndicat, alors que la scission doit donner lieu à un partage entre les syndicats rivaux en proportion de leurs effectifs.

Cette thèse se fonde donc sur l'idée que la scission d'une organisation syndicale ne peut être assimilée à une dissolution, ni à une pluralité de démissions individuelles, en raison de la volonté manifeste des scissionnistes de continuer leur action dans le syndicat d'origine, ou dans un autre si les circonstances le leur imposent.

Ses défenseurs invoquent à son appui les dispositions de l'article 9 du Livre 3 du Code du Travail (5), suivant lesquelles les biens du syndicat dissous doivent être répartis conformément aux statuts ou aux décisions de l'assemblée générale, mais en aucun cas entre les membres adhérents, et sur l'article 1871 du Code Civil qui prévoit que « la dissolution des sociétés à terme ne peut être demandée par l'un des associés avant le terme convenu qu'autant qu'il y a de justes motifs, comme lorsque l'un des associés manque à ses engagements, ou qu'une infirmité habituelle le rend inhabile aux affaires de la société, ou autres cas semblables, dont la légitimité et la gravité sont laissées à l'arbitrage des juges ». Ces textes sont inapplicables parce qu'ils conduiraient à attribuer la

(1)Paul Durand et André Vitu, *Traité de Droit du Travail* (Tome 3, pp. 271 et 272).

(2) Bernard Mellé, Thèse, pp.123 sq.

(3) Cette argumentation nous semble peu pertinente, le Code du Travail (art.9 livre 3 ancien, art. L 411-9 nouveau) distinguant trois types de dissolution, volontaire, statutaire ou judiciaire.

(4) Dans leur Traité de Droit du Travail (Tome 3, p. 272) MM. Durand et Vitu prétendent que cette différence de régime serait justifiée par le fait que le trouble apporté à la vie du groupement est beaucoup moins profond en cas de scission que de dissolution, puisque la personne morale ne disparaît pas, mais se survit au travers de celles qui sont issues de la scission. La justification de cette solution pourrait plus simplement être trouvée dans cette constatation qu'il s'agit d'un phénomène d'une autre nature, non prévu et règlementé par le droit, auquel il a fallu trouver une solution originale qui tienne compte de son particularisme.

(5) Article L 411-9 nouveau.

totalité du patarimoine syndical à une seule des fractions. L'exclusion de la minorité dans le partage des biens ne peut être acceptée. Les minoritaires ont des droits irréductibles que la majorité ne peut pas supprimer.

La scission diffère enfin de la dissolution en ce que les nouveaux syndicats doivent être considérés comme succédant à l'ancien syndicat unique, notamment en ce qui concerne l'ancienneté, caractéristique des organisations syndicales les plus représentatives (1).

Il a été donné deux justifications (2) essentielles à la thèse du partage proportionnel. Pour M. Carbonnier, le partage préconisé serait la conséquence directe et logique de la combinaison de la théorie de l'indivision avec celle de la personne morale. Pour M. Brèthe de la Gressaye, le fondement juridique du partage du patrimoine du syndicat scindé réside dans la nature même de l'institution, qui impose que les biens ne soient pas détournés de la destination à laquelle ils étaient affectés.

Si séduisante qu'elle soit, cette thèse n'a rencontré que peu d'écho auprès des Tribunaux judiciaires, car elle se heurte à des difficultés d'ordre juridique et d'ordre pratique. Des objections d'ordre plus purement doctrinal ont également été soulevées, que nous examinerons ensuite.

Sur le plan juridique, les textes invoqués en sa faveur visent essentiellement le cas de dissolution, et non celui de scission. Sur le plan pratique, si l'on conçoit qu'il est possible de procéder à la répartition de l'actif d'une personne morale entre les personnes appelées à lui succéder, lorsque cet actif se présente sous forme de numéraire ou de valeurs immobilières, une telle répartition s'avère difficile, voire même impossible, dans l'hypothèse où cet actif se compose d'un seul immeuble ou, ce qui est le cas le plus fréquent pour les organisations syndicales, d'archives ou de documents comptables.

Les partisans du partage proportionnel avaient vu ces difficultés et proposé des solutions. Pour les archives, les documents, le drapeau du syndicat, M. Carbonnier proposait qu'un des syndicats successeurs en soit le dépositaire. De son côté, M. Brèthe de la Gressaye proposait d'appliquer les principes en vigueur en matière de succession. Ainsi, un bien impartageable, tel que le droit au bail des locaux du syndicat (3) sera mis tout entier dans un lot, tandis que l'autre lot sera fourni plus abondamment en deniers ou en mobilier, et le sort décidera de la répartition des lots entre les copartageants. M. Brèthe de la Gressaye estime que l'application en notre matière des règles du partage des successions ne présenterait pas de difficultés, puisque la loi n'exige plus l'égalité en nature dans la composition des lots. C'est là le droit commun du partage, même de sociétés.

Son application à la scission des syndicats aurait seulement l'inconvénient de rendre nécessaire le recours à la procédure du partage judiciaire, qui serait bien lourde et onéreuse pour un partage de faible valeur. Si les Tribunaux n'osent s'en affranchir, et notamment des experts, les syndicats rivaux auront sans doute la sagesse de s'entendre pour réaliser un partage amiable. Il faut enfin reconnaître que la proposition faite au juge judiciaire par M. Carbonnier a de quoi l'effrayer, lui qui hésite si souvent à s'engager dans une voie qui ne lui

(1) Pour M. Bernard Mellé, il n'y a pas deux nouveaux syndicats qui succèdent à l'ancien syndicat unique, mais un syndicat rival qui apparaît à ses côtés, avec la quote-part des droits indivis de ceux qui lui ont donné leur adhésion.

(2) Malgré une opposition apparente, ces deux justifications apparaissent, en fait, non seulement conciliables, mais même complémentaires. Une troisième explication pourrait être trouvée dans la nature originale du phénomène de la scission et des droits du syndicat sur son patrimoine (cf. thèse, pp.367 sq.).

(3) C'était l'enjeu du procès dans l'espèce jugée par la Cour d'Appel de Douai le 13 avril 1949, Union départementale des syndicats ouvriers du Nord et autres C/Guilloton, qui a donné lieu à un des arrêts de la Cour de Cassation du 28 mai 1959 (*Droit Social*, 1959, p. 24, 5ème espèce ; D. 1960 J. 147, 4ème espèce).

est pas familière s'il n'y a pas été invité par un texte. Il est vrai que l'article 8 de la loi du 9 décembre 1905, qui donnait compétence au Conseil d'Etat pour arbitrer les difficultés nées de la dévolution du patrimoine des associations cultuelles, lui entr'ouvrait peut-être cette porte. Mais, justement, il a fallu un texte spécial pour donner compétence au Conseil d'Etat dans cette matière. Finalement, ce fait n'était peut-être pas de nature à enhardir le juge judiciaire.

Dans aucun de ses arrêts rendus, tant à la suite de la scission CGT/CGT-FO que de la scission CFTC/CFDT, la Cour de Cassation n'a retenu la thèse du partage proportionnel et décidé que le désaccord entre la majorité et la minorité doit entraîner le partage du patrimoine du syndicat d'origine entre les deux nouveaux groupements, proportionnellement à leurs effectifs. Cette solution semble également avoir été rejetée par les juges du fond, bien qu'elle n'ait pas manqué d'en séduire certains (1).

Cela explique peut-être pourquoi, quelques années plus tard, dans ses conclusions prises à l'occasion de la scission CFTC/CFDT, le Substitut Général Souleau a finalement suggéré aux protagonistes de s'accorder à l'amiable (2). Il a d'ailleurs été souligné à maintes reprises que l'arrêt de la Cour d'Appel de Paris renvoyait en fait les parties dos à dos, et les contraignait donc à un accord amiable (3). C'est d'ailleurs ce qu'elles ont fait (4).

A côté des difficultés que nous venons de rappeler et qui ne nous paraissent, en définitive, pas décisives, la meilleure preuve étant que cette solution a été suggérée par le Ministère Public dans le procès CFTC/CFDT, le partage proportionnel soulève des objections sérieuses sur le plan doctrinal, qui expliquent peut-être beaucoup mieux pourquoi elle n'a pas été consacrée par des décisions judiciaires. Ces objections sont au nombre de trois : la théorie du partage proportionnel semble supposer, d'abord une dissolution préalable du syndicat d'origine (5) ensuite que le syndicat est propriétaire de son patrimoine (6), enfin l'existence d'un droit de retour (7).

C.– *Quel principe de règlement adopter ?*

Après avoir exposé les solutions qui ont été proposées de part et d'autre, et qui pouvaient seules être envisagées, parce que tenant compte de la nature

(1) TGI Seine, 20 mai 1959 (D. 1959 J. 463) ; constatant qu'une scission se serait produite au cours d'un congrès du syndicat tenu les 8 et 9 avril 1948, le syndicat CGT-FO demandait que l'actif syndical soit partagé entre lui et le syndicat CGT. Le Tribunal a rejeté cette demande au motif que le congrès n'avait pas voté la dissolution du syndicat originaire ; Aix 25 juin 1951 (JCP 1951.2.6477, note Brèthe de la Gressaye) : cet arrêt comprend un attendu significatif dans lequel la Cour dit que « si une dissolution régulière de l'Union Régionale était intervenue, soit du consentement unanime des adhérents, soit par la suite d'une décision judiciaire, la question de la dévolution des biens et de l'attribution des documents et archives pourrait se poser, une répartition des biens proportionnellement aux effectifs des syndicats de tendance ancienne ou nouvelle étant alors susceptible d'être envisagée ».

(2) Conclusions Souleau, JCP 1966.2.14726.

(3) Paris, 21 Juin 1966 : Droit Social 1966, p.32 (note Verdier) ; D. 1967 J. 321 (note Brèthe de la Gressaye) ; JCP 1966.2.14726 (concl. Souleau).

(4) Les trois clauses de cet accord sont les suivantes :
1) Les parties se désistent de toutes les instances judiciaires et renoncent à en engager de nouvelles ayant le même objet ;
2) A compter du 11 mars 1971, la CFTC continuera seule à utiliser le titre de Confédération Française des Travailleurs Chrétiens et le sigle CFTC ;
3) Les organisation CFDT qui occupent les locaux au 26 rue Montholon les quitteront dans un délai de six mois pour être regroupées dans les locaux de la CFTC ;
cf. *Combat*, 12 et 13 janvier 1971 ; *Le Monde*, 13 janvier 1971 ; *La Croix* 13 janvier 1971.

(5) Thèse, p.394.

(6) Thèse, p.395

(7) Thèse, p.396.

originale du phénomène de la scission syndicale, il nous faut maintenant dire clairement quelle est notre position. Nous envisagerons d'abord les pouvoirs de la majorité sur les statuts, et ensuite la dévolution des droits du groupement.

1) Les pouvoirs de la majorité sur les statuts

Nous sommes d'avis que, par une décision régulièrement prise par l'organe compétent, la majorité peut librement décider d'apporter toutes les modifications qu'elle juge bon aux statuts de la personne morale, sous la seule et unique réserve de respecter son objet tel qu'il est défini par le Code du Travail (1). Nous estimons en effet que le syndicat a, comme toutes les personnes morales, une nature institutionnelle. D'autre part, il ne nous apparaît pas opportun de s'arrêter, comme l'ont fait la doctrine et la jurisprudence, sur le point de savoir si la modification apportée aux statuts porte ou non atteinte à une quelconque qualité substantielle du groupement, la seule qui soit hors d'atteinte de la volonté de la majorité étant l'objet du syndicat, que seule la loi peut définir.

A notre avis, la nature institutionnelle du syndicat ne peut pas être contestée, la logique et le Droit nous imposent cette solution.

Il n'est tout d'abord pas concevable de laisser une personne morale dans le carcan du contrat qui lui a donné naissance. Comme l'a très bien expliqué M. Brèthe de la Gressaye, les nécessités mêmes de la vie imposent la reconnaissance de la nature institutionnelle de la personne morale (2). En admettant même que cette conception puisse se heurter à certaines réticences, il ne peut pas être contesté que, plus la personne morale vieillit et se développe, plus elle se détache du contrat qui lui a donné naissance et de la personnalité de ceux qui l'ont fondée (3). En définitive, nous estimons que la conception contractuelle, avec toutes ses conséquences, ne pourrait à la rigueur être retenue que pour une scission très proche de la naissance du syndicat. Mais, même en ce cas, l'équité et le souci de concilier les parties imposent de partager le patrimoine, proportionnellement aux effectifs des fractions rivales. A ce propos, nous tenons d'ores et déjà à préciser que si le partage proportionnel est incompatible avec la conception contractuelle de la personne morale, il est par contre parfaitement compatible avec la conception institutionnelle.

L'évolution du Droit des Sociétés, et en particulier de la législation relative aux sociétés commerciales, nous montre qu'elles sont de plus en plus libérées du contrat originaire, à tel point que c'est l'institution elle-même, et non le contrat qui lui a donné naissance, qui est l'objet essentiel des études des commercialistes, et que certains auteurs en sont même arrivés à se demander si la société est toujours un contrat (4). Les pouvoirs de la majorité sur les statuts sont devenus presque illimités, à tel point que même la nationalité, en qui M. Carbonnier voyait quelque chose d'analogue, par son aspect sentimental et affectif, à l'orientation syndicale (5), n'est plus à l'abri de la volonté majoritaire, dès lors que le pays d'accueil a conclu un accord avec la France à ce sujet (6). Cette marche ver l'institutionnalisation de la personne morale nous paraît

(1) Article 1er du Livre 3 ancien, article L 411-1 nouveau.

(2) *Cf.* en particulier : Paul Durand et André Vitu, *Traité de Droit du Travail* (Tome 3 p. 270) ; Jean Brèthe de la Gressaye, note JCP 1951.2.6477.

(3) Cette idée a été développée, à propos des sociétés commerciales, par MM. Germain Martin et Philippe Simon (Le chef d'entreprise, Flammarion 1946) et par M. Jean Portemer (Du contrat à l'institution, JCP 1947.1.596) ; nous pensons que le même raisonnement peut être tenu pour les syndicats.

(4) Georges Ripert et René Roblot, *Traité élémentaire de Droit Commercial* (LGDJ, 1977), Tome 1, n°653.

(5) Jean Carbonnier, « Les conséquences juridiques de la scission syndicale » (*Droit Social*, 1949).

(6) Loi du 24 juillet 1966, article 154.

être dans la droite ligne de l'évolution et c'est, à nos yeux, mener un combat d'arrière garde que de vouloir encore soutenir une conception contractuelle que plus rien ne justifie, et que la dynamique de la vie condamne.

L'expérience récente nous a en effet montré que la détermination du caractère substantiel d'une qualité est plus que malaisée, qu'elle est en définitive le fruit d'une interprétation toute subjective de l'histoire du groupement considéré et des étapes de son évolution, comme l'ont démontré très clairement les décisions contraires prises dans le conflit CFTC/CFDT par la Cour d'Appel et le Tribunal qui, en suivant le même raisonnement, sont arrivés à des positions diamétralement opposées (1).

D'autre part, le principe de dévolution que nous allons proposer préserve intégralement les droits des parties rivales, et il n'y a donc pas lieu de craindre des abus, puisque personne ne pourra accaparer le patrimoine du groupement.

Enfin, l'exigence de l'unanimité pour modifier une clause des statuts qui exprimerait une qualité substantielle du groupement permettrait, comme la catégorie contractuelle, à d'infimes minorités de bloquer tout effort d'adaptation de la personne morale. Cet inconvénient a été relevé par M. Georges Levard dans son commentaire de l'arrêt de la Cour d'Appel de Paris, rendu dans le procès CFTC/CFDT, qui jugeait que la suppression de la référence chrétienne portait atteinte à une qualité substantielle de la confédération et qu'en conséquence la décision ne pouvait être prise qu'à l'unanimité (2).

2) La dévolution des droits du groupement syndical

Nous ne pensons pas que le principe majoritaire, qui veut que l'intégralité des droits de la personne morale soit dévolue à la majorité, qu'elle reste dans le groupement ancien ou qu'elle décide d'en fonder un nouveau en abandonnant l'ancien à la minorité, soit la conséquence nécessaire de la reconnaissance à la majorité des adhérents du pouvoir de modifier l'orientation idéologique du groupement syndical. Nous estimons en effet que la théorie institutionnelle a pour unique objet de réfuter la théorie contractuelle et sa conséquence nécessaire qui consiste à laisser les droits de la personne morale à ceux qui lui refusent toute possibilité d'évolution.

Il nous paraît plus logique, une fois démontrée et admise la nature originale du phénomène syndical, qui justifie précisément le pouvoir qui est reconnu à la majorité de modifier les statuts, de décider qu'en cas de scission les droits du groupement d'origine seront partagés, proportionnellement au nombre de leurs adhérents, soit entre les syndicats successeurs si l'on suit MM. Brèthe de la Gressaye et Carbonnier, soit entre l'ancien syndicat et son rival nouvellement constitué si l'on suit M. Bernard Mellé dont l'analyse nous paraît plus séduisante parce que plus conforme à la réalité historique.

Une telle solution nous paraît justifiée par cette considération de fait que la personne morale n'est pas le « vêtement juridique » d'une communauté d'individus, et qu'elle doit donc suivre le sort de cette communauté, qui a en quelque sorte conservé, et nous utiliserons ici un langage quelque peu médiéviste, un droit éminent sur le patrimoine, le nom et les attributs qui ont été dévolus au syndicat, qui n'aurait sur eux qu'un droit utile, lequel ferait retour à la collectivité des adhérents en cas de dissolution du syndicat ou de scission.

Malgré les critiques qui lui ont été faites et ses imperfections, le partage proportionnel est la seule solution qui tienne réellement compte de la nature spécifique de la scission syndicale, et qui soit équitable et donc de nature à

(1) Rappelons que la question était posée de savoir à quelle date devait être placé le tournant de l'évolution de la CFTC, 1947 ou 1964, la décision qui devait être prise relativement au nom et au patrimoine dépendant en définitive de cette question délicate.

(2) Georges Levard, déclaration rapportée dans *Combat* du 22 juin 1966.

éviter de dramatiser le conflit à propos du règlement de problèmes matériels, qui ont leur importance, mais qui ne doivent pas pour autant s'ajouter aux difficultés idéologiques pour envenimer encore plus le conflit qui oppose les fractions rivales. Ce n'est pas l'intérêt du syndicalisme, ni de ceux qui ont mis en lui leurs espoirs et leur confiance.

Le partage des droits patrimoniaux ne devrait pas poser de difficultés particulières, et il est vivement souhaitable que les parties rivales fassent taire un instant leurs querelles pour arriver à une solution amiable prévoyant un partage du patrimoine, pour éviter ainsi l'intrusion de tiers dans ce qui reste finalement une querelle de famille. A défaut d'accord, il faudra bien sûr demander au Juge de composer des lots, les uns plus fournis en matériel, les autres plus fournis en numéraire, afin que personne ne soit lésé, ou plutôt que chacun le soit le moins possible.

En ce qui concerne les archives, le drapeau et les droits extra-patrimoniaux, la solution dépendra du postulat qui est le nôtre et qui veut qu'ils appartiennent, non à la personne morale, mais d'une manière indivise à la collectivité des adhérents. C'est ainsi que les archives et le drapeau syndical seront remis en dépôt, en cas de difficulté à un tiers et normalement à l'un des syndicats, le majoritaire par exemple, mais cela ne s'impose pas, à charge pour lui de le conserver dans l'intérêt commun. En ce qui concerne le nom, l'adjonction d'un signe distinctif permettrait, si cela est le désir commun, à chacun de conserver l'ancienne dénomination dans son titre, tout en évitant un risque de confusion. C'est la solution qui a été adoptée par la CGTU et la CGT-FO, avec cette nuance cependant que l'autre branche n'a pas ajouté de signe distinctif au sigle commun CGT, passant ainsi plus facilement pour le continuateur de la personne morale d'origine.

La qualité d'organisation représentative devrait être reconnue aux deux groupements dans la mesure bien entendu où l'ancien l'avait, et les adhérents des deux syndicats rivaux devraient posséder des droits identiques par rapport aux œuvres sociales communes. Ces solutions sont celles qui ont été adoptées en pratique pour les organisations représentatives, et également lors de la scission CGT/CGTU en ce qui concerne les œuvres sociales (1).

SECTION II

LES SOLUTIONS DU DROIT POSITIF FRANCAIS

Comme nous avons pu le remarquer, il a fallu que surgisse la scission CGT/CGT-FO pour que la jurisprudence et la doctrine aient à examiner les problèmes

(1) Les difficultés concernant l'Orphelinat National des Cheminots, nées à la suite des scissions CGT/CGTU et CGT/CGT-FO sont riches d'enseignements : après la scission de 1921, les minoritaires ont conservé sans difficulté les droits qu'ils avaient acquis à l'orphelinat par affiliation amiable de la Fédération CGTU en qualité d'organisation adhérente. Mais, après la scission de 1947, la CGT-FO ne put obtenir en Justice la reconnaissance de ses droits, et cela après avoir échoué dans la recherche d'une solution amiable. Pourtant, elle s'appuyait sur le précédent de 1921 et sur les dispositions des articles 8 et 23 du Livre 3 du Code du Travail (art. L 411-8 et 23 nouveaux). Si l'analyse que nous avons proposée des droits respectifs de la collectivité des adhérents et de la personne morale sur le patrimoine syndical était admise, elle éviterait de telles solutions qui sont à la fois choquantes juridiquement et moralement injustes.

juridiques qui se posent à la suite d'une scission syndicale. Confédérés et unitaires ayant eu la sagesse, en 1921, de règler à l'amiable les problèmes pratiques qui se posaient à l'issue de leur scission, il faudra attendre près de trente années pour que la question soit posée aux Tribunaux. Les différentes théories que nous avons examinées ont été soutenues à la base par les adversaires et, lorsque les premières décisions ont été publiées, une partie de la doctrine a proposé une voie moyenne en proposant un partage proportionnel des droits du groupement syndical affecté par la scission, qui n'a jamais été retenu. Les deux thèses opposées ont triomphé successivement devant les juridictions de première instance et d'appel, et la Cour de Cassation a adopté des solutions nuancées selon les circonstances, en se reportant essentiellement aux statuts, qui sont la loi des parties, pour prendre sa décision.

Lorsqu'elle a eu à connaître des différents litiges nés des suites de la scission CGT/CGT-FO, la Cour de Cassation a en général considéré que l'affiliation confédérale du groupement syndical n'était pas essentielle et qu'elle pouvait donc être modifiée par une décision régulièrement prise à la majorité. Elle en a déduit que les biens du groupement appartiennent à ceux qui, majoritaires, ont voté pour une nouvelle orientation, et que par conséquent, d'une part ils ne peuvent pas être revendiqués par la minorité restée fidèle à l'orientation d'origine, mais également d'autre part ils pourraient être revendiqués entre les mains de la minorité, si celle-ci les détenait encore. La Cour de Cassation a ainsi consacré la thèse institutionnelle et le principe majoritaire qui était présenté comme sa conséquence logique (1). Cependant, cette consécration n'est pas absolue, car lorsque les statuts semblaient faire de l'adhésion à la CGT une disposition fondamentale, la Cour de Cassation exigeait alors l'accord unanime des adhérents (2). La jurisprudence s'est de plus en plus nettement prononcée en faveur de la théorie institutionnelle, que ces décisions aient été prises à l'occasion des litiges opposant la CGT à la CGT-FO (3) ou du procès opposant la CFTC à la CFDT.

L'originalité de la scission CFTC/CFDT de 1964 réside dans le fait que cette fois le problème qui était soumis au Juge était directement posé au niveau confédéral. Nous avons déjà signalé, et nous verrons maintenant en détail, que des décisions contradictoires sont intervenues dans ce litige, à la suite desquelles les adversaires ont pris un arrangement à l'amiable. Nous rappellerons également que ces diverses décisions ont consacré implicitement la théorie institutionnelle dont le bien fondé n'était d'ailleurs pas discuté.

Le Tribunal de Grande Instance de la Seine avait jugé que la CFTC maintenue était sans droit sur la dénomination et le sigle CFTC, ainsi que sur le patrimoine syndical (4). Il avait reconnu valides les modifications apportées aux statuts de la confédération et estimé que la CFDT continuait la personne morale de la CFTC. Mais, la Cour d'Appel de Paris a pour sa part estimé que la référence chrétienne était une qualité substantielle de la personne morale et ne pouvait donc être modifiée qu'à l'unanimité (5). Elle en déduisait la nullité des résolutions votées au congrès de 1964. En conséquence, l'arrêt décidait

(1) Soc. 28 et 29 mai 1959, JCP 1959.2.11243 (note Lindon), D. 1960 J. 145 (note Brethe de la Gressaye), *Droit Social*, 1960, p.17 (note Rosenthal) ; Soc. 3 octobre 1962, Droit Social, 1963, p.44 (obs. Savatier).

(2) Soc. 28 mai 1959, Chiriconi et Union départementale des syndicats confédérés de l'Ain c/ Vigneux et autres : D. 1960 J. 146 (3ème espèce) Droit Social 1960, p.26 (6ème espèce).

(3) Angers, 11 juillet 1960, *Droit Ouvrier* 1960, p.293 : Le pourvoi engagé par le syndicat CGT contre cet arrêt a été rejeté par la Cour de Cassation (Cas.Soc. 3 octobre 1962, Droit Social, 1963, p.44, obs. Savatier), Paris, 26 mars 1962, GP 29 juin 1962, *Droit Social*, 1963, p.460 : dans cette décision la Cour d'Appel souligne que l'objet du syndicat est la défense des intérêts des travailleurs et qu'aucune autre confédération ne peut prétendre être la seule à le faire.

(4) TGI Seine, 7 juil.1965, Droit Social 1965 p. 553 (obs.Brèthe de la Gressaye), D. 1966 J. 215 (note Verdier), JCP 1966.2.14515 (note Mme Sinay).

(5) Paris, 21 juin 1966, JCP 1966.2.14726 (concl.Souleau), D. 1967 J. 321 (note Brèthe de la Gressaye) Droit Social 1967 p.32 (note Verdier).

que la confédération subsistait telle qu'elle était avant 1964, et rejetait les prétentions des groupements rivaux à un monopole sur la dénomination et le patrimoine. Dans ce genre de litige, les parties sont souvent décidées à aller jusqu'au bout, et c'est ainsi que la Cour de Cassation se vit déférer l'arrêt de la Cour d'Appel de Paris. Elle a approuvé la Cour d'Appel d'avoir interprêté les statuts, qui n'étaient pas très précis, comme ne comportant pas la possibilité de transformer de façon aussi radicale l'orientation de la confédération autrement qu'à l'unanimité (1). Mais, elle annule l'arrêt comme n'ayant pas admis que la CFDT était la continuatrice de l'ancienne CFTC, investie comme telle d'un droit absolu sur le nom, le sigle et le patrimoine de la confédération. Alors que l'affaire était pendante devant la Cour de renvoi, les adversaires écoutèrent enfin la voix de la sagesse et prirent un accord amiable (2), comme cela leur avait été suggéré par le Ministère Public dans ses conclusions devant la Cour d'Appel (3).

§ 1.– LES QUESTIONS RESOLUES PAR LES TRIBUNAUX

Une fois saisi du litige, le Juge devait choisir une solution entre celles qui lui étaient proposées, il pouvait même, comme cela lui fut suggéré par ceux qui prônaient le partage proportionnel, refuser de se ranger de l'un ou de l'autre côté, et rechercher une solution qui soit à la fois originale, juridique et équitable.

Les deux fractions syndicales se reprochant mutuellement de s'être exclues du groupement, la majorité par un vote qui outrepasse ses pouvoirs, la minorité par son refus de se conformer à ce vote, et chacune d'elles prétendant représenter seule le groupement, toute scission, quels que soient le processus qui y conduit et le niveau auquel elle éclate, pose le problème des pouvoirs de la majorité et de leurs limites. Selon que la décision qui est à l'origine de la scission excède ou non la limite des pouvoirs de la majorité, le Juge décidera de faire droit à la prétention du groupe majoritaire ou à celle du groupe minoritaire. Il recherchera donc tout d'abord si la décision prise par la majorité de changer l'orientation idéologique du groupement l'a été dans des conditions régulières, et ensuite si elle respecte les qualités substantielles de la personne morale.

A.– *La décision prise par la majorité est-elle régulière ?*

Le problème qui se pose au Juge dans cette première étape consiste à rechercher tout d'abord si la décision de changer l'orientation idéologique de la personne morale a été prise dans les conditions prévues aux statuts, et ensuite à choisir entre les théories contractuelle et institutionnelle.

1) La décision a-t-elle été prise conformément aux statuts ?

La première question qu'il convient de règler est de savoir si la décision a été prise par l'organe compétent dans les conditions prévues par les statuts, qui réservent en général à l'assemblée ou au congrès les décisions concernant l'orientation du groupement. La position de la Cour de Cassation et des Juges du fond est ferme et sans ambiguïté : la décision de changer l'orientation du groupement syndical doit avoir été prise dans des conditions régulières au regard des statuts, mais sans qu'il y ait lieu de s'arrêter sur quelques irrégularités formelles qui n'ont pu avoir aucune répercussion sur la décision qui a été prise.

(1) Soc. 9 mai 1968 D. 1968 J. 601 (note Brèthe de la Gressaye), Droit Social 1969 p.285 (note Verdier).
(2) Voir note n° 1, p. 233.
(3) Conclusions Souleau, JCP 1966.2.14726.

Les juges du fond, puis la Cour de Cassation, ont eu à plusieurs reprises l'occasion de rappeler que seuls l'assemblée générale ou le congrès peuvent modifier l'orientation idéologique du groupement syndical, et uniquement à la condition que la réunion ait été tenue et que la décision ait été prise d'une façon régulière. C'est ce que nous montre l'examen de la jurisprudence intervenue à la suite de la scission CGT/CGT-FO (1) et celui des décisions rendues à l'occasion du procès CFTC/CFDT (2).

Nous venons de voir qu'il fallait que la décision de modifier l'orientation idéologique du groupement ait été prise par l'organe compétent au cours d'une réunion convoquée et tenue dans les formes prévues aux statuts. Il nous reste à voir si des irrégularités qui auraient pu être commises, soit au cours d'une procédure préalable à la réunion du congrès ou de l'assemblée, soit dans la forme et la rédaction du procès-verbal, pourraient avoir une conséquence sur la régularité de la décision et permettre d'invoquer sa nullité.

Le procès qui a opposé la CFTC à la CFDT nous offre un exemple concret de ce que peut être une procédure préalable à la réunion d'une assemblée ou d'un congrès devant statuer sur un changement d'orientation idéologique du groupement, au motif que « les membres de la confédération ont été largement consultés et avertis avant le congrès extraordinaire de la nature des décisions qui devaient être prises et de l'existence de positions radicalement opposées ».

Les irrégularité qui ont pu être commises au cours de la procédure préalable à la réunion de l'assemblée ou du congrès sont sans incidence sur la validité des décisions prises, dès lors qu'elles n'ont pas pu fausser le résultat de la consultation. Celles qui ont pu être commises dans la forme et la rédaction du procès-verbal de la réunion sont-elles susceptibles d'entraîner la nullité de la décision prise ? Ou bien seule une irrégularité suffisamment grave pourrait-elle avoir un tel effet ?

Partant vraisemblablement de cette considération que les règles de forme n'ont pas de raison d'être en elles-mêmes, mais uniquement dans la mesure où elles assurent, en notre matière, la loyauté du débat et la liberté des décisions, la jurisprudence décide que de telles irrégularités sont sans importance, dès lors qu'il est établi qu'il n'y a aucun doute sur la majorité « des voix à laquelle a été prise la décision, sur laquelle ces irrégularités n'ont eu aucune répercussion (3) ». En définitive, il ne faut pas que les irrégularités commises empêchent le Juge d'exercer son contrôle sur les conditions exactes dans lesquelles est intervenue la décision litigieuse.

2) Le choix entre les théories contractuelle et institutionnelle

Une fois acquis aux débats que la décision de changer l'orientation idéologique du groupement syndical a été régulièrement prise par la majorité, le Juge devait choisir celle des deux conceptions opposées qu'il souhaitait retenir. La jurisprudence a d'abord montré quelques hésitations mais finalement la théorie institutionnelle l'a emporté et n'est plus contestée.

(1) T. Civ. Cherbourg, 5 juillet 1948, Droit Social 1948 p.147, GP 1948.2.112 ; Caen 11 juillet 1949, GP 1949.2.287 ; Soc. 28 mai 1959, *Droit Social* 1960 p.24 (4ème espèce), D. 1960 J. 145 (1ère espèce) ; T. Civ. Lille, 23 juin 1948, JCP 1948.2.4544 (1ère espèce) ; Douai, 13 avril 1949, JCP 1949.2.5035 ;- Soc. 28 mai 1959, *Droit Social* 1960 p.25 (5ème espèce), D. 1960 J. 147 (4ème espèce).

(2) Dans ce procès, il n'était pas contesté que la décision de modifier l'orientation idéologique de la confédération avait été prise par l'organe compétent, le congrès confédéral extraordinaire, régulièrement convoqué. La discussion entre les parties portait donc essentiellement sur le point de savoir si la référence chrétienne était ou non une qualité substantielle de la confédération, ce que nous examinerons dans la deuxième section de ce chapitre, et si la procédure préalable à la réunion du congrès avait bien été suivie.

(3) Soc. 3 octobre 1962, *Droit Social,* 1963, p.44 (obs. Savatier), *Droit Ouvrier,* 1963 p. 169 (obs. Boitel).

Comme nous avons déjà eu l'occasion de le souligner, deux conceptions totalement différentes ont été proposées aux Tribunaux à la suite des changements d'affiliation décidés par des organisations syndicales qui avaient retiré leur adhésion à la CGT pour l'apporter à la CGT-FO. Nous nous souvenons que ce sont uniquement des raisons de tactique judiciaire qui ont conduit la CGT à faire plaider la conception institutionnelle. Si la jurisprudence admettait la conception contractuelle, elle refusait toute possibilité d'évolution aux groupements syndicaux, en condamnant ceux qui désiraient renouveler les méthodes de l'action syndicale ou se réclamer d'un nouvel idéal à abandonner le syndicat dans lequel ils avaient lutté jusqu'ici, pour en fonder un nouveau. Si la jurisprudence accueillait la conception institutionnelle, elle permettait au groupement syndical d'évoluer dans son idéal et ses méthodes d'action, tout en respectant sa mission telle qu'elle résulte de son objet défini par le Code du Travail (1).

Dès les premiers procès engagés à la suite de la scission CGT/CGT-FO la jurisprudence ne fut pas unanime à accueillir la théorie contractuelle. Certaines décisions firent droit à la thèse soutenue par Force Ouvrière, qui défendait la conception institutionnelle du syndicat. Cette admission ne s'est pas faite sans réticences, mais il n'en demeure cependant pas moins que la conception institutionnelle a finalement été admise, dans la mesure du moins où ses promoteurs ne prétendaient pas, par un simple vote majoritaire, porter atteinte à une qualité substantielle de la personne morale.

La victoire de la conception institutionnelle du syndicat sur la conception contractuelle ne fut pas aisée, comme nous venons de le voir, et elle n'est pas complète puisque cette théorie n'est admise qu'avec une restriction importante qui veut que la majorité ne puisse pas porter atteinte à une qualité substantielle du groupement. Ainsi, le syndicat est une personne morale dont la liberté d'action est limitée par la mission particulière qui est la sienne. C'est peut-être grâce à cette restriction concernant le respect des qualités substantielles de la personne morale que la théorie institutionnelle n'a pas été contestée dans le procès CFTC/CFDT et a même été implicitement consacrée par les décisions de première instance, d'appel et de cassation qui sont intervenues dans ces litiges. Bien que seulement partiel, ce que nous regrettons, le succès de la conception institutionnelle du syndicat est justifié.

Dans le procès engagé par la CFTC contre la CFDT, cette première confédération n'a jamais prétendu soutenir la théorie contractuelle de la personne morale, elle a immédiatement placé son argumentation sur le terrain de la théorie institutionnelle en prétendant que la substitution à la référence à la «morale chrétienne » de la référence à « tous les apports de l'humanisme dont l'humanisme chrétien » porte atteinte aux forces directrices fondamentales du mouvement syndical chrétien, qui forment les qualités substantielles de la confédération. Sans se lancer dans des spéculations théoriques hasardeuses, le Tribunal puis la Cour d'Appel ont recherché si, en décidant la substitution litigieuse le Congrès avait ou non enfreint les statuts (2).

L'admission de la théorie institutionnelle est justifiée pour de multiples raisons que nous avons eu l'occasion d'exposer longuement lorsque nous avons présenté les nombreuses thèses qui étaient proposées aux Tribunaux pour ap-

(1) Article 1er du Livre 3 ancien, article L 411-1 nouveau.

(2) TGI Seine, 7 juillet 1965 ; *Droit Social* 1965 p.553 (obs.Brèthe de la Gressaye) ; D. 1966 J. 215 (note Verdier), JCP 1966.2.14515 (note Mme Sinay) ; Paris, 21 juin 1966, JCP. 1966.2.14726 (conclusions Souleau), D. 1967 ; J. 321 (note Brèthe de la Gressaye), Droit Social 1967 p.32 (note Verdier) ; - Dans le même sens : Soc. 9 mai 1968, D. 1968 p. 601 (note Brèthe de la Gressaye), Droit Social 1969, p. 285 (note Verdier).

porter une solution aux problèmes pratiques posés par la scission syndicale. Nous ne reviendrons pas sur ces explications, mais tenons simplement à souligner que s'il est une catégorie de personnes morales pour laquelle l'admission de cette théorie, avec la liberté d'agir qu'elle implique, est justifiée, ce sont bien les syndicats. M. Verdier a très clairement montré combien les syndicats ont un caractère institutionnel bien plus profondément marqué que d'autres groupements, en raison de la fonction qui leur est dévolue dans notre société. C'est cette raison qui pourrait justifier à elle seule l'admission de la théorie institutionnelle comme l'explique cet auteur (1).

Nous n'avons personnellement qu'un seul regret, c'est que la théorie institutionnelle n'ait pas été accueillie dans son intégralité et que ses promoteurs eux-mêmes aient cru devoir lui apporter des limites en affirmant que les pouvoirs de la majorité s'arrêteraient là où existait une qualité substantielle du groupement à laquelle seule une décision unanime pourrait porter atteinte. Peut-être était-ce dans un but tactique que cette limite importante a été apportée par ses défenseurs à cette théorie qui n'était ainsi pas tellement éloignée de la conception contractuelle qu'il fallait à tout prix écarter si l'on ne voulait pas interdire toute possibilité d'évolution aux syndicats.

Il nous paraît certain que cette intervention de la notion de qualité substantielle du groupement syndical n'est ni utile, ni heureuse. Elle n'est pas utile dans la mesure où la définition légale de l'objet du syndicat, telle qu'elle résulte des dispositions de l'article 1er du Livre 3 du Code du Travail (2) est la seule caractéristique de cette institution à laquelle, ni la majorité, ni même les membres unanimes, ne peuvent porter atteinte. Du moment que le syndicat respecte l'objet qui lui est défini par la loi et ne trahit pas sa mission en se mettant au service de « l'ennemi de classe », en devenant un « syndicat jaune », il doit avoir toute liberté de modifier son orientation idéologique et de définir un nouvel idéal. La restriction apportée à la théorie institutionnelle fait que la liberté accordée au syndicat n'est qu'une « liberté surveillée », ce que rien ne justifie. De plus, cette intervention n'est pas heureuse dans la mesure où elle laisse subsister un dernier frein à l'évolution idéologique du syndicat (3). L'existence de ce frein est peut-être justifiée par le fait que la règle du partage proportionnel entre les syndicats rivaux issus de la scission n'est pas admise et que l'intégrité des droits du syndicat d'origine est obligatoirement dévolue à l'un ou l'autre des adversaires. C'est peut-être là un nouvel argument en faveur du partage proportionnel qui contribuerait ainsi à épurer la théorie institutionnelle des dernières traces de contractualisme et à donner au syndicat une entière liberté, dans la limite bien entendu du respect de son objet et de la mission qui lui est dévolue.

B.– *La décision affecte-t-elle une qualité substantielle du groupement ?*

Dès lors qu'il était acquis aux débats que la décision de changer l'orientation idéologique du groupement a été régulièrement prise par l'organe compétent à la majorité des suffrages et que cette majorité a le pouvoir de matérialiser

(1) Voir note Verdier, sous TGI Seine 7 juillet 1965 (D 1966 J 215) dans laquelle l'auteur justifie la conception institutionnelle du syndicat en s'appuyant sur sa fonction. M. Verdier précise en effet que le syndicat ne défend pas seulement les intérêts professionnels de ses membres, mais aussi ceux de la catégorie socio-professionnelle qu'il représente dans la profession. Le syndicat est donc une association dont le but dépasse les intérêts de ses membres et touche à l'intérêt général. Pour M. Verdier, ce fait explique que la majorité a le droit, non seulement de prendre les décisions courantes, mais également d'adapter l'institution aux circonstances et d'en modifier éventuellement les statuts.

(2) Ajourd'hui art. L 411-1 C. Trav.

(3) Georges Levard, Observations sur l'arrêt rendu le 21 juin 1966 par la Cour d'Appel de Paris dans le procès CFTC/CFDT (*Combat,* 22 juin 1966).

ce changement d'orientation en modifiant les statuts, à la condition de respecter les qualités substantielles de la personne morale, il reste à définir cette notion qui reste le centre du débat.

Il appartient alors au Juge d'apprécier concrètement si la modification décidée à la majorité affecte ou non le but ou la substance du groupement. Certaines juridictions inférieures ont affirmé le pouvoir de la majorité de modifier l'orientation du syndicat, considérant que ce changement n'affecte ni le but, ni l'objet du groupement (1). Mais il semble que la jurisprudence ait plutôt recherché une solution originale dans chaque cas d'espèce, en considérant d'une part la nature de la décision génératrice de la scission, en se référant d'autre part aux statuts du groupement concerné. C'est cette méthode qui a été suivie par la Cour de Cassation en 1959 à la suite de l'éclatement de la CGT en 1947, par le Tribunal de Grande Instance de la Seine, la Cour d'Appel de Paris et à nouveau la Cour de Cassation lorsque ces juridictions ont été saisies du différend opposant la majorité à la minorité de l'ancienne CFTC.

M. Verdier pense que le problème ne se pose pas au Juge dans les mêmes termes, selon qu'il s'agit d'une scission syndicale consécutive à un changement d'affiliation ou d'une scission confédérale (2). C'est ainsi qu'il prétend que la différence entre ces deux ordres de scission tiendrait au fait que dans la scission confédérale la décision contestée est par hypothèse un changement de l'orientation statutaire, alors que dans la scission des syndicats primaires ou des unions cette décision ne consisterait qu'en une modification indirecte par changement d'affiliation. Une telle analyse ne nous paraît pas exacte, et nous estimons pour notre part qu'il s'agit là de deux manifestations d'un même phénomène qui est le changement de l'orientation idéologique de la personne morale, et que par conséquent le problème se pose auJuge en termes identiques. La jurisprudence a d'ailleurs suivi la même démarche lorsqu'elle a eu à reconnaître des litiges nés de la scission des syndicats primaires et des unions consécutives à l'éclatement de la CGT, et lorsqu'elle a eu à juger le procès CFTC/CFDT. Elle a recherché quelle pouvait être l'importance accordée par les adhérents à l'orientation idéologique du groupement syndical, en se référant aux termes des statuts et à l'histoire de la personne morale intéressée, étant entendu qu'aucune de ces voies n'est exclusive de l'autre, mais que bien au contraire ces axes de recherche sont complémentaires.

1) Volonté des adhérents et clauses statutaires

Le Juge va tout d'abord rechercher si les statuts accordaient une importance primordiale à l'orientation du syndicat. La réponse sera plus ou moins facile à trouver selon que ces statuts prévoient ou non la possibilité de les modifier à la majorité, et qu'ils s'expriment plus ou moins clairement sur le but et l'orientation du syndicat.

La situation est simple lorsque les statuts prévoient explicitement et sans restriction leur modification par un vote majoritaire. Une telle clause permet alors à la majorité de décider de changer l'orientation idéologique du groupement, non seulement lorsqu'une telle modification est prévue par une clause expresse (3), mais également lorsque la modification des statuts est permise à

(1) T. Civ. Lille, 23 juin 1948, JCP 1948.2.4544 (1ère espèce), note Brèthe de la Gressaye - Confirmé par Douai, 13 avril 1949, JCP 2949.2.5035 (note Brèthe de la Gressaye) : - T. Civ. Cherbourg, 5 juillet 1948, GP 1948.2.112, Droit Social 1949 p.147 - Confirmé par Caen, 11 juillet 1949, GP 1949.2.287.

(2) J.M.Verdier : note au Dalloz 1966 J. 214 sq - Ouvrage sur les syndicats (P.p. 283& 290) dans le *Traité de Droit du Travail* rédigé sous la direction de M.Camerlynck ; contra : Conclusions Souleau, JCP 1966.2.14726.

(3) Soc. 29 mai 1959 : D. 1960 J. 148 (7ème espèce) note Brèthe de la Gressaye ; *Droit Social,* 1960 p.29 (11ème espèce).

la majorité, sans qu'il soit pour autant parlé expressément de changement d'orientation (1).

La situation devient beaucoup plus difficile lorsque les statuts ne contiennent aucune disposition relative aux conditions dans lesquelles une éventuelle modification pourrait intervenir. Le problème va donc se poser au Juge, d'interpréter le silence des statuts en recherchant quelle a bien pu être la volonté des rédacteurs et celle des membres actuels lorsqu'ils ont adhéré au syndicat. Il s'agit là d'une question difficile, à laquelle la jurisprudence a réussi à trouver une solution.

Le problème qui se pose au Juge est de savoir si, en raison du mutisme des statuts sur leur éventuelle modification, il va devoir refuser ou bien accepter toute possibilité aux adhérents de changer l'orientation idéologique du groupement. Un tel problème est particulièrement grave lorsqu'on sait combien sont profonds les conflits idéologiques qui divisent le monde syndical français. L'affiliation à une nouvelle confédération ou la référence à un nouvel idéal, est de nature à changer radicalement l'orientation du syndicat et à modifier profondément les bases de son action, dans un pays comme la France où les divergences entre les mouvements syndicaux sont essentiellement d'ordre idéologique et portent moins sur les méthodes d'action, comme c'est le cas dans certains pays étrangers, que sur les objectifs du combat syndical. En France, il s'agit moins de savoir comment améliorer le sort des plus défavorisés que de proposer un modèle de société, une conception de l'homme et de sa place dans la collectivité. Ce sont ces divergences profondes et irréductibles entre les différentes idéologies qui expliquent justement, au moins en partie, pourquoi le syndicalisme français est divisé, pourquoi plus que tout autre, il a connu de nombreuses scissions.

La jurisprudence ne s'est pas arrêtée devant ces difficultés et a recherché la solution au problème qui lui était soumis dans une exégèse des statuts. Elle a donc tenté de déterminer quelle signification ils donnaient à l'orientation idéologique du syndicat.

La recherche de la position des statuts par rapport à l'orientation idéologique du syndicat permet au Juge de résoudre la difficulté qui se présente à lui lorsqu'ils sont muets sur les conditions dans lesquelles leur modification peut intervenir. Les Juges ont alors constaté, soit que les statuts sont indifférents à l'orientation idéologique du syndicat, soit que le changement de l'orientation du syndicat est indifférent au but poursuivi qui reste le même, soit enfin que le but tel qu'il est défini dans les statuts interdit toute modification de l'orientation du syndicat.

La Cour de Cassation a eu à plusieurs reprises l'occasion de relever l'indifférence des statuts à l'orientation idéologique du syndicat. C'est ainsi qu'elle a remarqué « qu'aucun des articles des statuts... ne fait directement allusion à la CGT » (2) ou que « le syndicat n'était affilié à aucune confédération » (3), ou bien encore que « si les statuts visaient l'affiliation à l'union départementale qui relevait de la CGT, puisqu'il n'existait qu'une confédération, ils demeuraient muets pour l'hypothèse réalisée en 1947 où il y en aurait plusieurs » (4). Cette constatation de l'indifférence des statuts a contribué à faire admettre la validité du changement d'affiliation décidé par l'assemblée générale des adhérents.

La Cour de Cassation a également admis la validité du changement d'affiliation en faveur de la CGT-FO en constatant que le but du syndicat résidait dans la seule défense des intérêts professionnels de ses adhérents et qu'il restait

(1) Soc. 28 mai 1959, D. 1960 J. 147 (5ème espèce), note Brèthe de la Gressaye, *Droit Social,* 1960, p.23 (3ème espèce) ; *Soc.* 28 mai 1959, D. 1960 J. 148 (8ème espèce), note Brèthe de la Gressaye, *Droit Social,* 1960 p.22 (2ème espèce).

(2) Soc. 28 mai 1959, *Droit Social,* 1960 p.22 (1ère espèce) ; - D. 1960 J. 148 (6ème espèce).

(3) *Soc.* 29 mai 1959, *Droit Social,* 1960 p.29 (11ème espèce) *; - D.* 1960 *J.* 148 (7ème espèce).

(4) Soc. 3 octobre 1962, *Droit Social* 1963 p.44 (obs.Savatier), Droit Ouvrier 1963 p. 169 (obs. B[illegible]

le même malgré le changement d'affiliation. Elle a manifesté cette postition plus particulièrement dans deux arrêts où elle relevait que le but essentiel du syndicat « tend à sauvegarder les intérêts de ses adhérents et à resserrer les liens de solidarité qui doivent les unir, l'affiliation à la CGT n'étant que l'un des moyens choisis pour atteindre ce but » (1) et que la nouvelle orientation du syndicat ne change pas « le but de l'union locale, qui est la défense des intérêts professionnels des syndiqués » et ne porte pas atteinte aux qualités substantielles du groupement (2).

Il arrive enfin que les statuts définissent très clairement le but qu'ils assignent au syndicat et que dans ces conditions il ne soit pas possible de modifier l'orientation de la personne morale (3).

2) Volonté des adhérents et histoire du syndicat

Le Juge dispose d'une dernière possibilité pour déterminer quelle peut être la volonté des adhérents du syndicat, et se trouver ainsi à même de répondre à la question de savoir si le changement d'orientation a ou non porté atteinte à une qualité substantielle de la personne morale. Cette recherche peut être faite, que la scission considérée concerne un syndicat primaire ou une union, ou quelle concerne une confédération. Il est en effet inexact de dire que le problème posé au Juge est différent selon qu'il s'agit d'une scission confédérale ou d'une scission qui affecte un groupement affilié, syndicat ou union, et que la référence à l'histoire du syndicat n'est convenable que lorsqu'il s'agit de la scission survenue au niveau d'une confédération, même si l'exemple le plus éclatant de cette recherche se trouve précisément dans les suites judiciaires de la seule scission qui ait eu des incidences contentieuses au niveau confédéral, celle qui a affecté la CFTC à la suite du changement d'orientation décidé par le Congrès de novembre 1964.

Nous avons déjà souligné la conception défendue par M. Verdier qui voudrait que le problème se pose en des termes différents selon que la scission affecte un groupement affilié ou qu'elle affecte une confédération (4). Nous estimons pour notre part qu'il s'agit là de manifestations diverses d'un même phénomène, le changement de l'orientation idéologique de la personne morale, et donc que le recours à l'histoire du syndicat est tout aussi nécessaire au juge lorsqu'il doit rechercher si le changement d'orientation a ou non porté atteinte à une qualité substantielle de la personne morale, qu'il s'agisse d'une groupement affilié ou d'une confédération.

Dans le commentaire qu'il a fait du jugement du Tribunal de Grande Instance de la Seine rendu dans le procès CFTC/CFDT, et dans l'ouvrage qu'il a consacré à l'étude des syndicats, M. Verdier (5) soutient, tout en reconnaissant que les deux scissions sont fondamentalement de même nature et qu'elles posent les mêmes problèmes essentiels des limites des pouvoirs de la majorité, que l'appréciation à laquelle doit se livrer le Juge pour déterminer si la majorité a ou non outrepassé ses pouvoirs, n'a pas la même ampleur selon qu'il s'agit du changement d'affiliation confédérale d'un syndicat, ou bien d'une modification apportée directement à des clauses fondamentales des statuts d'une confédération. Il croit que la comparaison de la jurisprudence intervenue à la suite des scissions CGT/CGT-FO et des décisions rendues dans le procès CFTC/CFDT

(1) *Soc.* 28 mai 1959, *Droit Social,* 1960 p.23 (3ème espèce) ; *D.* 1960 *J.* 147 (5ème espèce).

(2) *Soc.* 28 mai 1959, *Droit Social,* 1960, p.25 (5ème espèce) ; *D.* 1960, *J.* 147 (4ème espèce).

(3) Soc. 28 mai 1959, *Droit Social,* 1960, p. 26 (6ème espèce) ; *D.* 1960 *J.* 146 (3ème espèce) : La Cour justifie sa décision en relevant que « selon les statuts, le but essentiel de l'union est, aux termes de l'article 2 de préparer et d'aider à l'affranchissement du travail en fortifiant et en développant au sein des syndicats l'esprit de la Fédération qui anime la CGT » et que « seuls y sont admis, en vertu de l'article 3, les syndicats adhérents à la CGT ».

(4) J.M. Verdier : note au Dalloz 1966 J. 214 sq. - Ouvrage sur les syndicats (p.283 à 290) dans le Traité de Droit du Travail rédigé sous la direction de G.H. Camerlynck ; Contra : conclusions Souleau, JCP 1966.2.14726.

(5) Note au Dalloz 1966 J. 215 ; *Traité de Droit du Travail* (Les Syndicats), p. 283 à 290.

serait révélatrice de cette différence. Il tire argument à l'appui de sa conception de ce que dans les arrêts du 28 mai 1959, la Cour de Cassation se serait bornée à scruter les statuts des syndicats affiliés, alors que dans son jugement du 7 juillet 1965, le Tribunal de la Seine n'aurait pas pu se contenter de scruter les statuts et aurait du faire appel à l'histoire de la CFTC. Nous pensons personnellement que l'analyse par M. Verdier est inexacte, mais nous rappellerons d'abord le raisonnement suivi par le Substitut Général Souleau qui, dans ses conclusions prises devant la Cour d'Appel de Paris à l'occasion du procès CFTC/CFDT a bien montré que le problème posé au juge était le même dans tous les cas de scissions d'un groupement syndical (1).

Le respect strict des principes auxquels il déclarait adhérer, c'est-à-dire le recours à l'exégèse des statuts dans leurs diverses formes , aurait mis M. Souleau dans une position intenable. C'est pourquoi, en fait, il ne s'est pas tenu à la seule exégèse des différentes rédactions des statuts, mais les a replacées dans le contexte de l'histoire de la confédération et de leur application concrète au cours de celle-ci. La méthode qu'il a suivie est applicable quel que soit le niveau auquel s'est produit la scission à l'origine du litige soumis au juge.

Afin de déterminer avec le maximum de certitude si le changement d'orientation qui a été décidé porte ou non atteinte à une qualité substantielle de la personne morale, les tribunaux ont à plusieurs reprises utilisé la méthode historique dont nous venons de rappeler l'utilité et replacé les statuts dans le contexte de l'histoire du syndicat. C'est cette méthode qui a été adoptée lors du jugement du procès CFTC/CFDT, mais elle avait déjà été utilisée dans certaines espèces consécutives à la scission CGT/CGT-FO.

Nous rappellerons tout d'abord que la scission CFTC/CFDT trouva son origine immédiate dans l'adoption par le congrès de la CFTC de novembre 1964, à la majorité de plus des deux tiers, d'un nouveau préambule et d'un nouvel article 1er des statuts dans lesquels la référence à la morale sociale chrétienne était remplacée par l'indication des valeurs inspirant l'action de la centrale - « toutes les formes de l'humanisme, dont l'humanisme chrétien » - et par la décision prise dans les mêmes conditions de remplacer la dénomination antérieure Confédération Française des Travailleurs Chrétiens par celle de Confédération Française Démocratique du Travail, suivie du sigle CFTC. Un certain nombre de minoritaires irréductibles, entendant continuer la CFTC, demandèrent au Tribunal de dire que seule la CFTC détenait la personnalité juridique et perpétuait le syndicalisme chrétien, la CFDT n'étant qu'un organisme de fait détaché d'elle. De son côté, la CFDT demandait que soit interdit à tous autres le port du nom et du sigle de la personne morale dont elle était l'héritière.

A la lumière des statuts dans leurs différentes rédactions et du contexte historique de l'évolution de la CFTC, le Tribunal puis la Cour d'Appel ont recherché si la référence chrétienne était une qualité substantielle de la personne morale. Les partisans de la CFTC soutenaient que la majorité n'avait pas qualité pour prendre des décisions supprimant les lignes directrices du syndicalisme chrétien, car une telle décision affectait les qualités substantielles de la confédération (2). La CFDT soutenait l'argumentation contraire, prétendant que la suppression de la référence chrétienne ne faisait que marquer un simple élargissement de perspectives, qui était déjà consacré par les faits (3).

(1) Conclusions Souleau, JCP 1966.2.14726.

(2) Dans sa plaidoirie devant le Tribunal, le Bâtonnier Grente, avocat de la CFTC, déclara qu'en prenant les décisions litigieuses supprimant la référence chrétienne, le congrès de novembre 1964 avait commis « un véritable détournement d'idéal » (*Combat*, 8 février 1965 ; *Le Monde*, 9 février 1965).

(3) M. Georges Levard, qui fut dans les années cinquante Secrétaire Général de la CFTC, et Président de la CFDT à l'époque du procès, écrivait en 1955 que les changements apportés aux statuts en 1947 consistaient simplement en une mise à jour et ne manifestaient pas une volonté de transformation de la CFTC qui poursuivait le même idéal (Georges Levard : Chances et Périls du Syndicalisme Chrétien).

L'occasion s'est également présentée pour les juges du fond et la Cour de Cassation de replacer les statuts dans le contexte de l'histoire du syndicat, ce qui montre bien l'erreur que nous croyons avoir été commise par M.Verdier quand il affirme que la Cour de Cassation aurait interdit aux juridictions du fond de faire autre chose que scruter attentivement les statuts lorsqu'elles avaient à rechercher si le changement d'orientation décidé par la majorité portait atteinte à une qualité substantielle du syndicat ou de l'union (1).

§ 2.– CONSEQUENCES PRATIQUES DE LA SCISSION SYNDICALE

Dans les thèses consacrées en jurisprudence lors de la rupture de la CGT, aucun partage des patrimoines syndicaux n'a été ordonné. Ceux-ci ont été, soit conservés aux syndicats CGT, soit dévolus en totalité aux syndicats Force Ouvrière. Il en a été de même lors du jugement du procès CFTC/CFDT. Il existe cependant une différence entre ces deux catégories de décisions. Lors du conflit CGT/CGT-FO le seul problème soumis aux Tribunaux était celui de la dévolution du patrimoine du syndicat, alors que dans le litige CFTC/CFDT cette dernière confédération demandait également au juge de statuer sur le droit au nom et au sigle confédéral.

Parfois, les adversaires ont tenté ou même réussi de parvenir à un accord amiable, mais la plupart du temps le recours à la Justice a été nécessaire. Il est une catégorie de droits pour lesquels l'accord amiable est inefficace, il s'agit de ceux qui sont attachés à la qualité d'organisation syndicale représentative, la reconnaissance de cette qualité incombant au gouvernement. Afin de tenir compte de la variété des problèmes posés et des différents modes de solutions possibles, nous étudierons d'abord les solutions judiciaires et administratives, puis les solutions amiables, en distinguant à chaque fois les droits patrimoniaux et les droits extra-patromoniaux.

A.– *Les solutions judiciaires et administratives*

Nous essayerons de faire la synthèse des décisions qui ont été prises par les autorités publiques, judiciaires ou administratives, lorsqu'elles ont eu à régler les conséquences pratiques des scissions syndicales. Le principe de solution n'est pas le même selon que la décision a été prise par une juridiction sur la dévolution du patrimoine du nom ou des droits sur une œuvre sociale d'inspiration syndicale, ou par l'administration à propos de la reconnaissance de la qualité d'organisation syndicale représentative. Alors que les autorités judiciaires décident que la totalité des droits revient à celui des adversaires qui a triomphé, l'administration a préféré de son côté, reconnaître à l'organisme scissionniste la qualité d'organisation représentative dès lors que le groupement syndical objet de la scission avait lui-même cette qualité qu'il conserve après la scission conjointement avec son rival. Cette remarque préliminaire étant faite, nous étudierons, d'abord les solutions concernant les droits patrimoniaux, puis celles concernant les droits extra-patrimoniaux.

1) Les conséquences patrimoniales de la scission syndicale

C'est à propos de la dévolution du patrimoine du syndicat que le problème de la scission syndicale s'est d'abord posé au juge. En effet, si les syndicats

(1) Angers, 11 juillet 1960, *Droit Ouvrier,* 1960, p.293 : Le pourvoi engagé par le syndicat CGT contre cet arrêt a été rejeté. (Soc. 3 octobre 1962, *Droit Social,* 1963, p.44 obs. Savatier).

français ne sont pas riches, leur patrimoine, si modeste soit-il, est composé de biens (espèces, compte en banque, local, véhicule, machine à écrire) qui lui sont indispensables pour accomplir sa mission, et dont il est alors compréhensible que les fractions rivales se disputent la propriété. Cette importance du patrimoine syndical explique pourquoi c'est pratiquement le seul problème qui a été soumis au juge dans les procès opposant la CGT à Force Ouvrière. C'est d'ailleurs à l'occasion de ces procès qu'ont été dégagés les principes essentiels à la matière. Nous distinguerons les solutions provisoires en attendant le règlement du litige au fond et les solutions définitives prises par les Tribunaux lorsqu'ils ont jugé le fond de l'affaire.

Il y a deux possibilités de règler provisoirement le sort du patrimoine du syndicat en attendant qu'intervienne une décision sur le fond de l'affaire. Un séquestre peut être désigné en référé à la requête de la partie la plus diligente (1) ou alors l'une des parties rivales reste en possession du patrimoine (2).

2) Conséquences extrapatrimoniales de la scission syndicale

La circonstance qu'à l'origine la discussion portait essentiellement sur la dévolution du patrimoine a fait un peu perdre de vue que la scission syndicale avait également des conséquences extrapatrimoniales qui ne méritaient pas d'être négligées. La discussion serrée qui a eu lieu sur le droit au nom et au sigle dans le procès opposant la CFTC à la CFDT a cependant remis à l'honneur ces conséquences extrapatrimoniales, qui sont d'autant plus importantes en France que le syndicalisme est très fortement marqué d'idéologie, que certains groupements gèrent des œuvres sociales au bénéfice de leurs adhérents (3), et que des prérogatives particulières sont reconnues aux organisations syndicales représentatives.

La délimitation des droits respectifs des fractions rivales sur le nom de la personne morale n'a pas posé de difficultés à la suite de l'éclatement de la CGT en 1947 et de la création de la CGT-FO. Les fondateurs de la nouvelle centrale ayant décidé de conserver le nom Confédération Générale du Travail, mais en lui accolant les mots Force Ouvrière, et de conserver le sigle CGT, mais en lui ajoutant les lettres FO, il n'y avait aucun risque de confusion. Le même processus avait été suivi en 1920, lorsque les unitaires, tout en conservant le nom de la confédération et son sigle, évitèrent toute possibilité de confusion en ajoutant au titre et au sigle le mot et la lettre qui permettaient de distinguer leur confédération de l'ancienne. La même démarche fut suivie au

(1) T. Civ. Lons-le-Saunier, 24 février 1948, mentionné dans jugement du même Tribunal du 8 juin 1948, *Droit Social,* 1949, p. 146 JCP 1948.2.4544, note Brèthe de la Gressaye ; - T. Civ. Seine, 22 mars 1948, mentionné dans arrêt Paris, 20 juin 1955, *Droit Ouvrier,* 1955 p. 489 ; - T. Civ. Toulouse, 16 avril 1948, Droit Social 1949 p. 145, GP 1948.1.248 et Droit Ouvrier 1948 p.212, note Boitel ; - T. Civ. Cherbourg, 5 juillet 1948, Droit Social 1949 p.147 et GP. 1948.2.112 ; - Paris, 20 juillet 1948, *Droit Ouvrier,* 1948, p. 500 ; T. Civ. Metz, 5 mai 1948, mentionné dans jugement du même Tribunal du 9 décembre 1948, *Droit Social,* 1949, p. 151.

(2) Sur les difficultés pratiques qui peuvent se poser : Montpellier 12 octobre 1948, *Droit Social,* 1949, p. 151 ; - Limoges, 27 mars 1950, *Droit Ouvrier,* 1950 p.301 ; Rennes, 12 juin 1950, D. 1950 J. 565.

(3) Nous étudions ici les conséquences de la scission syndicale sur le droit des adhérents au bénéfice des œuvres sociales, car ces œuvres ont un but désintéressé qui les hausse au-dessus du patrimoine. Nous ne perdons cependant pas de vue que les droits individuels des syndiqués sont susceptibles d'évaluation pécuniaire. Mais est-il dans notre société un seul droit qui ne soit pas susceptible d'être évalué en argent ? Alors que nos Tribunaux indemnisent - ce mot est bien laid - la souffrance subie dans sa propre chair par la victime d'un accident (pretium doloris) et celle que nous subissons lorsqu'un accident nous ravit un être qui nous est cher ou supposé tel en raison du lien de parenté (préjudice moral), et le mot indemnisation est encore plus laid, moralement précisément.

niveau des groupements affiliés. C'est ce qui explique qu'il fallut attendre la scission CFTC/CFDT pour que le problème du droit au nom et au sigle soit évoqué en Justice. Il s'agit pourtant d'une question importante dont la solution est claire : une personne morale ne peut pas s'approprier les diverses dénominations qu'elle a décidé d'adopter successivement et elle n'a de droit que sur le sigle de sa dénomination actuelle.

Il est en effet un principe de droit qui veut que nul ne puisse appauvrir à son profit le fonds commun du vocabulaire en s'appropriant abusivement des mots qui doivent rester à la disposition de tous ceux qui exercent une activité semblable, et en créant ainsi un obstacle à l'exercice normal d'une telle activité. La jurisprudence a eu l'occasion d'affirmer et d'appliquer ce principe en particulier dans le domaine du droit de la publicité à propos de dépôts de marques (1) ou de litiges relatifs à des slogans publicitaires (2).

Mais cette question a une acuité particulière dans le domaine syndical, où la possession et l'utilisation d'un nom ou d'un sigle présentent une grande importance tactique, même pour une organisation patronale. C'est ce que démontre le procès qui oppose actuellement le Syndicat National de la Petite et Moyenne Industrie (SNPMI) à la Confédération Générale des Petites et Moyennes Entreprises (CGPME). Les deux adversaires affirment chacun être le seul détenteur légitime de la dénomination petite et moyenne industrie et du sigle PMI (3). Saisi de ce litige, le Tribunal de Grande Instance de Nanterre a rendu un jugement au premier abord curieux (4). Il dit en effet que le SNPMI a la propriété exclusive de sa dénomination, et notamment de l'expression « Petite et Moyenne Industrie » qui le caractérise de manière originale. Mais, d'un autre côté il fait interdiction au SNPMI d'utiliser, à quelque titre et sous quelque forme que ce soit, le sigle « PMI » qui est pourtant le sigle de l'expression « Petite et Moyenne Industrie » dont la propriété lui est reconnue. Il est vrai que la CGPME avait déposé la marque « PMI » à l'INPI. Le Tribunal avait donc à résoudre un conflit difficile entre le droit au nom et au sigle d'une part, et le droit à la marque d'autre part. Il a proposé une solution « Salomonienne » peut satisfaisante pour l'esprit, et dont il n'est pas certain qu'elle donne satisfaction aux parties.

(1) Il a été jugé que :
1) la dénomination *hôtesses de France* ne fait qu'évoquer la nature d'un service chargé de la formation d'hôtesses, même si elles sont appelées à exercer leurs fonctions en France, et ne comporte aucun terme indiquant la qualité essentielle d'un service d'éducation et peut être déposée comme marque par une école de formation d'hôtesses puisque sont appropriation ne constitue pas un obstacle à l'exercice normal des activités d'autres établissements se spécialisant dans le même domaine (T. Adm. Paris, 13 juillet 1973, D 1974 S 27) ;
2) la mention d'un terme dans l'arrêté ministériel destiné à remplacer dans la vie publique les emprunts aux langues étrangères ou à suppléer à des lacunes du vocabulaire français, ne saurait avoir ni pour objet ni pour effet de porter une atteinte quelconque aux droits et à la protection dont bénéficient les entreprises pour leurs marques et leur dénomination sociale, le titulaire de la marque concernée ne pouvant demander l'annulation de l'arrêté mentionnant le terme envisagé puisque cette mention n'a pour effet que de rendre obligatoire l'usage de ce terme pour les agents de l'Etat ou des établissements publics dans l'exécution du service (C.E. 5 février 1975, JCP 1975.2.18117, note critique Chavanne, à propos de la marque *La Jardinerie* et de l'inscription du mot *jardinerie* sur la première liste de terminologie économique et financière en application d'un décret du 7 janvier 1972 relatif à l'enrichissement de la langue française).

(2) Il a été jugé que :
1) la formule publicitaire « De jour comme de nuit, devant votre porte appelez un taxi » ne constitue pas une imitation répréhensible du slogan publicitaire « Appelez Radio-Taxi, à votre porte, jour et nuit à votre service » aucun commerçant ne pouvant revendiquer le monopole des mots jour, nuit, porte, qu'il est appelé à employer tout naturellement pour les services rendus par son entreprise (Paris, 13 novembre 1963, API 1964 p. 78) ;
2) le slogan « Persil lave plus blanc » n'est pas imité par le slogan « Seul Lava lave aussi blanc sans bouillir » le seul élément commun étant l'emploi des mots lave et blanc qui sont nécessaires et descriptifs, le slogan « Encore plus pur, encore plus doux » n'est pas imité par « Tout pur, tout doux, Monsavon protège tendrement votre peau » les qualificatifs pur et doux étant usuels dans ce domaine et descriptifs pour des savons (Paris, 22 avril 1969, Sté Procter et Gamble c/ Sté Lever, JCP 1970.2.16418, note Greffe).

(3) *Le Monde,* 29 juillet et 29 octobre 1977.

(4) TGI Nanterre, 17 novembre 1977, SNPMI c/ CGPME et autres, inédit.

L'article 21 du Livre 3 (1) du Code du Travail prévoit la possibilité pour les syndicats de constituer entre leurs membres des caisses spéciales de secours mutuels et de retraite. Faisant usage de la faculté qui leur est ainsi donnée, certaines organisations confédérées importantes ont créé, sous la forme mutualiste, des œuvres sociales considérables, parmi lesquelles nous citerons l'Orphelinat National des Cheminots et l'Entr'aide Sociale du Personnel des Manufactures de Tabacs. La question se pose de savoir ce que deviennent ces œuvres une fois la scission accomplie, et surtout ce que deviennent les droits des syndicats créateurs et de leurs adhérents à leur égard.

En ce qui concerne les membres du syndicat, un principe fondamental est inscrit à l'article 23 du Livre 3 du Code du Travail qui dispose que « toute personne qui se retire d'un syndicat conserve le droit d'être membre des sociétés de secours mutuels et de retraite pour la vieillesse à l'actif desquelles elle a contribué par des cotisations ou versements de fonds ». En fonction de ce texte, le problème paraît, à première vue, aisé à résoudre. Les minoritaires, groupés dans le nouveau syndicat, conservent les droits qu'ils s'étaient jusqu'alors constitués par leurs cotisations, et peuvent même continuer à les accroître. Malheureusement, cette simplicité n'est qu'apparente, et la complexité des liens unissant les syndicats à leurs œuvres sociales n'a pas manqué de faire naître des conflits dont la solution fut extrêmement malaisée. C'est qu'en effet si les œuvres sociales syndicales jouissaient de la personnalité civile et disposaient par conséquent d'une autonomie juridique complète par rapport aux syndicats fondateurs, il n'en demeurait pas moins que leurs organes d'administration étaient généralement les mêmes que ceux des syndicats, et que parfois même leurs cotisations étaient collectées par les syndicats en même temps que leurs propres cotisations, et ce par application de clauses statutaires. Rien n'illustre mieux ces difficultés que le conflit qui opposa la Fédération Force Ouvrière des Cheminots à la Fédération CGT des Cheminots et à l'Orphelinat National, et qui fut tranché par le Tribunal de la Seine en 1949 (2).

L'Orphelinat des Chemins de Fer était une association constituée conformément aux dispositions de la loi du 1er juillet 1901. Sa création, en juillet 1904, était manifestement d'inspiration syndicale, et personne ne songeait à contester ce fait. Cependant, dès 1917, il fut prévu, d'une part que tous les cheminots syndiqués à la Fédération CGT seraient automatiquement adhérents à l'Orphelinat, la cotisation à cette œuvre étant comprise dans la cotisation syndicale et reversée ensuite par les soins de la Fédération à l'Orphelinat, d'autre part et surtout que l'adhésion individuelle ne serait plus autorisée. L'article 3 des statuts de l'œuvre précisait en effet que « l'adhérent devra (...) être membre de la Fédédration Nationale des Travailleurs des Chemins de Fer (CGT) ou d'une organisation adhérente à l'orphelinat ». On saisit tout de suite, au vu de ce bref exposé, la situation apparemment insoluble qui se présenta après la scission de 1947 et la création par les minoritaires d'une Fédération des Cheminots Force Ouvrière. Le texte de l'article 23 du Livre 3 du Code du Travail semblait bien garantir les droits individuels des scissionnistes, mais la CGT et l'Orphelinat, pour accepter de leur en faire l'application, prétendirent leur imposer le paiement de la cotisation syndicale en même temps que celui de la cotisation à l'orphelinat.

C'est dans ces conditions que la Fédération Force Ouvrière se vit dans l'obligation de plaider. Se fondant sur les circonstances particulières qui avaient provoqué sa naissance, elle demanda au Tribunal de juger qu'elle devait être, au même titre que la Fédération CGT, considérée comme une organisation adhérente à l'Orphelinat. Elle fit notamment valoir, à l'appui de sa demande, que les prétentions de ses adversaires contrevenaient tout à la fois au principe de la

(1) *Aujoud'hui* : art. L. 411-15 C. Trav.
(2) T. Civ. Seine, 11 mars 1949, *Droit Ouvrier* (mars 1949).

liberté syndicale et aux dispositions des articles 8 et 23 du Livre du Code du Travail (1). Elle ne manqua pas, d'autre part, de rappeler qu'après la scission de 1921 les minoritaires d'alors groupés dans la Fédération CGTU conservèrent sans difficulté les droits qu'ils avaient acquis à l'Orphelinat par admission amiable de cette Fédération en qualité d'organisation adhérente à l'Orphelinat.

Le Tribunal de la Seine refusa purement et simplement d'entrer dans des considérations qui l'auraient sans doute obligé de déclarer les liens de famille existant entre les fédérations rivales. Après avoir constaté que la Fédération Force Ouvrière constituait une nouvelle personne morale indépendante, était libre d'accepter ou de refuser l'adhésion de telle organisation qui lui en faisait la demande. A titre de consolation, et comme pour s'excuser, le Tribunal crut utile d'ajouter dans son jugement que « saisi d'une action intentée par la Fédération Force Ouvrière, il n'était pas en droit de statuer sur les droits que les membres de ce syndicat ayant fait antérieurement partie de la Fédération CGT peuvent tenir des dispositions de l'article 23 du Livre 3 du Code du Travail (1) ». Il est bien évident qu'une telle solution ne saurait être admise. Ici, plus encore qu'en d'autres matières, le droit doit céder le pas à l'équité, sans qu'il soit pour autant impossible de statuer sans commettre d'excès de pouvoir. Il ne suffisait pas, dans l'espèce relatée, de constater que la Fédération Force Ouvrière était une nouvelle personne morale, il fallait encore expliquer dans quelles conditions elle était née, et à défaut le lien de droit avec la Fédération CGT il aurait été aisé de déceler plus de liens de fait qu'il n'en fallait pour accueillir favorablement la demande de la Fédération Force Ouvrière.

La reconnaissance à une organisation syndicale de la qualité de syndicat représentatif avec les prérogatives qui y sont attachées dépend, non de l'autorité judiciaire, mais de l'autorité administrative. Dans cette matière l'administration prend acte du fait que la scission, sans s'encombrer de considérations théoriques, et reconnaît très vite aux groupements scissionnistes qui nous intéressent la qualité d'organisation représentative.

Cette politique a été critiquée par les majoritaires de chaque scission, qui y voient une manifestation de la volonté gouvernementale de favoriser la division du mouvement syndical et l'instauration de centrales qui prônent la collaboration des classes au lieu d'une lutte authentiquement ouvrière. Il est difficile de savoir quelles peuvent être les arrières-pensées des pouvoirs publics en la matière, mais il est certain que l'attitude qu'ils ont décidé d'adopter a le mérite de dédramatiser le conflit, en évitant de revenir sur un passé qu'il peut être préférable d'oublier, de tenir compte du caractère spécifique de la scission syndicale qui s'accomode mal des solutions judiciaires traditionnelles, et de montrer la voie d'une solution amiable à laquelle il est possible de parvenir avec un minimum de bonne volonté.

B.– *Une solution amiable est toujours préférable*

La recherche d'une solution amiable entre tendances rivales est difficile, chacun étant certain de son bon droit et personne ne voulant abandonner un héritage historique et un patrimoine qui sont autant de moyens qui permettent aux syndicats de mener leur action et d'attirer à eux le plus grand nombre d'adhérents et de militants. C'est ce qui explique la violence et la durée des luttes judiciaires qui ont opposé les syndicats affiliés à la CGT et ceux affiliés à la CGT-FO, la CFTC et la CFDT.

En 1922 et en 1947, la minorité confédérale a abandonné la CGT pour fonder une nouvelle centrale à qui elle a donné un nom qui, tout en rappelant expressément sa filiation, ne prêtait pas à confusion. C'est ce qui explique, au moins en partie, pourquoi il n'y a pas eu de procès au niveau confédéral en ces deux occasions. Mais, alors qu'à la suite de la scission de 1921 aucun procès

(1) *Aujourd'hui* : art. L 411-8 et L 411-23 C. Trav.

n'avait été engagé entre les organisations affiliées aux confédérations rivales, les syndicalistes ne voulant pas soumettre leurs différends à la justice bourgeoise, la CGT n'a pas hésité à engager des procès à la suite de la scission de 1947 à chaque fois que la majorité d'un groupement affilié décidait de modifier l'affiliation confédérale de celui-ci et de rejoindre la CGT-FO. Il a cependant fallu attendre la scission CFTC/CFDT de 1964 pour que le procès soit engagé au niveau des confédérations elles-mêmes.

Lors de la scission CFTC/CFDT, le procès, qui s'était engagé au niveau confédéral, a été porté jusqu'à la Cour de Cassation et ce n'est qu'après que cette juridiction eut rendu son arrêt que les frères ennemis écoutèrent enfin la voix de la raison et signèrent un compromis dont ils communiquèrent immédiatement les termes à la presse (1).

Un tel accord tient compte des faits, comme les deux parties l'ont souligné dans leurs commentaires (2) et marque la volonté de chacune de ne pas poursuivre plus loin une polémique préjudiciable au mouvement syndical (3).

La voix de la raison a ainsi mis six ans pour se faire entendre ! Dans cette matière plus que dans toute autre, il aurait été bien préférable de ne pas en passer par les interminables procès qui ont envenimé pendant des années la vie du mouvement syndical français et ont affaibli sa situation, au détriment des intérêts de ceux-là mêmes qu'il veut défendre. On ne peut qu'espérer que les syndicalistes tireront de cette expérience, qui n'a rien de glorieux, une leçon pour l'avenir.

(1) « La CFDT et la CFTC viennent de mettre fin par un accord conclu le 11 janvier « 1971, au conflit juridique qui les oppose depuis novembre 1964. Cet accord a pris pour « base la situation de fait actuelle et comporte les clauses suivantes :

« Les signataires se désistent de toutes les instances judiciaires et renoncent à en enga- « ger de nouvelles ayant le même objet.

« A compter du 11 mars 1971, la CFTC continuera seule à utiliser le titre Confédéra- « tion Française des Travailleurs Chrétiens et le sigle CFTC.

« Les organisations CFTC qui occupent actuellement des locaux 26 rue de Montholon « les quitteront dans un délai de six mois, pour être regroupées dans les locaux de la « CFTC ».

Combat, 12 janvier 1971 ; *Le Monde,* 13 janvier 1971.

(2) Afin d'éviter une renaissance de la polémique, le commentaire de chacune des deux organisations a été soumis à l'autre, préalablement à sa publication.

(3) *Syndicalisme,* 14 janvier 1971 ; *Combat, La Croix et Le Monde,* 13 janvier 1971.

BIBLIOGRAPHIE

1.- BIBLIOGRAPHIE GENERALE

Abendroth (Wolfgang).- *Histoire du mouvement ouvrier en Europe,* traduit de l'Allemand, Maspero, 1967.

Adam (Gérard).- *La CFTC, 1940-1958 : Histoire politique et idéologie,* Armand Colin, 1964.

Adam (Gérard).- *La CFTC,* FNSP, 1964.

Adam (Gérard).- *La CGT-FO.,* Cahiers FNSP, 1965.

Barjonet (André).- *La CGT : Histoire, structure, doctrine,* Editions du Seuil, 1968.

Bergeron (André).- *Ma route et mes combats,* Ramsay, 1976.

Bothereau (Robert).- *Histoire du syndicalisme français,* PUF, 1945.

Brecy (Robert).- *Le mouvement syndical en France : Essai bibliographique (1871-1921)* Mouton et Cie, 1963.

Bruat (J) et Piolot (M).- *Esquisse d'une histoire de la CGT,* 1967.

Caire (Guy).- *Les syndicats ouvriers,* PUF, 1971.

Capdevielle (Jacques) et Mouriaux (René).- *Les syndicats ouvriers en France,* Armand Colin, 1970.

Capocci (Armand).- *L'avenir du syndicalisme,* Hachette, 1967.

Chambelland (Colette).- *Le syndicalisme ouvrier français,* Editions Ouvrières, 1956.

Charlot (Monica).- *Le syndicalisme en Grande-Bretagne,* Armand Colin, 1970.

CNRS.- *La première internationale : L'institution, l'implantation, le rayonnement,* Paris, 16-18 novembre 1964, Colloques internationaux du CNRS, Sciences Humaines, Editions du CNRS, 1968.

Crozier (Michel).- *Usines et Syndicats d'Amérique,* Les Editions Ouvrières, 1951.

Delon (Pierre).- *Le syndicalisme chrétien en France* (avec une préface de Georges Cogniot) Editions Sociales, 1965.

Documentation Française (La).- « L'évolution intérieure de la CGT » *Notes et Etudes Documentaires,* 2 décembre 1949, nº 1239.

Dolléans (Edouard).- *Histoire du mouvement ouvrier,* Armand Colin, 1939.

Dolléans (Edouard).- *Histoire du Travail,* Domat Montchrestien, 1944.

Drevillon (Jean).- *Psychologie des groupes humains,* Bordas, 1973.

Frachon (Benoît).- *Au rythme des jours* (seul le Tome 1, 1944-1954, est paru), Editions Sociales, 1967-1968.

Freymond (Jacques) et autres.- *La première internationale* : Recueil de documents publiés sous la direction de Jacques Freymond. Publications de l'Institut Universitaire des Hautes Etudes Internationales, Librairie Droz, 1962.

Georges (Bernard) et Tintant (Denise).- *Léon Jouhaux : Cinquante ans de syndicalisme* (seul le Tome 1, des origines à 1921, est paru), PUF, 1962.

Girod (Roger).- *Etudes sociologiques sur les couches salariées,* Marcel Rivière, 1960.

Goetz-Girey (Robert).- *La pensée syndicale française : Militants et Théoriciens,* Armand Colin, 1948.

Jouhaux (Léon).- *La CGT : Ce qu'elle est, ce qu'elle veut,* Gallimard, 1937.

Kriegel (Annie).- *La croissance des effectifs de la CGT (1918-1921),* Mouton et Cie, 1967.

Labi (Maurice).- *La grande division des travailleurs : Première scission de la CGT (1914-1921),* Thèse 3ème Cycle Lettres (Etudes Politiques) Paris, 1963. Editions Ouvrières, 1964.

Le Bon (Gustave).- *Psychologie des foules,* Alcan 1895.

Le Bourre (Raymond).- *Le syndicalisme français dans la Cinquième République,* Calmann-Lévy, 1959.

Le Brun (Pierre).- *Questions actuelles du syndicalisme,* Editions du Seuil, 1965.

Lefranc (Georges).- *Le mouvement syndical sous la Troisième République,* Payot, 1967.

Lefranc (Georges).- *Le mouvement syndical de la Libération aux événements de mai-juin 1968,* Payot, 1969.

Lefranc (Jean-Louis).- *Histoire du mouvement syndical en France,* 1948.

Lénine (Vladimir Ilitch Oulianov, dit).- *Du rôle et des tâches des syndicats dans les conditions de la nouvelle politique économique* (traduit du Russe), Editions Sociales, 1949.

Levard (Georges).- *Chances et périls du syndicalisme chrétien,* Armand Fayard, 1955.

Louis (Paul).- *Histoire du mouvement syndical en France,* Librairie Valois, 1947-1948.

Mallet (Serge).- *La nouvelle classe ouvrière,* Esprit, 1963.

Marchal (André).- *Le mouvement syndical en France,* Bourrelier et Cie, 1945.

Mathe (Daniel).- *Militant chez Renault,* Editions du Seuil, 1965.

Monatte (Pierre).- *Trois scissions syndicales,* Editions Ouvrières, 1959.

Pelloutier (Fernand).- *Histoire des Bourses du Travail,* Alfred Costes, 1946.

Prost (Antoine).- *La CGT à l'époque du Front Populaire,* Armand Colin, 1964.

Reynaud (Jean-Daniel).- *Les syndicats en France,* Armand Colin, 1963.

Talmy (Robert).- *Le syndicalisme chrétien en France (1871-1930) : Difficultés et controverses,* Blond et Gay, 1966.

Tiano (André).- *L'action syndicale ouvrière et la théorie économique du salaire,* Génin, 1958.

Waline (Pierre).- *Les rapports entre patrons et ouvriers en Angleterre d'aujourd'hui,* Marcel Rivière, 1948.

Waline (Pierre).- *Les syndicats aux Etats Unis,* Cahiers FNSP, Armand Colin, 1951.

Waline (Pierre).- *Cinquante ans de rapports entre patrons et ouvriers en Allemagne (1918-1968),* Cahiers FNSP, Armand Colin, 1968.

Wriss (Dimitri).- *Les relations du travail : Employeurs, personnel, syndicats, Etat,* Dunod, 1974.

2.- BIBLIOGRAPHIE JURIDIQUE

Bockel (Alain).- La participation des syndicats ouvriers aux fonctions économiques et sociales de l'Etat. Thèse Droit Strasbourg, 1962, LGDJ, 1965.

Boitel (Maurice).- La propriété des biens syndicaux et la jurisprudence, Droit Ouvrier, 1949.

Brèthe de la Gressaye (Jean).- Le syndicalisme, l'organisation professionnelle et l'Etat, Sirey, 1930.

Brèthe de la Gressaye (Jean).- Les pouvoirs du congrès extraordinaire sur les statuts de la confédération syndicale. Note sous TGI Seine 7 juillet 1965. Droit Social, 1965.

Carbonnier (Jean).- Flexible Droit : Textes pour une sociologie du droit sans rigueur. LGDJ, 2ème édition, 1971.

Carbonnier (Jean).- Les conséquences juridiques de la scission syndicale. Droit Social, 1949.

Congrès International de Droit du Travail (Actes du 5ème).- Les relations internes entre les syndicats et leurs membres. Lyon, 1963.

Dravet (Henri).- Le droit syndical. Editions Universitaires, 1972.

Lindon (Raymond).- Note sous Soc. 28 et 29 mai 1959. JCP 1959.2.11243.

Lyon-Caen (Gérard).- Les conséquences juridiques de la scission syndicale. Droit Ouvrier, 1949.

Lyon-Caen (Gérard).- La propriété des biens syndicaux et le statut légal des groupements professionnels. Droit Ouvrier, 1955.

Melle (Bernard).- Etude juridique des scissions syndicales. Thèse Poitiers, 1950.

Moithy (Jean).- La dévolution des biens syndicaux. Droit Ouvrier, 1948.

Ripert (Georges).- Les forces créatrices du droit. LGDJ, 1955.

Rosenthal (Dante).- Les effets juridiques de la scission des organisations syndicales. Droit Social, 1960.

Savatier (Jean).- La majorité peut-elle modifier l'affiliation confédérale d'un syndicat ? Note sous Soc. 3 octobre 1962. Droit Social, 1963 p.44.

Savatier (René).- Les métarmorphoses économiques et sociales du Droit Civil d'aujourd'hui. Dalloz, 1964.

Sinay (Hélène).- Note TGI Seine 7 juillet 1965. D. 1966 J. 214.

Souleau.- Conclusions dans Paris 21 juin 1966. JCP 1966.2.14726.

Spyropoulos (Georges).- La liberté syndicale. Pichon, 1956.

Sudreau (Pierre) et autres.- Rapport du comité d'étude pour la réforme de l'entreprise. La documentation française, 1975.

Verdier (Jean-Maurice).- Les syndicats. Tome V du Traité de Droit du Travail publié sous la direction de M. Camerlynck, Dalloz, 1966.

Verdier (Jean-Maurice).- Note sous TGI Seine 7 juillet 1965. D. 1966. J. 214.

Verdier (Jean-Maurice).- Note sous Paris 21 juin 1966. Droit Social, 1967 p.32.

Verdier (Jean-Maurice).- Les suites de la scission CFTC/CFDT, commentaire de l'arrêt rendu par la chambre sociale de la Cour de Cassation le 9 mai 1968 dans le litige opposant la CFDT à la CFTC continuée. Note sous Soc. 9 mai 1968. Droit Social 1969 p. 285.

INDEX ALPHABETIQUE

TABLE DES MATIERES

QUATRIEME PARTIE

Imprimé en France

Imprimerie JOUVE, 17, rue du Louvre, 75001 PARIS

Dépôt légal : 2e trimestre 1978